Zarya et le Crâne maudit

Les Éditions des Intouchables bénéficient du soutien financier de la SODEC et du Programme de crédits d'impôt du gouvernement du Québec.

Nous remercions le Conseil des Arts du Canada de l'aide accordée à notre programme de publication.

Nous reconnaissons l'aide financière du gouvernement du Canada par l'entremise du Programme d'aide au développement de l'industrie de l'édition (PADIÉ) pour nos activités d'édition.

Membre de l'Association nationale des éditeurs de livres.

LES ÉDITIONS DES INTOUCHABLES
512, boulevard Saint-Joseph Est, app. 1
Montréal, Québec
H2J 1J9
Téléphone : 514-526-0770
Télécopieur : 514-529-7780

DISTRIBUTION : PROLOGUE
1650, boulevard Lionel-Bertrand
Boisbriand, Québec
J7H 1N7
Téléphone : 450-434-0306
Télécopieur : 450-434-2627

Impression : Transcontinental
Illustration : Polygone Studio
Conception graphique : Marie Leviel
Correction : France Lafuste, Patricia Juste Amédée

Dépôt légal : 2009
Bibliothèque et Archives nationales du Québec
Bibliothèque nationale du Canada

ISBN : 978-2-89549-382-2

JP Goyette

Merci à toi, ma chère Josiane Hamel…

Tel un phare haut perché sur son rocher guidant un bateau solitaire dans une mer brumeuse… tu as su me guider dans un océan de mots et ainsi me sauver d'une noyade littéraire.

JP Goyette

Prologue

Paris, 21 h 07

Marie-Ève Arnoux, une jeune femme de dix-neuf ans, étudiante en médecine et stagiaire à l'Hôtel-Dieu de Paris depuis trois semaines, attendait patiemment l'autobus, près de l'hôpital, au bout de la rue d'Arcole, sur l'île de la Cité. Elle était exténuée par sa dure journée de labeur et n'avait qu'une idée en tête : retrouver sa petite chambre d'hôtel pour enfin se reposer. Marie-Ève réussissait à déchiffrer son livre grâce à la lumière des réverbères qui brillait faiblement en ce début de nuit de pleine lune. Rien ne présageait qu'il se passerait quelque chose d'étrange qui bouleverserait sa vie à jamais.

Une camionnette bleu foncé était garée au coin de la rue d'Arcole et de la rue du Cloître-Notre-Dame. La portière coulissa silencieusement pour laisser descendre deux hommes à l'allure suspecte, tandis qu'un troisième restait au volant. Ils avancèrent vers la jeune femme d'un pas décidé.

— Marie-Ève Arnoux ? l'interpella l'un des deux hommes.

— Oui ! répondit-elle en relevant la tête. Comment connaissez-vous mon nom ? Et qui êtes-vous ?

— Aucune importance.

La jeune femme remarqua que l'homme qui venait de lui parler avait un dragon tatoué sur le bras droit, se prolongeant jusqu'au cou.

Les deux individus s'emparèrent d'elle, la tirèrent violemment vers la camionnette et la forcèrent à monter sans qu'elle puisse émettre un seul cri. Dès qu'ils furent à l'intérieur, l'un des trois hommes lui couvrit les yeux avec un bandeau.

Marie-Ève n'y comprenait rien ! La terre avait subitement cessé de tourner, le monde entier s'était immobilisé. Son cœur battait à toute vitesse ; elle était totalement désemparée !

— Mais que me voulez-vous ?

— Restez tranquille, ordonna le premier homme.

— Où m'emmenez-vous, et pourquoi ?

— Coopère et tu vivras, lui précisa celui qui était resté derrière le volant.

Ils roulèrent pendant une quarantaine de minutes, mais pour Marie-Ève cela sembla interminable...

Brusquement, la camionnette s'arrêta et le cœur de Marie-Ève se mit à battre encore plus fort. Des filets de sueur froide coulaient le long de son dos ; elle avait des nausées et une sensation diffuse de vertige. Compte tenu de la gravité du choc et de ce cauchemar éveillé, cela était parfaitement compréhensible. Soudain, le conducteur lui adressa de nouveau la parole :

— Ça va bien aller si tu restes tranquille. Après, on va te ramener chez toi.

La jeune femme obtempéra malgré son angoisse grandissante, voulant naïvement croire ces paroles.

Les trois hommes descendirent du véhicule et ouvrirent la porte arrière. Ils firent sortir Marie-Ève, prenant bien soin de lui laisser le bandeau sur les yeux. La jeune femme sentait son corps s'engourdir et ses nausées s'accentuer. Elle accompagna ses ravisseurs malgré elle, sans toutefois leur opposer de résistance. Ils pénétrèrent dans un bâtiment où une forte odeur de moisi l'assaillit.

L'un des trois hommes ouvrit une porte et entra dans une autre pièce. Dix minutes s'écoulèrent avant qu'il ne réapparaisse pour s'adresser à ses complices :

— Ils sont prêts, on peut la faire entrer.

— Je ne comprends pas… Que voulez-vous de moi ? Laissez-moi partir…, murmura Marie-Ève, au bord des larmes.

— Fais exactement ce qu'on te dit et ce ne sera pas long.

Ils entrèrent dans la pièce, l'un des hommes poussant la jeune femme devant eux. Malgré le bandeau, Marie-Ève supposa que le lieu était immense à cause de l'écho de leurs pas. De plus, elle sentait d'autres présences étrangères. L'un de ses ravisseurs la fit asseoir, la menotta sur une chaise de métal et lui enleva son bandeau.

Marie-Ève cligna des yeux et remarqua avec stupéfaction qu'il y avait cinq personnes supplémentaires. La pièce était faiblement éclairée par des torches fixées aux murs de pierre. Le plafond cathédrale était en forme de dôme et le plancher de granit présentait un grand pentacle inversé[1] de huit mètres de diamètre, au centre de la pièce.

Le plus curieux était l'objet en forme de crâne posé sur un piédestal, en plein milieu du pentacle. En effet, un crâne de cristal de quartz transparent, reproduction parfaite d'un crâne de femme, reposait sur le socle en face de Marie-Ève.

Sur quatre des pointes du pentacle se tenait une personne qui portait une longue robe violette et un masque noir lui recouvrant le haut du visage. Un cinquième individu, visiblement le chef, était posté sur la pointe inversée et était vêtu d'une longue robe noire avec un grand capuchon qui

---

1. Le pentacle est un symbole en forme d'étoile à cinq branches inscrite dans un cercle, qui est souvent interprété comme un talisman apte à capter et à mobiliser les forces occultes si la pointe est dirigée vers le bas.

dissimulait ses traits. Il portait aussi un pendentif en forme de quart de lune.

Marie-Ève, toujours menottée à sa chaise, s'adressa au chef de la secte :

— Que voulez-vous de moi ?

— Je désire seulement m'approprier une chose que vous possédez, ma chère Marie-Ève.

— Mais je n'ai rien avec moi, vous vous trompez, je ne possède aucune richesse…

— Détrompez-vous ! Vous possédez quelque chose d'une valeur inestimable et c'est ça qui fait votre richesse exceptionnelle, l'interrompit le gourou.

— Mais je n'ai rien sur moi, répéta la jeune femme, partagée entre la colère et le désespoir.

— Je sais que vous n'avez rien sur vous, chère demoiselle, mais ce que je veux se trouve en vous…

Sur ces dernières paroles, le gourou s'avança vers le socle et posa ses deux mains sur le dessus du crâne de cristal. Il fixa sur Marie-Ève un regard pénétrant et prononça, d'une voix surhumaine, une sorte d'incantation aux sonorités graves et puissantes :

– *Satous Miliganifu Transfimila Intafius !*

Soudain, le dessous du crâne s'éclaira et une lumière rayonnante bleutée jaillit par les orbites, créant un intense faisceau lumineux qui frappa la jeune femme en plein visage. Elle poussa un hurlement horrible, suraigu, déchirant, un cri de suppliciée qui se répercuta d'un mur à l'autre sous le regard impassible des gens qui l'entouraient. Le crâne se mit alors à scintiller de tous ses feux et projeta une lueur orangée sur tout le corps du gourou.

La bête noire

Québec, 15 h 35

Au son de la cloche, Zarya sortit précipitamment de la classe. Elle parcourut d'un pas rapide les longs couloirs de la polyvalente Chanoine-Armand-Racicot de Saint-Jean-sur-Richelieu. Sa mère l'attendait déjà dans le stationnement. Malgré les chuchotements étouffés et les regards échangés sur son passage, l'adolescente marchait la tête haute, montrant ainsi toute son assurance, sans toutefois afficher de l'arrogance. Ses longs cheveux noirs, luisants sous les néons, flottaient derrière elle au rythme de ses pas.

Zarya Adams avait seize ans. C'était une jeune fille solitaire et à l'esprit vif. Elle habitait avec sa mère, Kate. Son père, John Adams, avait déserté la maison familiale deux ans plus tôt. Il était parti en France avec une jeune femme et n'avait plus donné de nouvelles jusqu'à tout récemment. Zarya lui en voulait encore de son indifférence à son égard. Sa mère, âgée de trente-huit ans, était une femme séduisante aux cheveux châtains et aux yeux verts. Elle travaillait dur comme adjointe administrative au département des sciences du cégep de Saint-Jean-sur-Richelieu pour offrir à sa fille unique une bonne qualité de vie. Cependant, Zarya se contentait de peu. Elle affectionnait tout particulièrement les vêtements noirs, comme cette longue robe gothique qu'elle avait revêtue ce jour-là, malgré le chaud soleil de juin. Ses magnifiques yeux bleus contrastaient étonnamment avec tout ce noir.

L'adolescente atteignait la sortie lorsqu'une voix familière l'appela :

— Zarya ! Pas si vite... attends-moi ! Tu as l'air bien pressée ! s'écria Abbie, tout essoufflée.

Abbie était son amie, et la seule. Contrairement à Zarya, elle avait le style plus conventionnel d'une adolescente de seize ans, avec son jean bleu et sa blouse blanche entrouverte, surmontée d'un pendentif en forme de tête de loup, bijou qui ne la quittait jamais. Son visage au teint de pêche était encadré par une multitude de boucles châtain clair qui tombaient en cascade sur ses épaules.

— Oui, je dois me dépêcher, car ma mère m'attend à l'extérieur, répondit Zarya en se retournant. Je ne veux pas être en retard !

— En retard ! Mais en retard pour quoi ?

— C'est aujourd'hui que mon père arrive. On doit aller le chercher à l'aéroport. Il va rester quelques jours à la maison...

— Il va rester chez vous ? s'exclama Abbie, surprise. Mais aux dernières nouvelles, il était avec une autre femme, non ?

— Oui, je sais, mais il a confié à ma mère qu'il était seul depuis quelques mois et qu'il regrettait profondément de nous avoir quittées.

— Tu dois être contente, non ?

— Oui, c'est sûr..., mais j'avoue que je suis aussi un peu perplexe. Tu sais, Abbie, mon père buvait beaucoup à la fin et, dans ces moments-là, il pouvait rendre la vie de ma mère très difficile.

— Alors, pourquoi ta mère accepte-t-elle de le revoir et, surtout, de l'héberger ?

— Parce qu'il lui a assuré qu'il ne buvait plus et qu'il lui a promis de ne plus toucher à une bouteille d'alcool pour le restant de ses jours.

— Super ! C'est une bonne nouvelle pour vous deux ! En tout cas, ça se présente plutôt bien, dit Abbie avec sincérité.

— Oui, je crois que tout va bien aller ! Enfin, je l'espère de tout mon cœur...

— Ne t'en fais pas, Zarya, tout ira pour le mieux... Est-ce qu'on se voit quand même ce soir ?

— Non, pas ce soir, je suis désolée. Mais je vais t'appeler, d'accord ?

— Parfait. J'attends ton appel. Bonne chance !

Zarya se dirigea vers la voiture de sa mère qui l'attendait impatiemment. Elle monta dans le véhicule sans souffler mot, mais adressa tout de même à Kate un sourire crispé. Elles prirent la direction de Montréal pour se rendre à l'aéroport Pierre-Elliott-Trudeau. Le trajet, d'une trentaine de minutes, se fit dans un silence songeur. Seul bruit perceptible : le sifflement du vent qui entrait en rafales par une fenêtre entrouverte.

À l'aéroport, Kate suivit les panneaux pour aller se garer au niveau des arrivées. Alors qu'elle marchait avec sa fille vers le hall principal, elle lui fit un sourire en coin. Zarya se demanda si ce sourire était sincère ou s'il n'était pas un signe de nervosité... C'était probablement une combinaison des deux !

— Maman, est-ce que je peux te poser une question ?

— Bien sûr, ma chérie.

— Est-ce que tu l'aimes encore ?

— Au fond de mon cœur... oui. C'est pour cette raison que j'ai accepté de le revoir.

— Et s'il recommence à avoir des gestes agressifs envers toi, comme avant, qu'est-ce que tu vas faire ?

Kate réfléchit à la pertinence de la question et prit le temps de mesurer ses paroles pour rassurer sa fille. Posant une main aimante sur son épaule, elle se lança :

— Écoute-moi bien, ma chérie, au début de notre mariage, c'était le meilleur mari que j'aurais pu souhaiter. Il ne buvait pas et il était d'une extrême gentillesse. Il avait la volonté absolue d'aider le monde autour de lui, attitude que j'admirais beaucoup. À ta naissance, c'était un père modèle. T'en souviens-tu ? demanda-t-elle en regardant sa fille avec un air mélancolique. Il t'adorait et il passait tout son temps libre à jouer avec toi.

— Oui, c'est vrai, tu as raison, je m'en souviens très bien, répondit Zarya, les yeux emplis d'espérance.

Kate reprit avec détermination :

— Zarya, je te jure que si ton père retombe dans la boisson et redevient agressif, je n'hésiterai pas à demander le divorce ! Mais je crois sincèrement que tout va bien se passer.

Elles étaient arrivées tout près des portes de débarquement quand Kate constata, sur l'écran indicateur, que l'avion de son mari avait un retard de quinze minutes.

— Et si on allait prendre un bon café, ma chérie ! suggéra-t-elle. L'avion a un peu de retard. On pourrait en profiter pour essayer de se détendre un peu.

— D'accord, c'est une très bonne idée !

Zarya projetait une image très détendue pour les gens qu'elle croisait, mais, à l'intérieur, elle se sentait prise de vertige à l'idée de revoir son père. Cet homme les avait abandonnées pendant deux longues années et n'avait pas daigné donner signe de vie durant presque toute cette période. Pourtant, il revenait dans leur vie comme s'il ne les avait jamais quittées ! L'adolescente sentit monter en elle une certaine rage mêlée de tristesse en pensant à toutes les choses importantes qu'elle avait vécues sans lui ; tant de doux souvenirs mille fois plus exquis que tout ce qu'il est convenu d'appeler « plaisir », des souvenirs qu'elle ne partageait ni ne partagerait jamais avec lui... Elle aurait voulu crier son désarroi pour se libérer, comme on lance une bouteille à la mer. Mais, soudain, Zarya remarqua un phénomène étrange à quelques mètres devant elle. Alors qu'elle fixait une dame qui se trouvait près d'une cabine téléphonique, elle vit, à son grand étonnement, une lueur blanche translucide envelopper complètement sa silhouette. Pendant un instant, la jeune fille ne comprit pas très bien ce qu'elle venait de voir. En se tournant vers sa mère pour lui faire part du phénomène, elle constata qu'une lueur blanche l'entourait, elle aussi. Cependant, la couleur qui semblait émaner de Kate était un peu plus foncée, avec une légère teinte orangée. Qu'est-ce qui pouvait bien lui passer par la tête ? C'étaient sûrement les reflets du soleil.

— Maman, regarde la dame, là-bas, à côté de la cabine téléphonique... Est-ce que tu remarques quelque chose de spécial ?

— Hum... non, pourquoi ?

— Euh... pour rien... c'était juste une question comme ça, mentit Zarya.

Elle se tourna de nouveau vers la femme de la cabine, mais la lueur blanche avait disparu. Elle cligna plusieurs fois des yeux pour faire réapparaître la lueur fantomatique. Cependant, rien ne se passa. L'adolescente se demanda avec curiosité ce qui s'était réellement passé.

Depuis un certain temps, elle avait remarqué que d'étranges phénomènes inexplicables se produisaient en sa présence. Des sifflements aigus, des lampadaires qui s'éteignaient ou s'allumaient tout seuls et, même, des silhouettes rôdant autour de sa maison. Elle ne s'était pas confiée à sa mère pour ne pas l'inquiéter ou plutôt pour ne pas être prise pour une folle. C'est pourquoi, après avoir dégusté son café, Zarya se leva d'un bond et annonça d'une voix énergique :

— Viens, maman ! Allons chercher papa !

— D'accord, ma chérie, répondit Kate, attendrie devant tant d'enthousiasme.

La mère et la fille marchaient côte à côte, toutes les deux perdues dans leurs pensées. Zarya se posait mille et une questions : « Que signifiait la lumière autour de la dame ? Et même celle autour de maman ? Pourquoi ont-elles soudainement disparu ? Était-ce réel ou simplement le fruit de mon imagination ? Et comment expliquer tous ces phénomènes étranges depuis quelque temps ? Suis-je en train de perdre la tête ? »

Zarya se secoua et parvint à mettre de côté toutes ces questions troublantes pour se concentrer sur le moment présent. Aussitôt arrivée près des douanes, elle aperçut les passagers en provenance de Paris. Parmi la foule, elle vit un homme de taille moyenne, aux cheveux noirs et aux yeux bleus, de belle apparence malgré sa quarantaine : John Adams, l'homme qu'elle n'avait pas vu depuis deux ans. Son cœur battait à tout rompre, car elle était partagée entre des sentiments contraires. Elle avait une envie folle de courir et de se jeter dans ses bras, mais, en même temps, elle avait de la difficulté à lui pardonner de les avoir abandonnées. En vérité, elle éprouvait beaucoup de rancœur à son égard. Kate fit un signe de la main à John qui les aperçut aussitôt. Il leur adressa en retour un petit sourire timide tout en s'avançant vers elles.

— Bonjour, Kate. Ça fait un bail ! Comment vas-tu ? demanda-t-il d'un ton calme.

— Ça va bien, merci, John.

— Et toi, ma chérie ? lança-t-il en se tournant vers sa fille.

— Je... oui... ça va, balbutia Zarya, ne sachant toujours pas quelle attitude adopter.

John l'observa d'un regard admiratif.

— Comme tu as grandi, ma chouette, tu es devenue une bien jolie jeune femme.

— Merci, papa, dit Zarya à voix basse, troublée par ses propos.

Pour éviter qu'un malaise ne s'installe, Kate regarda sa montre et s'exclama :

— Eh bien, il faudrait penser à partir, il est déjà presque 5 h !

Ils se rendirent tous les trois à la voiture et quittèrent l'aéroport pour prendre la direction de la maison. Une fois là, Zarya laissa ses parents discuter au salon et s'éclipsa dans sa chambre pour appeler son amie Abbie. Elle voulait discuter avec elle des choses insolites qui s'étaient produites à l'aéroport. Elle prit son téléphone posé sur sa commode, où trônaient un miroir biseauté et divers objets gothiques, et s'installa confortablement sur son lit.

— Allo, Abbie ? C'est moi.

— Allo, Zarya... Alors, comment ça s'est passé ? demanda son amie, curieuse.

— Comme je te l'ai dit à la sortie de l'école, nous sommes allées chercher mon père à l'aéroport.

— Et comment se sont passées vos retrouvailles ?

— Bien... En fait, j'étais très contente de le revoir, mais, pour être honnête, je suis un peu déçue par sa réaction. Il n'a même pas demandé de mes nouvelles, aucune question sur ma vie. Il m'a juste complimentée sur mon apparence ! conclut Zarya avec amertume.

— C'est curieux, en effet. Et avec ta mère, comment était-il ?

— Bien, très bien... Je dirais même : trop bien ! Et pas assez avec moi. Il y a quelque chose de changé en lui. Il n'était pas comme ça avant, avec moi.

— Je suis désolée, Zarya, dit Abbie, compatissante.

— Ça va aller... C'est sûrement le décalage horaire, j'imagine, répondit Zarya en essayant de trouver une excuse valable à son père, même si cela n'avait aucun sens. Mais il y a autre chose qui me tracasse. J'aurais une question à te poser.

— Oui ? fit Abbie, intriguée.

— Aujourd'hui, à l'aéroport, il s'est passé quelque chose de vraiment curieux, quelque chose que je ne peux pas expliquer.

— Quoi donc ?

— OK, je te l'avoue, mais je t'interdis de rire de moi. C'est peut-être juste mon imagination qui me joue des tours.

— Promis !

— Eh bien, voilà, à l'aéroport, j'observais une dame près d'une cabine téléphonique et j'ai cru voir une sorte de lumière blanche autour d'elle. Mais le pire, c'est que, lorsque je me suis tournée vers ma mère, il y avait la même lumière qui l'entourait, mais avec, en plus, une petite teinte orangée.

— Waouh, Zarya ! s'exclama Abbie, impressionnée, tu as vu des auras.

— Tu penses ?

— Mais oui, voyons ! Une aura, c'est une bulle d'énergie qui entoure le corps physique et qui se manifeste par un halo lumineux… Ça ne peut être que ça ! Incroyable ! Il n'y a pas beaucoup de gens qui voient ce genre de manifestations. Tu es vraiment chanceuse, car seulement les médiums peuvent en voir, normalement.

— Pourtant, je ne suis pas médium ! Enfin, je crois…, lâcha Zarya sans certitude.

— Et pourquoi pas ! Ce serait vraiment super ! Cela peut être très utile pour connaître les intentions des autres, ou du moins leur humeur.

— Si tu le dis. Tu sembles en connaître un rayon sur le sujet…

— Voyons, tu sais bien, j'ai toujours aimé les choses inexplicables et surnaturelles, comme la magie noire, la sorcellerie et tout ce qui touche à la vie après la mort…

— Oui, c'est vrai. Mais j'ignorais que tu croyais à tous ces trucs bizarres.

— Tu as bien vu une lumière étrange autour de ta mère, non ? Ça, c'est un « truc bizarre ».

— Oui, tu as raison. J'aimerais bien en savoir plus sur le sujet. Seulement, il est tard et mes parents doivent m'attendre pour manger.

— D'accord, Zarya, mais on reparle de tes visions plus tard, d'accord ?

— D'accord, Abbie, à demain !

◊ ◊ ◊

En entrant dans la salle à manger, Zarya vit ses parents assis à la table, l'un près de l'autre. Elle sentit son cœur battre à une vitesse anormale, car elle avait caressé l'espoir secret de revoir son père auprès de sa mère. Kate avait pris soin de mettre son plus bel assortiment de vaisselle en porcelaine, destinée aux grandes occasions. Elle avait également disposé sa coutellerie en argent et ses verres en cristal afin de souligner le retour de son mari.

— Allo, ma chérie ! s'exclama John d'un air radieux.

— Allo, papa !

— Zarya, j'espère que tu as faim, lança Kate, j'ai préparé le plat favori de ton père.

— Merci, Kate. Cela fait une éternité que je n'ai pas mangé des cannellonis de porc au basilic et à la mangue.

Zarya mangea avec une avidité qui faisait honneur au bon repas apprêté par sa mère. Elle se sentait de mieux en mieux maintenant que son père était de retour et elle avait l'intention de savourer chaque instant de cet espoir retrouvé.

À la fin du souper, John invita sa fille à l'accompagner au salon pour s'entretenir seul à seule avec elle. Il commença la conversation en la complimentant :

— Selon ta mère, tes études vont pour le mieux, lui dit-il fièrement.

— Oui, je crois que mes professeurs aiment bien ce que je fais. J'adore ça, même si j'étudie beaucoup pour y arriver...

— Excuse-moi de te demander ça, mais est-ce que ça fait longtemps que tu t'habilles tout en noir ?

— Environ deux ans, c'est le style gothique.... Est-ce que tu aimes ça ? demanda Zarya dans l'attente d'une approbation.

— Oui, j'adore ! Ça te va très bien.

John regarda sa fille dans les yeux et hésita avant d'entamer un autre sujet :

— Zarya, ma chérie... j'ai une question très spéciale à te poser.

— Oui, fit l'adolescente, un peu inquiète.

— As-tu remarqué si des choses bizarres se produisaient autour de toi ? l'interrogea John à voix basse.

— Des choses bizarres comme quoi ?

— Je ne sais pas trop... euh... des choses qui bougent seules ou des apparitions insolites, des choses que tu ne peux expliquer !

— Non, je n'ai rien vu de tel, mentit Zarya d'une voix un peu hésitante. Mais pourquoi tu me demandes ça ?

— Car notre famille a déjà eu des antécédents plus ou moins étranges... Cela dit, ton grand-père Gabriel serait plus apte à te les expliquer. Maintenant, si tu le permets, je vais aller rejoindre ta mère à la cuisine...

Cet échange insolite déboussola totalement Zarya, au point de lui donner envie de prendre l'air.

Il était 20 h 50 et des nuages cachaient partiellement la lune argentée. Malgré tout, il faisait chaud pour un mois de juin. En se dirigeant vers le parc municipal, Zarya pensait encore à la discussion qu'elle avait eue avec son père : « Pourquoi m'a-t-il demandé si des choses bizarres avaient eu lieu récemment ? Pouvait-il se douter que des événements étranges s'étaient produits ? Et comment grand-père Gabriel pourrait-il être la meilleure personne pour me les expliquer ! »

Zarya voyait rarement son grand-père, car il habitait en France. Maire de son village, pas très loin de Paris, il était toujours très occupé par ses fonctions. Cela n'empêchait pas Zarya de l'adorer ! Quand il venait passer des vacances chez elle, à Saint-Jean-sur-Richelieu, son grand-père pouvait jouer avec elle pendant des heures. Il aimait lui faire des tours de magie ou encore s'amuser à deviner ses pensées. Il ne se trompait d'ailleurs jamais. C'est pourquoi elle lui vouait une si grande admiration.

À l'entrée du parc, l'adolescente aperçut un jeune couple enlacé sur un banc, à proximité de la balançoire où elle s'installa. Plus loin, des adolescents escaladaient avec agilité le « grimpe-singe ». Elle les trouvait un peu vieux pour ce genre de distraction, mais ils semblaient bien s'amuser. Un léger vent du sud fit vaciller la lumière des vieux lampadaires et créa des jeux d'ombres jusqu'à dissimuler le fond du parc. Zarya se balançait nonchalamment. Elle aimait sentir le vent chaud qui faisait voleter ses cheveux dans tous les sens et lui chatouillait la figure. La balançoire lui rappelait de bons souvenirs d'enfance, notamment avec son père qui la poussait toujours plus haut.

Soudain, les lampadaires s'éteignirent et le vent devint plus fort. Zarya constata avec une grande surprise que le jeune couple était déjà parti et que les adolescents avaient disparu. Perdue dans ses pensées, elle ne s'était rendu compte de rien... Brusquement, elle devina, plus qu'elle ne la vit, une silhouette sombre qui l'observait, cachée dans un buisson touffu, à environ cinq mètres de la balançoire. Au même moment, le craquement sourd d'une branche, de l'autre côté du parc, la fit sursauter. La jeune fille se tourna vers ce nouveau bruit inquiétant et vit une grosse bête noire bondir hors des bois et foncer à toute allure dans sa direction. La créature ressemblait à un chien, mais de la grosseur d'un veau. Elle avait une longue queue hérissée qui traînait sur le sol et de très longues dents acérées luisant dans l'obscurité… Pétrifiée, Zarya ne savait pas quoi faire. Le monstrueux animal était à trois mètres et il était prêt à charger. Pour se protéger et par instinct, l'adolescente se couvrit le visage et tendit son bras droit comme si elle voulait l'arrêter. Avec une fureur épouvantable, la bête s'élança sur sa proie, la gueule grande ouverte, quand… *Bang* ! la bête tomba soudain sur le sol, comme si elle avait durement heurté un mur invisible ! Ébranlé, le monstre se releva rapidement, s'ébroua et rebroussa chemin en hurlant de douleur. Tremblante, Zarya se retourna pour voir la silhouette dans les buissons, mais il n'y avait plus personne.

Après avoir repris ses esprits, elle quitta le parc en toute hâte pour rentrer chez elle. Elle monta en silence dans sa chambre, encore tout essoufflée par sa course. Son premier réflexe fut d'ouvrir son ordinateur et d'envoyer un bref courriel à Abbie :

Salut Abbie ! J'aimerais qu'on se voie demain matin, samedi, à 9 h. Il s'est passé d'étranges choses ce soir et il faut que je t'en parle.

Ton amie, Zarya XX

Toujours bouleversée par cet épisode, la jeune fille tarda à se laisser aller dans les bras de Morphée. Et quand, enfin, elle s'endormit, son sommeil fut peuplé de chiens noirs et de silhouettes sombres…

Le lendemain matin, Zarya s'habilla rapidement et s'empressa d'aller voir si elle avait des courriels. En bas de l'écran de son ordinateur, l'icône clignotait, signe de l'arrivée d'un nouveau message. Elle s'empressa de lire la réponse de son amie :

J'ai reçu ton message, rejoins-moi à la bibliothèque à 9 h, ce matin.

Abbie XX

L'ordinateur affichait 8 h 12. Zarya dévala les escaliers et se dirigea vers la cuisine pour se mettre quelque chose sous la dent. Ses parents encore couchés, elle finit son déjeuner silencieusement avant de se rendre à la bibliothèque à pied. C'était une température idéale pour marcher. Le soleil, levé depuis peu, réchauffait déjà l'air ambiant. Quelques minces nuages sillonnaient le ciel, et un petit vent vivifiant caressait son visage.

Arrivée à la bibliothèque, Zarya passa devant le large comptoir, salua respectueusement la bibliothécaire et prit la direction de la table où elle s'asseyait toujours, à côté d'une fenêtre illuminée par le soleil. Son amie était déjà là.

— Je suis contente de te voir, lui chuchota Zarya.

— Moi aussi ! J'avais hâte de te retrouver, dit Abbie, fébrile. J'ai fait des recherches sur les auras et j'ai découvert des choses fascinantes.

— Ah oui ? Comme quoi ?

— Attends, j'ai pris des notes.

Abbie feuilleta son calepin.

— Voilà, je vais te lire ce que j'ai écrit : « Les médiums aperçoivent les auras teintées de différentes couleurs, que l'on classe suivant les différents caractères de la personne. »

— Cool !

— J'ai pris quelques exemples pour te donner une idée. Tu m'as mentionné que ta mère avait une aura blanche avec une teinte orangée, alors j'ai trouvé la signification : « L'orangé est une bonne couleur. Ce sont des personnes fondamentalement bonnes, très humaines. » Ça, c'est ta mère tout craché, déclara Abbie avec un petit sourire.

— Oui, tu as raison.

— Veux-tu connaître la signification des autres couleurs ? Il y en a beaucoup…

— Non, pas pour l'instant. Je désire plutôt te parler d'un autre sujet. Un sujet tout aussi bizarre, sinon plus…

— C'est à propos des choses étranges auxquelles tu as fait allusion dans ton message d'hier ?

— Oui… exactement. Hier soir, j'étais au parc en train de me balancer…

— Tu te balançais ?

— Oui, oui, je me balançais, répondit Zarya, gênée. Mais là, tout d'un coup, un genre de gros chien noir a surgi de nulle part et a voulu me sauter dessus !

— Un genre de gros chien noir ? répéta Abbie, abasourdie.

— Oui ! une grosse bête noire. Elle était grosse comme un veau, avec de très longues dents ! Aucune idée de la race. Je ne crois pas d'ailleurs que ce soit un chien. Mais au moment où il allait m'attaquer, quelque chose d'étrange est arrivé…

— Quoi donc ?

— Eh bien… j'ai tendu mon bras d'un geste désespéré pour l'arrêter, et là… enfin… je ne sais pas trop… j'ai comme créé une sorte de bouclier invisible.

— Un quoi ? ! s'exclama Abbie, tout haut.

La bibliothécaire la regarda en lui faisant de gros yeux et lui ordonna, d'un signe, de baisser le ton.

— Un bouclier invisible, reprit Zarya dans un murmure.

— Oui, j'avais compris. Mais c'est impossible ! C'est incroyable ! Je dirais même plus : c'est ahurissant !

— Penses-tu que je suis en train de devenir folle ?

— Je me le demande…, répliqua Abbie en souriant. Je blague, Zarya ! Il doit bien y avoir une explication logique.

— Il n'y a rien dans tes livres à ce sujet ?

Abbie réfléchit pendant un instant en jetant un regard par la fenêtre, quand une idée lui traversa l'esprit…

— Attends un peu ! C'est peut-être de la télékinésie...

— Mais la télékinésie, c'est un truc pour faire bouger des objets à distance sans les toucher, non ? Ça ne crée pas des boucliers invisibles.

— Attends ! On va faire un test. Tu vas essayer de faire bouger mon crayon par la pensée, d'accord ?

— Et comment je suis censée faire ça ?

— Je ne sais pas trop... Pense dans ta tête que le crayon doit bouger, répondit innocemment Abbie.

Zarya fixa sur le crayon un regard perçant et tenta de toutes ses forces de le faire bouger, mais sans succès.

— Rien à faire, ça ne fonctionne pas. J'ai beau essayer avec toute ma volonté, tu l'as bien vu, il n'a pas bougé d'un iota !

Abbie, loin de se décourager, questionna son amie :

— Hier soir, quand tu as créé le bouclier, tu te sentais comment ?

— Mais enfin, Abbie ! j'avais très peur, qu'est-ce que tu penses ?

— C'est ça ! Tu as agi sous le coup de l'émotion que tu ressentais à ce moment-là ! Maintenant, tu vas recommencer en y mettant un sentiment.

— Mais comment veux-tu que je ressente une émotion ici, à la bibliothèque, devant un simple crayon ?

— Pense à quelque chose qui pourrait te mettre en colère ou te rendre triste.

En fixant de nouveau le crayon, Zarya songea à son père qui les avait abandonnées pendant deux longues années, sa mère et elle. Presque instantanément, elle sentit la colère monter en elle et, à sa grande stupéfaction, le crayon fit un vol plané de cinq mètres, puis alla se planter dans le mur, près d'un jeune garçon, dans la section des bandes dessinées. Zarya et Abbie se regardèrent, ahuries et sans oser bouger !

Les enquêteurs

Paris, 10 h 22

Dans un commissariat central du 19e arrondissement de Paris, Christophe Costa était sur le point de prendre une première gorgée de son café du matin quand un jeune agent l'appela :

— Lieutenant, le commissaire vient à l'instant de m'informer qu'il veut absolument vous parler, et je crois que ça presse.

— Bon, qu'est-ce qui se passe encore ? grogna Christophe.

Christophe Costa, quarante-six ans, était un excellent policier, mais il était surtout particulièrement râleur. Arborant une cicatrice sur la joue gauche et des cheveux gris, il prenait son travail très à cœur. Il travaillait dans la police depuis déjà dix-neuf ans et était sans aucun doute le meilleur limier du commissariat.

Christophe se rendit au bureau du commissaire et frappa à la porte :

— Oui, patron, vous vouliez me voir ?

Âgé de cinquante-neuf ans, Richard Deblois était un homme petit et massif qui, malgré un gabarit peu impressionnant, savait en imposer.

À ses côtés se tenait un homme dans la vingtaine, de taille moyenne, aux cheveux bruns et aux yeux bleus. Il fixait le lieutenant Costa sans dire un mot.

— Costa ! dit-il d'un ton sec, je vais aller droit au but. Tu as un nouveau partenaire !

— Pardon ? Quoi ? Et Bernard ? C'est lui, mon coéquipier !

— Bernard sera sur une autre enquête avec Latour.

— Avec Vincent ! Et pourquoi tu ne mets pas le nouveau avec Latour, protesta Christophe, choqué.

— Parce que cet ordre vient du ministre en personne et ne se discute pas !

— Alors, si je comprends bien, je n'ai pas vraiment le choix…

— Tout juste. Voici ton nouveau partenaire, annonça Deblois en tendant une main vers le jeune homme qui se trouvait derrière lui. Je te présente Jonathan Thomas. Il vient des États-Unis, plus précisément du Vermont. Il sera ici en stage et c'est toi qui en seras responsable…

— Pardon ? Me voilà maintenant devenu nounou ! se récria Costa en observant la nouvelle recrue qui aurait pu être son fils.

— Il a vingt et un ans, ainsi qu'un dossier remarquable pour un agent avec si peu d'expérience de terrain.

— Si je peux me permettre, messieurs, s'interposa Jonathan poliment, on m'a informé que vous êtes actuellement sur une enquête d'enlèvements de jeunes filles. Il se trouve que j'ai déjà travaillé sur une affaire similaire et que l'enquête a été couronnée de succès.

— Ah, j'oubliais, conclut le chef, ils ont trouvé une autre fille. Voilà l'adresse, Costa. Vous pouvez disposer, messieurs !

Le lieutenant Costa dévala l'escalier en direction du stationnement, son nouveau partenaire sur les talons.

Lorsqu'ils arrivèrent près de la voiture, Jonathan, souriant, questionna son nouveau mentor :

— Si vous voulez, je peux prendre le volant, monsieur Costa ?

— On va mettre les choses au clair, monsieur Thomas. Primo, tu vas m'appeler par mon prénom ; secundo, tu dois savoir que je conduis toujours, car je connais la ville mieux que personne.

— D'accord, Christophe... Tu peux également m'appeler Jonathan, dit le jeune homme sans se départir de sa politesse. Et maintenant, où allons-nous ?

Malgré son air boudeur, Christophe lui décocha un sourire en coin...

— Voyons voir ! Si je me fie à ce papier, on se rend à l'Hôtel-Dieu. La victime se nomme Marie-Ève Arnoux.

◊◊◊

À l'hôpital, le lieutenant Costa demanda à la réceptionniste où se trouvait la chambre de Marie-Ève Arnoux. Deux agents étaient postés devant la porte de la chambre 5023 par mesure de sécurité. Christophe et Jonathan montrèrent leurs insignes et entrèrent sans la moindre difficulté. Dans la pièce, une infirmière s'occupait de la patiente.

— Bonjour, mademoiselle, nous aimerions poser quelques questions à mademoiselle Arnoux, si c'est possible ?

— Aucun problème. Mais, s'il vous plaît, ménagez-la, car elle est épuisée.

— Ne vous inquiétez pas, tout se passera bien.

L'infirmière s'éclipsa et laissa les deux policiers seuls avec la jeune femme :

— Bonjour, mademoiselle Arnoux. Je suis le lieutenant Christophe Costa, et voici mon partenaire, Jonathan Thomas.

Nous aimerions revenir sur les détails de votre agression. Vous sentez-vous en état de témoigner ?

— D'accord, je vais essayer, répondit Marie-Ève d'une voix blanche.

— Vous souvenez-vous de quelque chose ?

— Pas grand-chose.

— Le moindre détail peut beaucoup nous aider dans notre enquête, insista Jonathan d'une voix douce.

— C'est peut-être insignifiant, mais l'un des types qui m'a enlevée avait un énorme tatouage sur le bras droit...

— Un tatouage ? répéta Jonathan.

— Oui, un dragon allant de son avant-bras jusqu'à son cou.

— Était-il seul ? Ou avait-il des complices ? la questionna Christophe.

— En fait, ils étaient trois au début, dit la jeune femme d'un ton las.

— Au début ? Ils étaient plus nombreux par la suite ?

— Oui, cinq de plus dans la grande salle.

— Avez-vous une idée de l'endroit où se trouve cette salle ? demanda Jonathan.

— Non, j'avais les yeux bandés... C'est tout ce dont je me souviens, malheureusement. Je suis désolée...

— Merci beaucoup pour votre coopération. Vous nous avez fourni de précieux indices, tint à ajouter Jonathan face au désespoir de Marie-Ève.

— Si vous avez le moindre souvenir, n'hésitez surtout pas à nous contacter, et à n'importe quelle heure du jour ou de la nuit. Un détail pourrait vous sembler anodin mais s'avérer capital pour l'enquête, déclara Costa en déposant une carte sur la table de chevet.

Sur ces paroles, les deux hommes quittèrent la chambre. Alors qu'ils s'approchaient de l'ascenseur, Christophe s'adressa à son nouveau partenaire :

— As-tu remarqué la rougeur sur son front ?

— Oui, on aurait dit un coup de soleil.

— C'est un point commun aux cinq victimes. Seulement, Marie-Ève Arnoux est la première jeune fille à répondre à nos questions.

— Pourquoi, les autres n'ont pas témoigné ?

— Non ! Trois d'entre elles sont amnésiques.

— Et la quatrième ?

— La quatrième... elle est encore dans le coma !

Tandis qu'il marchait machinalement vers la voiture, Jonathan s'arrêta brusquement et observa avec attention l'arrêt d'autobus situé à une vingtaine de mètres de lui. C'était l'endroit où Marie-Ève Arnoux avait été enlevée la nuit précédente.

— Que se passe-t-il ? l'interrogea Christophe. Quelque chose ne va pas ?

— Sait-on où la jeune fille a été enlevée ? fit Jonathan, les yeux rivés sur l'arrêt d'autobus.

— Oui, c'est inscrit dans le dossier. Pourquoi ?

— Non, rien, je posais seulement la question, désolé.

Dans la voiture, Costa demanda à son partenaire :

— Si tu vis aux États-Unis, où as-tu appris à parler le français ?

— J'ai vécu plusieurs années au Canada, au Québec, répondit Jonathan.

— Ah oui ! Moi, j'y suis allé une fois en vacances, avec ma famille. Nous avons beaucoup apprécié notre voyage. En arrivant là-bas, nous avons été frappés par deux choses : la propreté et la convivialité.

— Ça, c'est vrai ! approuva Jonathan.

Aussitôt arrivés au commissariat, ils se rendirent au bureau de Costa. En s'asseyant, Jonathan remarqua une affiche sur laquelle étaient accrochées quatre photos de jeunes filles. Avec curiosité, il demanda à Christophe :

— Ce sont les victimes ?

— Oui... Maintenant, on va en ajouter une, soupira Costa, déçu que l'enquête n'avance pas plus vite.

— Les dates correspondent-elles à celles où les jeunes filles ont été enlevées ou à celles où on les a retrouvées ? lança Jonathan.

— Ce sont les dates de leur enlèvement et chacune correspond à un jour de pleine lune.

— De pleine lune ! répéta le jeune Américain d'une voix calme en s'approchant de l'affiche pour mieux lire le nom des jeunes filles.

— Eh oui ! Comme on peut s'en douter, répliqua Christophe en le rejoignant, cela a sûrement un rapport avec des cérémonies sacrificielles ou des rituels quelconques, appelle ça comme tu veux... Toute porte à croire qu'on a affaire à une secte satanique ou autre mouvement du même genre.

— Mais s'ils prennent des jeunes filles pour des sacrifices à un dieu ou à un démon, ils devraient normalement les exécuter, fit remarquer Jonathan en se tournant vers son partenaire. Alors, pourquoi les laisser en vie et les relâcher par la suite ?

— Très bonne question ! Voilà le mystère, ajouta Christophe en se grattant la tête.

— Et pourquoi kidnapper ces filles en particulier ? questionna de nouveau Jonathan. Elles ont sûrement des choses en commun ! Et si c'est le cas, qu'est-ce que ça peut bien être ?

L'esprit protecteur

Québec, 9 h 22

Zarya et Abbie sortirent rapidement de la bibliothèque, bouleversées et stupéfaites par ce qu'elles venaient de voir. Marchant côte à côte sur le trottoir, elles trouvaient cette histoire complètement folle et n'osaient y croire. Zarya se demandait comment elle avait pu faire bouger le crayon sans même le toucher et comment son père pouvait soupçonner ses aptitudes. Il le lui avait dit à demi-mot ! Il savait donc des choses sur elle qu'elle-même ignorait. Elle fit part de ses inquiétudes à Abbie :

— Je crois que mon père sait que j'ai des... pouvoirs, lança-t-elle d'une voix hésitante.

— Ah oui ? Mais pourquoi dis-tu ça ? l'interrogea Abbie, visiblement confuse.

— Hier soir, quand j'étais seule avec lui, il m'a demandé si, dernièrement, j'avais remarqué des objets qui bougeaient tout seuls et si j'avais été témoin d'apparitions insolites...

— Très étrange. Mais tu sais, rien ne me surprend plus désormais ! Pourquoi ne pas lui en parler directement dès ton retour chez toi ?

— Désolée, je ne peux pas faire ça, déclara Zarya.

— Ah non ? Pourquoi ?

— Je l'ai déjà interrogé sur le sujet et il m'a affirmé qu'il ne peut pas répondre à mes questions. Selon lui, une seule personne peut m'expliquer ces événements étranges et c'est mon grand-père.

— Ton grand-père Gabriel ! s'exclama Abbie, surprise.

— Oui. Mon grand-père m'a toujours dit que je ne devais pas hésiter à l'appeler en cas de problème. Et quelle qu'en soit la raison, même si cela peut me sembler étrange.

— Alors, cette fois, je crois que c'est le temps ou jamais de l'appeler.

— Tu as raison. Je vais le faire dès ce soir, après le souper.

Les deux adolescentes continuèrent de marcher en direction de la maison de la tante d'Abbie, où cette dernière habitait depuis la mort de ses parents. Juste avant de la quitter, Abbie rappela à son amie à quel point il était important qu'elle appelle son grand-père.

Zarya poursuivit son chemin en repensant aux choses qui s'étaient produites récemment. « Que va me révéler mon grand-père ? Que je viens de la planète Mars ou, pire encore, que je suis une sorcière ? » Finalement, chacune de ces réponses lui faisait peur. « Une chose est certaine, c'est que je ne suis pas normale. Mais l'amitié d'Abbie résistera-t-elle à cette épreuve ? » Voilà ce qui l'inquiétait le plus.

Alors qu'elle s'engageait dans sa ruelle, Zarya sentit une présence à ses côtés. Cependant, cette présence était différente de celle de la veille au soir. C'était comme une brise chaude, une chaleur réconfortante. La jeune fille était subjuguée par l'indicible bonté qui s'en dégageait, à tel point que sa peur avait totalement disparu ! Brusquement, la présence la quitta. Grâce à cette sensation de bien-être, Zarya arriva à destination sans se poser la moindre question, comme si ces phénomènes étranges devenaient de plus en plus normaux à ses yeux.

En entrant dans la maison, elle vit sa mère qui lui dit :

— Bonjour, ma chérie. Ton grand-père a appelé ce matin, peu de temps après ton départ pour la bibliothèque.

« Moi qui croyais que plus rien ne pouvait me surprendre... Alors là, je me suis trompée ! » pensa Zarya

— A-t-il laissé un message ? demanda-t-elle en faisant de gros efforts pour cacher sa surprise.

— Non, il a simplement dit qu'il ne fallait pas essayer de le joindre, car il allait te rappeler à midi.

Après cette matinée riche en émotions, Zarya se rendit dans sa chambre pour se détendre un peu. Elle essaya de lire, sans succès, et se résolut à écouter de la musique en regardant s'égrener les secondes.

À 11 h 59, elle était postée à côté de son téléphone et attendait, impatiente. Elle fixait intensément son cadran numérique posé sur son bureau, comme si elle pouvait le forcer à changer d'heure plus rapidement. Il indiquait maintenant 12 h...

Dring !

Zarya sauta littéralement sur le téléphone.

— Allo ? C'est toi, grand-père ?

— Oui, ma chère Zarya, dit Gabriel Adams d'une voix sereine.

— Je suis contente de te parler... J'ai tellement de choses à te raconter... Je voulais justement t'appeler, mais tu m'as devancée... Quelle coïncidence ! débita-t-elle dans un même souffle.

— Sache, Zarya, que les coïncidences n'existent pas, puisque je sais exactement pourquoi tu voulais m'appeler.

— Ah oui ?

— Tu veux te confier sur des questions pour lesquelles tu n'as pas de réponse, ma chère Zarya.

— Oui, c'est vrai. J'aurais des précisions à te demander, grand-père.

— Dis-moi maintenant si mes prochaines assertions sont exactes.

— Tes quoi ? s'écria l'adolescente, un peu perdue.

— Tu dois me dire si j'ai raison ou non, ajouta Gabriel, amusé.

— Ah bon !

— Tu te demandes en ce moment si tu es normale.

— Ça alors, grand-père, comment fais-tu pour deviner mes pensées ? dit Zarya, les yeux écarquillés.

Gabriel eut un petit rire avant de poursuivre :

— À mes yeux, tu es une jeune fille on ne peut plus normale, mais, pour le reste du monde, tu sembles quelque peu différente.

— Mais, grand-père... suis-je une sorcière ?

— Pas tout à fait. Il y a deux cents ans, on t'aurait probablement appelée ainsi et, par le fait même, brûlée vive sur un bûcher. Mais je crois qu'il serait préférable de ne pas parler de certaines choses au téléphone. Je te conseille donc de faire preuve de patience et d'attendre d'être ici, avec moi, pour en savoir plus.

— Avec toi, grand-père ? s'exclama Zarya.

— Oui. Si tu veux avoir des réponses à tes questions, je te conseille de venir me voir en France. Tes parents seront certainement ravis de t'envoyer chez moi pour la durée des vacances, soit deux mois consécutifs. Pour être honnête, j'en ai déjà parlé à ta mère et mon idée a eu l'air de lui plaire. Néanmoins, la décision te revient, naturellement. Une dernière chose, ma chère Zarya : si tu le souhaites, tu peux proposer à ton amie Abbie Steven de t'accompagner. Sa tante, que je connais très bien, m'a déjà donné son accord avec la plus grande joie.

— C'est vrai ? Et je pars quand ? Qu'est-ce qu'il faut que j'apporte ? s'extasia Zarya, stupéfaite.

— Seulement tes affaires habituelles. Pour le reste, je m'occupe de tout. Par contre, je te laisse le soin de faire la surprise à ton amie, car sa tante m'a promis de ne rien lui dire. C'est donc toi qui vas avoir le plaisir de lui annoncer la nouvelle.

— Merci, grand-père ! Si tu savais comme j'ai hâte de te voir.

— Moi aussi, ma chérie. Je ressens la même joie à l'idée de te retrouver. Je t'embrasse et t'attends de ce côté-ci de l'Atlantique. À très bientôt...

Zarya raccrocha après avoir témoigné toute son affection à son grand-père. Heureuse, elle s'empressa de composer le numéro d'Abbie.

— Oui, allo ?

— Abbie ! C'est moi, Zarya.

— Allo... Alors, as-tu réussi à appeler ton grand-père finalement ?

— Non, je n'ai pas eu à le faire, car il a téléphoné le premier. C'est d'ailleurs pour cette raison que je t'appelle.

— Ah oui ? s'impatienta Abbie, curieuse.

— Je ne sais pas pourquoi, mais mon grand-père n'a pas voulu parler de tout ça au téléphone. Mais je lui fais confiance pour m'en dire davantage plus tard...

— Crois-tu malgré tout qu'il se doutait de quelque chose ?

— Oui. D'ailleurs, c'est la raison pour laquelle je t'appelle. Voudrais-tu venir avec moi chez mon grand-père, durant les vacances d'été ?

— Quoi ?

— Tu as très bien compris ! Si tu veux, tu peux m'accompagner en France pendant huit semaines, continua Zarya d'un ton réjoui.

— Waouh ! tu me demandes si je veux aller à Paris avec ma meilleure amie ? Tu parles d'une question stupide... Bien sûr que oui ! s'exclama Abbie, surexcitée. Mais, avant, je dois en parler à ma tante...

— Oublie ça, ta tante est déjà au courant et elle est d'accord, affirma Zarya. Es-tu contente ?

— Tu plaisantes ? C'est génial ! Je suis folle de joie ! Je vais me préparer tout de suite.

— Voyons, ne sois pas si pressée, ce n'est que dans deux semaines ! Il faut d'abord terminer l'année scolaire, répondit Zarya en s'esclaffant.

— Oui, c'est vrai, dit Abbie, je suis tellement excitée !

Il y eut un moment de silence, puis elle ajouta :

— Waouh ! je n'en reviens tout simplement pas... Au fait, il fallait que je te dise, j'ai cherché sur Internet des informations au sujet de ta bête noire de l'autre soir.

— Et alors ?

— On l'appelait la bête du Gévaudan. Attends, je vais te lire mes notes : « On dit que c'est un animal qui terrorisa le Gévaudan, en France, de 1764 à 1767. Durant cette période, plusieurs attaques mortelles et agressions lui furent attribuées. Il pourrait s'agir d'un croisement entre un chien et un loup... »

— C'est vraiment étrange. Sa disparition date de deux cent cinquante ans et elle décide de venir m'attaquer ici, à Saint-Jean-sur-Richelieu, loin de la France, fit Zarya, désorientée.

— Ton grand-père aura sûrement des explications pour tous ces phénomènes.

— Tu as probablement raison. Tout sera plus clair une fois là-bas.

◊ ◊ ◊

Quelques jours plus tard, alors que leur fille regardait la télévision dans sa chambre tout en naviguant sur la toile,

Kate et John discutaient dans le salon de ses prochaines vacances.

— Tu ne crois pas, John, que huit semaines, pour un premier voyage dans un pays étranger, c'est un peu long ? demanda Kate.

— Mais non, voyons ! Les voyages forment la jeunesse et, en plus, elle part avec sa meilleure amie, Abbie. Rassure-toi, elles vont être entre de bonnes mains chez mon père.

En réalité, ce qui inquiétait réellement Kate, ce n'était pas la durée du voyage, mais plutôt son but, puisque ces vacances avaient un objectif précis.

— Elle n'a que seize ans, John. Ne pourrait-on pas attendre encore un peu pour le lui annoncer ? Ton père est-il vraiment obligé de lui expliquer pourquoi elle est différente des autres filles de son âge et de lui parler de ses pouvoirs exceptionnels ?

— Mais, Kate, ce n'est pas si terrible. Je suis moi-même passé par là quand j'étais adolescent. Essaye de ne pas trop t'en faire, répondit John tout en sirotant son café.

Kate se leva et se mit à faire les cent pas. Elle regarda son mari et ajouta d'un air inquiet :

— Si ton père lui révèle la vérité sur ses origines, sera-t-elle capable de l'accepter malgré la présence de son amie ?

— À mon avis, s'il y a une fille de son âge susceptible d'assimiler quelque chose d'aussi important, c'est bien Zarya.

— Ton père va-t-il aussi lui révéler d'où elle vient, et même l'étendue de ses dons ? demanda Kate en se rasseyant.

— À vrai dire, je l'espère bien, répliqua John avec une certaine fierté.

Pendant ce temps, dans sa chambre, Zarya écoutait avec une attention spéciale la fin du journal télévisé : « Il y a encore eu une agression hier soir, près du centre commercial de Saint-Jean-sur-Richelieu. Une jeune femme dans la trentaine aurait été victime d'un vol à main armée et serait aux soins intensifs à l'hôpital. Pour l'instant, on ne craint pas pour sa vie. L'agresseur serait un homme dans la vingtaine, de race blanche, mesurant un mètre soixante-dix-huit et il porterait un foulard autour de la tête… »

Zarya se demanda dans quel monde de fous on vivait. Elle reporta son attention sur son ordinateur et y relut les informations suivantes :

La télékinésie consiste à déplacer les objets par la pensée. Elle montre la force enfouie de notre esprit, car elle utilise la psyché pour agir, à distance, sur la matière. Sa pratique, fondée essentiellement sur la force mentale, est considérée comme farfelue d'un point de vue scientifique ; où, selon les lois de la physique, les objets ne peuvent pas bouger par la simple énergie de l'esprit…

« Si les scientifiques avaient vu le crayon planer et se planter dans le mur, ils auraient sûrement changé d'avis, pensa Zarya en riant. Mais si jamais je parle de mes pouvoirs, ils vont vouloir décortiquer mon cerveau et m'examiner sous toutes les coutures. Il n'en est pas question ! Je dois préserver mon secret ! »

Forte de cette certitude, elle recommença à s'entraîner. Chaque soir, elle s'exerçait en toute discrétion et commençait à améliorer sa technique. Progrès notable : sa télékinésie n'était plus basée sur le ressentiment à l'égard de son père. Zarya s'amusait à faire bouger de petits objets, comme un trombone, et pouvait déplacer des choses beaucoup plus lourdes. Elle avait notamment réussi à soulever son bureau sans grande difficulté. Seulement, quand était venu le temps de le reposer, elle l'avait laissé tomber dans un bruit d'enfer !

Après un entraînement intensif d'une heure, Zarya s'étira et regarda son radio-réveil. Il indiquait 21 h 38. Elle sentit alors une contraction au niveau de l'estomac, sûrement due à l'énervement lié à son prochain voyage. Elle se sentait très fébrile à l'idée de traverser l'Atlantique, car elle ne connaissait Paris que par le biais des livres et de la télévision. Il lui était donc difficile d'imaginer comment pouvait être « l'une des plus belles villes du monde » sans jamais l'avoir visitée.

Elle se posta devant son miroir pour replacer une mèche rebelle. En observant son reflet, elle constata que son image lui plaisait. Et malgré une taille jugée petite pour une fille de son âge, elle avait parfaitement conscience de son charme auquel les garçons de son école étaient loin d'être insensibles. Les regards qui se tournaient sur son passage lui faisaient toujours un doux plaisir. Zarya était d'une beauté pure et naturelle, sans être prétentieuse. C'était d'ailleurs cette simplicité qui faisait qu'on la remarquait. Pour tout maquillage, elle se contentait d'un trait de crayon noir très léger autour des yeux et d'un rouge à lèvres rose pâle qui s'harmonisait très bien avec sa peau de couleur pêche, presque enfantine.

Satisfaite de son autoexamen, l'adolescente se déshabilla et mit un grand t-shirt pour aller dormir. Il lui fallait se coucher tôt afin de pouvoir affronter sa prochaine grosse journée d'école.

◊◊◊

À son réveil, Zarya s'arracha à ses couvertures et traversa sa chambre jusqu'à son placard. Elle y choisit l'une de ses robes noires préférées, prit une douche, se maquilla légèrement et descendit à la cuisine pour prendre le déjeuner avec ses parents. Ces derniers étaient déjà assis à la table et discutaient depuis une heure de leur avenir. John essayait de convaincre sa femme de lui donner une seconde chance, mais Kate était devenue très prudente à la suite de leur séparation. Ils finirent par trouver un compromis : John pouvait demeurer dans la chambre d'ami le temps qu'il faudrait pour permettre à Kate de se faire à l'idée de son retour. En entrant dans la cuisine, Zarya fut accueillie par sa mère :

— Bonjour, ma chérie, bien dormi ?

— Oui ! Je suis en pleine forme.

— Quelle énergie ! ajouta son père, la voix légèrement traînante, en se levant pour aller chercher une autre tasse de café.

— C'est parce que je me suis couchée tôt hier soir. Vous devriez prendre exemple sur moi, répondit Zarya en s'esclaffant.

Après un agréable déjeuner familial, elle quitta la maison pour se rendre à l'école. Chaque matin, elle prenait invariablement le même chemin. Elle traversait le parc et marchait une dizaine de minutes en ligne droite pour arriver à destination, si possible en avance. Mais, ce matin-là, à mi-parcours, son attention fut attirée par un sifflement très aigu. Ce n'était pas la première fois qu'elle entendait ce bruit, mais ses tentatives pour en déterminer l'origine demeuraient infructueuses. Si le sifflement venait d'un animal volant, celui-ci devait filer à une vitesse folle ! Durant un bref instant, Zarya crut apercevoir une forme à ses côtés, mais elle ne savait pas quoi en penser. Était-ce le simple fruit de son imagination ? Pour s'en assurer, l'adolescente ferma les yeux et se concentra de toutes ses forces. Après cinq secondes, elle regarda dans la bonne direction et vit, fugacement, une espèce de bâton ailé d'environ un mètre de long. Pour une raison incompréhensible, Zarya n'avait pas peur de cette étrange manifestation et ne sentait aucune menace émanant de ce petit « ami » mystérieux. Soudain, le sifflement disparut et la créature fila dans les nuages à la vitesse d'un éclair. Zarya poursuivit sa route sans plus s'attarder.

Une fois les portes de la polyvalente franchies, elle se rua vers le casier d'Abbie afin de raconter à cette dernière ce qui venait de se passer. Son amie était en train de prendre ses livres pour son premier cours quand elle lui lança :

— Salut, Abbie ! Comment ça va, ce matin ?

— Très bien ! Mais toi, on dirait que tu as quelque chose à me dire.

— Oui, c'est vrai, on ne peut rien te cacher. Il y a dix minutes, en marchant en direction de l'école, j'ai eu une apparition...

— Ah oui ? C'était quoi ? demanda Abbie à voix basse.

— Tu te souviens, l'autre fois, quand je t'ai dit que j'entendais des sons très aigus, des genres de sifflements ? chuchota Zarya.

— Oui. Comment oublier ça ?

— Eh bien, ça s'est reproduit et, en plus, je crois avoir vu la chose !

— Ah oui ? Et à quoi ressemblait cette « chose » ? fit avidement Abbie.

— Tu vas sûrement penser que je suis folle, mais c'était comme un bâton avec de petites ailes.

— Un bâton ailé qui siffle, juste ça ! Mais non, c'est tout à fait normal, j'en vois tous les jours, déclara Abbie en éclatant de rire.

— Abbie ! Laisse-moi terminer ! lui ordonna Zarya, exaspérée.

— Excuse-moi...

— Je suis consciente que ça n'a pas de sens, mais je suis certaine d'une chose : la « créature » était longiligne et avait deux ailes. Peux-tu faire des recherches ?

— Pas de problème. Je vais essayer de trouver des informations sur le sujet, même si j'ignore ce que cela peut être.

— Je sais, moi aussi je trouve cela étrange. Alors, pour l'instant, allons à nos cours et concentrons-nous sur nos examens.

La matinée de Zarya et d'Abbie se passa normalement malgré leurs interrogations obsédantes. Après le repas, les deux amies se dirigèrent vers la bibliothèque pour reprendre leurs recherches. Abbie alla dans la section « Ésotérisme » et consulta un livre intitulé *Les animaux fantastiques à travers les siècles*. Quant à Zarya, elle chercha des pistes sur Google en entrant la combinaison « bâton + ailes ». Malheureusement, toutes leurs tentatives restèrent infructueuses. Par contre, elles apprirent beaucoup de choses sur les différents bâtons de sport (baseball, hockey, golf, etc.) et sur les ovnis. Face à cet échec, Zarya se demanda si son imagination ne lui avait pas joué un tour. Abbie, pour sa part, était loin d'être découragée.

— On va continuer ce soir. Il doit y avoir une explication logique même si elle relève du paranormal, assura-t-elle d'un air positif.

— Tu as sûrement raison, il ne faut pas désespérer. Il existe sûrement quelqu'un d'autre sur cette terre qui a vu le même phénomène que moi.

— Exact... Voilà ce qu'on va faire : on va poursuivre les recherches séparément, à la maison, et on s'appelle si on trouve quelque chose d'intéressant, conclut Abbie.

◊ ◊ ◊

Le cadran affichait 20 h 47 quand Zarya éteignit son ordinateur et téléphona à son amie pour faire le point.

— Allo, Abbie ! C'est moi.

— Salut !

— Je n'ai rien trouvé de plus que cet après-midi. As-tu été plus chanceuse de ton côté ? demanda Zarya en regardant à l'extérieur, espérant voir son petit bâton ailé.

— Non, rien... Je crois qu'il nous faudra l'aide de ton grand-père pour résoudre cette énigme, répondit Abbie, déçue.

— Oui, c'est également mon avis. Il en sait plus que n'importe qui, assura Zarya en se fiant à son intuition.

— Au pire, on le saura bien assez tôt, puisqu'on part dans deux jours, s'exclama Abbie avec une pointe d'excitation.

— Tes valises sont-elles prêtes ?

— Oh oui ! Depuis une semaine déjà !

— Les miennes aussi, dit Zarya en partageant la joie et la fébrilité de son amie. Bon, je vais te laisser. Ma mère m'a demandé de faire une course chez le dépanneur...

— Alors, n'oublie pas, si tu croises ton petit bâton ailé, dis-lui bonsoir de ma part ! plaisanta Abbie.

— Ha ! ha ! ha ! Tu verras bien ce que dira mon grand-père..., répliqua Zarya, faussement vexée.

— Je sais, je blaguais. Je te souhaite une bonne nuit et te retrouve demain pour la dernière journée d'école.

— OK, bye !

Zarya descendit dans le salon pour aller retrouver sa mère qui lui donna l'argent nécessaire pour la course et lui recommanda d'être prudente.

Un instant plus tard, l'adolescente se retrouva dans la rue sombre. Le parc, habituellement fréquenté même à une heure tardive, était désert. Durant sa traversée solitaire, un désagréable sentiment s'empara de Zarya : la crainte. Elle hâta le pas. Au fond de sa mémoire ressurgissait le souvenir de ce fameux soir où « la bête du Gévaudan » avait cherché à l'attaquer. Son angoisse était tout à fait légitime, car qui n'aurait pas eu peur d'une bête noire, disparue depuis deux cent cinquante ans, avec des dents tranchantes comme des lames de rasoir ?

Malgré son anxiété, la jeune fille arriva chez le dépanneur sans encombre, prit ce qu'elle était venue acheter. Lorsqu'elle passa à la caisse, le garçon qui se trouvait derrière le comptoir lui fit un sourire amical qu'elle lui rendit en lui souhaitant une bonne fin de soirée. Sur le chemin du retour, le rythme de ses pas s'accordait à ses pensées et sa démarche était lente et cadencée. Zarya imaginait son prochain voyage à Paris avec sa meilleure amie et se voyait déjà dans les rues de la capitale française. De retour près du parc, elle songea à faire un détour, mais elle se ravisa, se disant qu'elle devait affronter sa peur. Cela ne l'empêcha pas d'accélérer le pas sur le sentier. Soudain, une voix retentit derrière elle :

— Stop ! Arrête-toi, s'il te plaît !

Zarya se retourna, le cœur battant la chamade, mais elle ne vit personne à proximité. Brusquement, un homme fit irruption devant elle.

— Excuse-moi, jeune fille, pourrais-tu m'indiquer la direction du restaurant *Chez Ti-Jean ?* demanda-t-il tout en se rapprochant.

Zarya observait l'homme qui marchait tranquillement dans sa direction et une lumière s'alluma dans son esprit : « Homme de race blanche, un mètre soixante-dix-huit, dans la vingtaine, avec un foulard autour de la tête. » C'était la description de l'agresseur dont elle avait entendu parler aux informations. L'adolescente fut parcourue d'un frisson.

— Désolée, mais je ne peux malheureusement pas vous aider, je ne connais pas ce restaurant. Veuillez m'excuser, mais je suis pressée, dit-elle avec un trémolo dans la voix en tournant les talons.

— Ah bon ? Eh bien, moi, je te dis de t'arrêter tout de suite ! lança l'agresseur d'une voix puissante.

Une peur mêlée de colère étreignit Zarya et, instantanément, elle remarqua une lueur se profiler autour de l'homme. C'était une lumière d'un rouge très sombre. Selon Abbie et sa théorie des auras, cette couleur indiquait qu'il s'agissait d'une personne animée de mauvaises intentions et potentiellement dangereuse. Dans un geste désespéré, Zarya tendit son bras vers l'agresseur et se concentra pour utiliser son pouvoir de télékinésie. Aussitôt, les pieds de son assaillant quittèrent progressivement le sol. Il essaya de se débattre dans le vide, sans résultat ! La situation venait de s'inverser : l'homme avait perdu son assurance et éprouvait à son tour de la peur. Pour lui, cette fille, vêtue de noir et qui parvenait à le soulever aussi haut sans le toucher, ne pouvait être que le diable ou, du moins, sa fille ! Paniqué, il sortit un revolver de sa poche et le pointa vers Zarya... Mais alors qu'il était sur le point d'appuyer sur la détente, son regard fut attiré par quelque chose qui se trouvait derrière sa victime. Un être de lumière lui ordonnait de lâcher son arme, ce qu'il fit sur-le-champ. La jeune fille remarqua alors que son assaillant avait les yeux exorbités et qu'il blêmissait à vue d'œil. Elle se retourna pour voir ce qui pouvait l'effrayer autant et vit la silhouette éclatante. Sous l'effet de la surprise, elle relâcha brutalement son emprise sur son agresseur. Lorsque sa tête heurta le bitume, l'homme sombra dans l'inconscience. En entendant le bruit de la chute, Zarya se retourna brièvement, mais quand elle prêta de nouveau attention à son « esprit protecteur », celui-ci avait disparu.

L'homme tatoué

Paris, 6 h 41

Christophe arriva très tôt au commissariat. Il apportait un bon café et un croissant, qu'il avait acheté à la boulangerie, au coin de sa rue. Se dirigeant vers son bureau, il constata que Jonathan était déjà là depuis longtemps à en juger par les nombreux dossiers qui étaient éparpillés à ses côtés.

— As-tu couché ici, part'naire ? lui lança-t-il. Tu m'as l'air matinal pour un gars de ton âge. Ça ne dérange pas ta petite amie que tu partes si tôt le matin ?

— En fait, je n'ai pas de petite amie, monsieur, répondit Jonathan avec un sourire. Pour être franc, plus je me lève tôt, plus je suis productif.

— C'est bien, ça…

— Hier soir, enchaîna Jonathan, quand vous avez quitté le bureau, j'ai continué mes recherches sur le serveur central et j'ai trouvé deux suspects avec des tatouages de dragon et…

— Bravo ! J'espère seulement que tu as demandé l'autorisation à Picard. N'oublie pas que tu n'es que stagiaire et que je suis responsable de toi. Je ne voudrais pas avoir de problème... Et, encore une fois, mon prénom, c'est Christophe, pas « monsieur » ! ajouta le lieutenant Costa, légèrement agacé.

— Je suis désolé, répliqua Jonathan, mal à l'aise. On m'a toujours enseigné à dire « vous » ou « monsieur » aux gens plus âgés, alors j'ai de la difficulté à me défaire de cette habitude.

— Mais je ne suis pas âgé ! Mon père est âgé, mon grand-père est très âgé, mais, moi, je suis dans la force de l'âge... mon garçon ! précisa Christophe d'un ton bourru. Bon, l'affaire est close, passons aux choses sérieuses... Voyons ce que tu as trouvé !

— D'accord ! Tout d'abord, le premier homme : Thomas Renaud, vingt-huit ans, un mètre quatre-vingt-trois, de race blanche. Il est Français d'origine et sa dernière adresse connue est 720, rue Gambetta, dans la ville de Brie-Comte-Robert. Voici sa photo.

— Ses antécédents judiciaires ? demanda Christophe tout en examinant le cliché que Jonathan venait de lui donner.

— Ils sont multiples : vols de voitures, cambriolages, voies de fait, il a purgé sept ans de prison.

— Et l'autre ?

— Richard Vidal, vingt-six ans, un mètre quatre-vingt-cinq, même couleur de peau et même origine. Il habite à Paris, 303, rue de l'Abbaye, appartement 22. C'est en tout cas la dernière adresse inscrite au dossier. Il est sorti de prison depuis quatre mois pour vol de banque doublé de l'agression d'un agent de sécurité. Regarde son portrait, un vrai enfant de chœur, dit Jonathan avec cynisme.

— Et les deux hommes ont un dragon tatoué sur le bras droit ? l'interrogea Christophe.

— Oui, c'est leur point commun.

— Bon, très bien... Maintenant, allons montrer ces photos à la victime. Comment s'appelle-t-elle déjà ?

— Marie-Ève Arnoux, répondit Jonathan.

Les deux policiers quittèrent le commissariat pour se rendre à l'Hôtel-Dieu. À leur arrivée, ils montèrent au cinquième étage où se trouvait la chambre de la jeune femme. Après avoir montré son insigne aux officiers de faction, Christophe entra le premier, suivi de près par Jonathan.

— Bonjour, mademoiselle, c'est encore nous. Vous nous avez grandement aidés en nous parlant du tatouage. En cherchant dans notre banque de données, nous avons trouvé deux hommes qui pourraient correspondre à votre signalement. Pourriez-vous regarder ces photos pour voir si l'un ou l'autre est votre agresseur ?

— Aucun problème, répondit Marie-Ève qui semblait plus en forme que la veille.

— Reconnaissez-vous cet homme ? dit Jonathan en étirant son bras pour lui montrer la première photo.

— Non, je ne crois pas.

— En êtes-vous certaine ? demanda Christophe.

— Oui, j'en suis sûre, affirma Marie-Ève.

— Très bien, maintenant voici la deuxième.

Elle prit la photo dans sa main et y jeta un regard furtif. Instantanément, elle pâlit et balbutia d'une voix défaillante :

— Oui... C'est bien lui... Aucun doute.

Jonathan retira délicatement le cliché, car Marie-Ève semblait revivre un moment pénible. Les deux policiers regardèrent la photo de l'agresseur et, avec un petit sourire de satisfaction, remercièrent la jeune femme qui était encore en état de choc. Ils quittèrent la chambre et longèrent le couloir qui menait à l'ascenseur. Aussitôt les portes ouvertes, ils s'y engouffrèrent. Christophe questionna son partenaire :

— Peux-tu me rappeler le nom de notre principal suspect ?

— Il s'agit de Richard Vidal. Il habite au 303, rue de l'Abbaye, appartement 22, à Paris.

— Très bien, je connais, c'est juste à côté du boulevard Saint-Germain.

Ils se mirent rapidement en route et prirent la direction de l'appartement de l'agresseur présumé.

Les deux policiers gravirent les escaliers au pas de charge jusqu'au deuxième étage et se dirigèrent vers l'appartement 22. Jonathan fit remarquer à voix basse :

— Je ne connais pas les lois françaises, mais ne faut-il pas, normalement, un mandat pour appréhender un suspect ?

— Dans notre cas, ce n'est pas nécessaire. Il s'agit d'une simple visite de courtoisie, ironisa Christophe avec un sourire carnassier. S'il se sauve, on pourra l'arrêter pour délit de fuite et on l'emmènera au poste. Après, il nous suffira de le faire identifier par Marie-Ève Arnoux et le tour sera joué.

— Si je comprends bien, tu espères qu'il se sauve ! dit Jonathan d'un air complice.

— Tout à fait ! Comme ça, on gagne du temps...

Ils étaient maintenant devant la porte. Christophe frappa et annonça d'une voix forte :

— Ouvrez, police !

Aucun bruit ne se fit entendre. Christophe fouilla dans sa poche et en sortit un petit outil qui ressemblait étrangement à un instrument de dentiste. Intrigué, Jonathan lui demanda :

— Que vas-tu faire avec ça ?

— Ce truc est un passe-partout, répondit Christophe en expert. On va s'en servir pour entrer dans l'appartement, histoire de le visiter un peu... J'adore faire des surprises, ajouta-t-il avec un clin d'œil.

La porte s'ouvrit et les deux policiers entrèrent prudemment, l'arme à la main. Ils découvrirent un espace exigu, sombre et humide, dégageant des relents de moisissure. En l'inspectant, ils conclurent que l'appartement était inhabité. Les fenêtres n'avaient pas été ouvertes depuis des lustres, et de la poussière s'accumulait un peu partout, d'où l'odeur de renfermé. Ils délimitèrent un périmètre de recherche pour que chacun puisse fouiller de son côté.

Dans la cuisine, des documents étaient éparpillés sur la table. Christophe les feuilleta, espérant trouver une preuve qui pourrait incriminer le suspect. Il appela son coéquipier pour lui faire part de ses découvertes :

— Regarde, je crois que c'est la prochaine victime, dit-il en lui montrant la photo d'une jeune fille. Il a même noté son nom et la date de son enlèvement.

Ils n'eurent pas le temps d'en dire davantage, car soudain leur attention fut attirée par un mouvement dans l'embrasure de la porte d'entrée. Une silhouette s'y découpait, immobile. Le visage était reconnaissable entre tous : c'était Richard Vidal. Christophe lui ordonna de ne pas bouger, mais l'homme prit la fuite instantanément. Jonathan se mit alors à sa poursuite, laissant son collègue derrière lui. À sa grande surprise, Christophe remarqua un autre homme à côté du fugitif. Il s'élança à son tour dans le couloir pour les prendre en chasse. Les policiers dévalèrent les marches quatre à quatre avant de se séparer.

Le complice de Vidal courait aussi vite qu'un sprinteur malgré les sommations répétées de Christophe. Le lieutenant avait beau lui crier de s'arrêter au nom de la loi, l'homme ne ralentissait pas son allure. Il ne semblait pas vouloir obtempérer et fonçait vers un commerce bondé. Christophe dut ranger son arme pour ne blesser personne. Une fois dans le magasin, il constata que le suspect avait disparu alors qu'il était sur le point de le coincer. « C'est vraiment étrange, se dit-il. Il est pratiquement impossible de se volatiliser comme ça sans laisser de trace… »

Quant à Jonathan, il suivait Richard Vidal et commençait à gagner du terrain. Il était à sept mètres de lui lorsque, brusquement, le suspect entra dans un immeuble pour échapper à son poursuivant. Vidal en gravit les marches, talonné par le policier, et referma l'unique porte au sommet. Jonathan le suivit, arme au poing, sans se presser. Sur le toit, les deux hommes se retrouvèrent face à face. Vidal était coincé. Mais au lieu de s'avouer vaincu, il décida d'affronter son adversaire en affichant un sourire arrogant. Il fut déconcerté quand le jeune agent rangea son arme dans son étui et prit un balai pour bloquer la porte métallique. Cela n'avait aucun sens… Pourtant, Jonathan se retourna vers lui et sortit lentement de sa poche une malachite[2] de la grosseur d'une balle de golf. L'objet en main, il déclara d'une voix autoritaire :

— Richard Vidal, selon nos lois d'Attilia, je vous somme de vous rendre et de vous laisser extirper tous vos…

Il n'eut pas le temps de terminer sa phrase, car l'homme tatoué tendit son bras droit vers lui et projeta toute sa force intérieure pour le neutraliser. Cette force était semblable à une vague d'énergie dont l'onde translucide se propageait à une très grande vitesse. Jonathan avait néanmoins anticipé l'attaque et créa, en guise de bouclier, un mur invisible. Sous la force de l'impact, il glissa sur le sol, comme s'il était sur de la glace et qu'un vent fort le poussait. Gardant cette position qui le protégeait de son agresseur, Jonathan brandit la malachite d'où jaillit un faisceau lumineux vert qui frappa Richard Vidal en plein visage. Ce dernier tomba à genoux, les deux mains sur le sol et, réalisant qu'il avait tout perdu, il décida de se jeter par-dessus le parapet du toit.

À la recherche de son coéquipier, Christophe vit l'homme tomber et s'écraser sur le sol, à une quinzaine de mètres de lui.

---

2. Malachite : pierre de couleur vert clair, marbrée de zones noirâtres, avec des reliefs mauves.

Il courut vers le corps et retrouva Jonathan quelques instants plus tard.

— Qu'est-ce qui s'est passé, pour l'amour de Dieu ? lui demanda-t-il, visiblement confus.

— Je ne sais pas..., répondit Jonathan. Il courait pour se sauver et il a décidé de mettre fin à ses jours quand il s'est senti pris au piège...

— Ouais, je vois. Il a voulu jouer le tout pour le tout, quitte à y laisser la vie..., fit Christophe avec gravité. De mon côté, j'ai perdu la trace de son complice, mais son portrait est bien imprégné dans ma mémoire. Je suis sûr de le trouver avec l'ordinateur central, s'il est déjà fiché.

— Donc, la piste n'est pas définitivement perdue... As-tu apporté la photo de la prochaine victime ? l'interrogea Jonathan, curieux.

— Oui, évidemment !

— Est-ce que je peux la voir ?

— La voici, fit Christophe en tendant la photo à son partenaire.

— Plutôt jolie ! s'exclama Jonathan.

— Je te souhaite de la rencontrer ailleurs qu'à l'hôpital après la prochaine pleine lune, lança Christophe, jovial.

— Quel est son nom ?

— Zarya Adams.

5 — Le départ

Québec, 11 h 49

Zarya n'avait pas parlé à Abbie de son aventure de la nuit précédente afin de ne pas la perturber avant sa dernière journée d'examens. Mais elle comptait la lui raconter pendant le dîner, sachant qu'elle les aurait alors tous terminés.

L'adolescente se dirigea vers son casier et remarqua que les élèves à côté d'elle parlaient justement des événements survenus au parc la veille au soir. Elle tendit l'oreille, mais, au même moment, Abbie apparut.

— Salut, Zarya. Comment se sont passés tes examens ce matin ?

— Très bien, et je crois les avoir tous réussis… Et toi ?

— Je suis assez satisfaite de mon travail, répondit humblement Abbie.

— Il faut que je te raconte ce qui s'est passé hier soir dans le parc, près de chez moi…

— Oui, je sais, fit Abbie. J'ai écouté les nouvelles, ce matin. Ils ont finalement arrêté le malfaiteur grâce à un appel anonyme. Un fait reste inexpliqué dans cette histoire, selon les policiers. C'est que lorsqu'ils sont arrivés au parc, il était là, inconscient, sur le sol et... Mais attends une minute, toi ! s'exclama-t-elle en interrompant son monologue et en regardant son amie droit dans les yeux. Ne me dis pas que la personne anonyme, c'était toi !

— Oui, c'était moi, dit Zarya à voix basse en regardant autour d'elle pour être sûre que personne n'écoutait leur conversation.

— Ils ont dit qu'ils l'ont trouvé étendu sur le sol, inanimé. Mais que s'est-il passé ?... Non, ne me dis pas que tu as utilisé tes pouvoirs...

— Euh... oui, c'est ça, admit Zarya, un peu mal à l'aise, en regardant les élèves s'éloigner de sa case.

— Waouh ! j'aurais bien aimé être là pour voir sa tête, déclara Abbie sur un ton envieux. Mais que s'est-il passé ?

— Eh bien, c'est un peu la même histoire qu'avec la bête du Gévaudan, disons qu'il a frappé un mur avec moi, expliqua Zarya en éclatant de rire. Mais ce n'est pas ça qui m'intrigue le plus, je dois t'avouer.

— Quoi ? Je me demande bien ce qui peut être plus intrigant que ça !

— J'ai vu un ange dans le parc, chuchota Zarya à l'oreille de son amie.

— Quoi, un ange ? Avec des ailes ?

— Non, il n'avait pas d'ailes, répliqua Zarya, un peu découragée. Ne sois pas aussi stupide ! Les anges n'ont pas d'ailes. Les anges avec des ailes et une auréole, c'est une métaphore.

— Oui, je sais, je blaguais, la rassura Abbie, redevenue sérieuse.

— Et je crois que l'agresseur l'a vu aussi.

— Qu'est-ce qui te fait dire ça ?

— Quand je le tenais en lévitation au-dessus de moi…

— En lévitation !

— Abbie, veux-tu bien me laisser terminer mon histoire sans me couper toutes les trente secondes ? lança Zarya, exaspérée.

— Excuse-moi ! Continue, je me tais.

— Je disais donc que pendant que je tenais mon agresseur en lévitation au-dessus de moi, j'ai remarqué qu'il regardait en arrière de moi ou, plutôt, par-dessus moi, et il semblait avoir peur de quelque chose… Et c'est là que je me suis retournée et que je l'ai aperçu, raconta Zarya avec les yeux brillants. Il était magnifique… Je n'ai pas vu son visage, mais j'ai ressenti un grand bien-être ! Beaucoup de bonté émanait de cet être de lumière ; je crois qu'il m'a protégée.

— Qu'est-ce qui te fait penser qu'il t'a protégée, puisque c'est toi qui tenais l'agresseur en lévitation ?

— Il a communiqué avec l'agresseur par télépathie pour lui ordonner de laisser tomber son arme.

— Et comment sais-tu qu'il a utilisé la télépathie ?

— Je l'ai entendu.

Une fois leur repas terminé, Zarya et Abbie s'apprêtaient à quitter la cafétéria lorsque deux garçons vinrent s'asseoir à la table voisine. L'un d'eux s'appelait Tommy Raymond et l'autre, Francis Lavoie ; c'étaient les deux plus beaux garçons de la polyvalente, selon Abbie. Cette dernière aimait bien Tommy. Grand garçon aux cheveux bruns légèrement en bataille, il avait de beaux yeux noisette. Quant à Francis, il n'avait rien à envier à son camarade. Abbie avait le béguin pour Tommy depuis le primaire, mais elle ne lui avait jamais adressé la parole. Comme chaque fois qu'elle le voyait, elle se disait au plus profond d'elle-même : « Je donnerais n'importe quoi pour pouvoir sortir avec lui ou même seulement lui parler. »

— Tu n'as aucune chance, Abbie, murmura Zarya.

— Aucune chance de quoi ? demanda son amie, surprise.

— Mais... de sortir avec Tommy !

— Et qui t'a dit que j'aimerais sortir avec lui ? fit Abbie qui se mit à rougir. C'est terminé depuis longtemps, je n'ai plus le béguin pour lui.

— Tu viens tout juste de me le chuchoter.

— Je n'ai rien chuchoté du tout.

— Ben voyons ! Tu m'as dit que tu donnerais n'importe quoi pour pouvoir sortir avec lui ou même seulement lui parler, protesta Zarya.

— Mais... mais je ne l'ai pas dit, je l'ai pensé, affirma Abbie à voix basse en fixant Zarya.

— Mais c'est impossible ! Je t'ai entendu comme je t'entends maintenant.

— Je crois que tu as fait de la télépathie, que tu as lu dans mes pensées. Tu m'as dit que tu avais fait de la télépathie hier soir. Alors, il est probable que tu viens de faire la même chose. Maintenant, essaye de deviner ce que les garçons sont en train de penser.

— Mais je ne sais pas comment j'ai fait !

— Concentre-toi et essaye de lire dans leur esprit..., surtout dans celui de Tommy, dit Abbie, rougissante, en lui faisant un petit sourire complice.

— D'accord, je vais essayer.

Zarya se concentra et fixa discrètement Tommy. Après une quinzaine de secondes, elle entendit une voix qui semblait flotter dans l'air et qui disait : « *Je me demande si j'ai réussi mon examen de...* » Aussitôt, la jeune fille secoua la tête, comme si elle voulait enlever les mots qui s'y trouvaient. Puis elle regarda Abbie et remarqua, à son grand étonnement, qu'elle avait le teint blanchâtre et les yeux écarquillés. Inquiète, elle lui demanda :

— Abbie, est-ce que ça va ?

— Oui... ça va...

— Tu n'as pas l'air en forme.

— Je crois que... que j'ai tout entendu !

— Tu... quoi ?

— J'ai fait... Je crois que j'ai fait de la télépathie, répondit Abbie tout doucement pour que les garçons ne l'entendent pas.

— Tu en es certaine ? demanda Zarya en espérant que son amie lui répondrait par l'affirmative pour ne plus se sentir si seule.

— Oui, enfin, je crois, fit Abbie à mi-voix. Peut-être que c'est toi qui m'as transmis ce qu'ils disaient grâce à tes pouvoirs.

— Mais je n'ai rien fait ! Enfin, il me semble... À vrai dire, je n'en sais rien. Je ne connais pas l'étendue de mes pouvoirs. Mais je crois qu'il y a un moyen de le savoir.

— Et comment ? lança Abbie avec promptitude.

— Attends un peu ! Je réfléchis... Et si tu essayais de faire bouger quelque chose par la pensée ?

— Bonne idée ! Passe-moi ton bâton de rouge à lèvres.

Zarya sortit son rouge à lèvres de son sac à dos et le déposa sur la table tout en regardant autour d'elle pour s'assurer que personne ne les regardait. Elle donna à Abbie quelques conseils et celle-ci se concentra en fixant l'objet. Quelques secondes s'écoulèrent et, tout à coup, le petit bâton se mit à faire des tours sur lui-même à une vitesse impressionnante. Abbie se leva et prit Zarya par le bras ; elles quittèrent la cafétéria à la hâte et se rendirent dans la cour pour pouvoir discuter de ce qui venait de se produire en toute discrétion.

— Dis-moi, Zarya, tu ne me fais pas une blague au moins ? demanda Abbie, très confuse. Elle serait vraiment de très mauvais goût...

— Bien sûr que non, voyons ! répondit Zarya qui commençait à comprendre bien des choses.

— Mais jure-moi que ce n'est pas toi qui as fait bouger le bâton de rouge à lèvres.

— Je te le jure, Abbie. Mais maintenant que j'y pense, je crois que mon grand-père sait également que tu as des pouvoirs.

— Je ne comprends pas.

— Réfléchis un peu, Abbie. Pourquoi penses-tu qu'il veut que tu m'accompagnes en France ?

Abbie resta bouche bée, ne sachant quoi répondre.

— Je crois que c'est pour cette raison qu'il veut nous voir et nous parler.

— Crois-tu qu'il y aurait un lien entre ta famille et la mienne qui pourrait justifier toutes ces choses bizarres ?

— Je n'en sais rien. Possiblement.

Tout en se mordillant la lèvre inférieure, Zarya réfléchit profondément à l'épineuse question d'Abbie et lui dit :

— L'autre soir, j'ai posé une question à ma mère à propos du lieu de ma naissance. J'ai ajouté que je me rappelais parfaitement qu'il y avait un lac près de notre maison.

— Et puis ?

— Elle m'a répondu que je suis née ici, dans la maison où je vis présentement. Pourtant, je me souviens qu'on avait une petite chaloupe et qu'on traversait le lac pour aller en ville ; je devais avoir trois ou quatre ans dans ce temps-là.

— Un lac et une chaloupe ! répéta Abbie à voix basse.

— Oui, et ma mère m'a dit que c'était dans mon imagination. Mais je sais très bien que je ne l'ai pas imaginé. Quand tu verras ta tante après l'école, demande-lui où tu vivais avec tes parents quand tu avais cet âge.

— D'accord, je peux le lui demander. Mais elle me dira sûrement que je vivais aux États-Unis. Mais maintenant que tu me parles d'un lac, je me rappelle avoir rêvé d'un lac et d'une chaloupe… Oui, c'est ça ! Une chaloupe pour aller en ville ! Je me souviens de ce détail, moi aussi. Mais pourquoi ma tante et tes parents nous cacheraient-ils notre lieu de naissance ? C'est complètement absurde ! s'exclama Abbie, déconcertée.

Elle respira à pleins poumons de longues bouffées d'air pur et ferma les yeux pour mieux réfléchir. Elle essaya de faire le lien entre sa famille et celle des Adams, mais aucune réponse ne lui vint à l'esprit. Cependant, elle se rappela que, toute jeune, elle s'amusait beaucoup avec Zarya et que sa tante Mary et madame Adams prenaient souvent le thé ensemble. Des sensations confuses, des souvenirs vagues s'éveillaient en elle. Le souvenir d'un passé enfoui ressurgissait, le décès prématuré de ses parents ! Selon sa tante, ils étaient morts dans un accident de voiture. Abbie n'avait que trois ans !

Zarya lui posa une question qui la tira de ses pensées :

— Est-ce qu'on va vider nos casiers ?

— Oui, bien sûr ! J'ai terminé mes examens et je vais quitter l'école tout de suite après. Et toi ? demanda Abbie.

— Moi aussi, mais j'ai une idée, suggéra Zarya. Si on allait chez toi pour travailler ton pouvoir de télékinésie ?

— D'accord. C'est drôle, j'éprouve un peu de crainte face à cette nouvelle faculté et, en même temps, cela m'excite beaucoup ! Pas toi, Zarya ?

— Oui, c'est vrai, je suis bien d'accord avec toi, lui dit son amie qui avait les mêmes appréhensions. Mais mon plus gros souci, ce n'est pas de savoir que nous sommes différentes des autres, mais pourquoi nous le sommes !

Zarya se sentait mieux en sachant que sa meilleure amie avait les mêmes pouvoirs qu'elle ; cela ne pouvait que les rapprocher davantage, tout en ajoutant quelque chose de mystérieux à la chose.

Aussitôt arrivées chez Abbie, les deux amies se rendirent dans sa chambre et déposèrent les affaires qu'elles avaient rapportées de l'école sur un bureau déjà encombré par une quantité phénoménale de livres. Elles s'installèrent face à face. La tante d'Abbie était au travail et ne reviendrait que vers 17 h 15. Les adolescentes pouvaient donc s'exercer sans être dérangées.

— Est-ce que tu maîtrises bien la télékinésie maintenant ? demanda Abbie.

— Je crois que oui... mais je ne sais pas où se situe la limite.

— Que veux-tu dire par « limite » ?

— C'est que..., réfléchit Zarya en regardant le bureau, quand je fais léviter un trombone ou un bureau, par exemple, je n'ai pas plus de difficulté à soulever l'un que l'autre, même si le bureau est beaucoup plus lourd. Le poids d'un objet n'a aucune importance en lévitation... enfin, je crois.

— OK ! je crois que je suis prête à essayer, dit Abbie, toute fébrile, mais je suis un peu inquiète.

— Pourquoi ?

— Parce que si je ne réussis pas, répondit Abbie en triturant son pendentif en forme de tête de loup, je serai très déçue. Étant donné que j'ai déjà fait une expérience de télékinésie, on peut dire que j'y ai pris goût.

— Oui, je comprends, mais si tu as réussi la première fois, je ne vois pas pourquoi tu ne réussirais pas la deuxième, répliqua Zarya d'un ton positif, comme tout bon professeur le ferait avec son élève.

— Tu as raison. Bon, je commence par quoi ?

Zarya regarda autour d'elle et prit sur la table de chevet un livre sur le paranormal intitulé *La voie de l'esprit*. Elle le déposa sur le lit, à côté de son amie.

— Bon, maintenant, en utilisant une forte émotion, comme tu me l'as demandé l'autre jour, expliqua Zarya en lui faisant un petit sourire d'encouragement, tu vas te concentrer sur le livre pour le faire léviter.

— D'accord.

Abbie se concentra de toutes ses forces. Zarya se demanda à quoi son amie pouvait bien penser à ce moment précis pour faire naître en elle une émotion, peut-être à la mort de ses parents qui l'attristait encore beaucoup, se dit-elle. Malgré le temps qui s'était écoulé depuis leur disparition, Abbie pensait souvent à eux. Peut-être aussi songeait-elle à son futur voyage à Paris, ce qui la rendait toujours très joyeuse.

Après une quinzaine de secondes, le livre se mit à bouger et il prit lentement de l'altitude. Les yeux brillants, Zarya observait l'incroyable phénomène paranormal qui était en train de se produire. Même si elle était capable de faire la même chose, elle trouvait cela fantastique et différent, puisque c'était sa meilleure amie qui l'exécutait. Elle lui dit d'une voix douce :

— Maintenant, pose le livre sur la table de chevet, sans le faire tomber.

— D'accord, répondit Abbie, toujours concentrée.

Sous son regard, le livre, qui était à présent au-dessus de son ordinateur, se mit à glisser en direction de la table de chevet. Il se trouvait au-dessus de Zarya lorsqu'il lui tomba sur la tête. Abbie éclata de rire.

— Excuse-moi, Zarya, fit-elle, j'ai perdu ma concentration.

— Il n'y a pas de problème, répondit Zarya en se frottant la tête. Mais à quoi pensais-tu pour attiser tes émotions ?

— Je pensais à notre amitié.

— C'est gentil, s'étonna Zarya en rougissant un peu.

— Mais c'est vraiment incroyable ! J'ai l'impression que ça chatouille dans mon avant-bras, comme s'il y avait des milliers de fourmis qui dansaient.

— C'est probablement causé par l'énergie de notre âme qui circule dans le corps, mais qui se concentre dans le bras quand on fait de la télékinésie, expliqua Zarya sans trop savoir.

— Penses-tu qu'on a d'autres pouvoirs, Zarya ?

— Je n'en sais rien. On pourra le demander à mon grand-père.

Abbie et Zarya s'entraînèrent tout l'après-midi avec des livres, des crayons, une lampe et même la table de chevet. Plus les heures s'écoulaient et plus Abbie s'améliorait. Même qu'à la fin, les jeunes filles s'amusaient à se lancer divers objets et à les contrer. Abbie avait même trouvé un nom à ce jeu ; elle l'appelait « la télé-bataille ».

Elles entendirent tante Mary ouvrir la porte et constatèrent qu'il était déjà 17 h 15.

— Waouh ! on n'a pas vu le temps passer ! s'exclama Zarya. Maintenant, je dois rentrer chez moi, mes parents doivent m'attendre pour souper. De ton côté, parle avec ta tante et essaye de lui faire dire des choses sur ton passé, d'accord ?

— OK, répondit Abbie en se levant pour accompagner son amie jusqu'à la porte.

Alors qu'elle s'apprêtait à sortir, Zarya aperçut tante Mary au salon. Mary Garcia n'était pas d'une grande beauté ; elle était petite, un peu grassouillette, avec de beaux cheveux blonds bouclés. Cependant, cette quadragénaire ne manquait pas de charme ni de gentillesse. Zarya s'approcha d'elle et l'interrogea avec amabilité :

— Vous allez accompagner Abbie à l'aéroport demain ?

— Oui, bien sûr, ma belle Zarya. Donc, on va se revoir demain, dit affectueusement Mary.

— Alors, je vous souhaite une bonne soirée.

Zarya sortit, et Abbie ferma la porte derrière elle. Tante Mary demanda à sa nièce si elle voulait l'aider à faire le souper et celle-ci accepta. Pendant que tante Mary préparait les feuilles de lasagne et la sauce, Abbie sortait les assiettes et les couverts.

— Tante Mary, est-ce que je peux te poser une question ? lança la jeune fille en posant la salière et la poivrière sur la table.

— Bien sûr, Abbie.

— Je sais que je te l'ai déjà demandé... Mais quand mes parents étaient en vie, tu m'as dit que nous habitions aux États-Unis ?

— Oui, c'est exact. Et pourquoi me reposes-tu cette question ? demanda tante Mary à son tour.

— Et peux-tu me dire s'il y avait un lac près de chez nous ? continua Abbie sans répondre.

— Euh... non... je ne crois pas, balbutia tante Mary.

— Mais est-ce que j'allais faire de la chaloupe quelquefois avec mes parents ?

— Oh non, certainement pas ! Ta mère ne savait pas nager et elle avait très peur de l'eau.

Après un souper ponctué de mille et une questions, Abbie, qui était incapable de lire les pensées de sa tante, lâcha prise. Elle savait pertinemment que Mary lui cachait des choses, mais il n'y avait rien à faire, elle ne parlerait jamais.

◊ ◊ ◊

John Adams s'était absenté pour la soirée afin de rencontrer un client avec un collègue de travail. Tout en dégustant un des filets de poulet et de la salade verte que sa mère avait préparés en arrivant du travail, Zarya dit :

— Maman, j'aimerais te poser une question et je veux que tu me dises la vérité.

Kate acquiesça d'un signe de tête en avalant un morceau de poulet.

— J'aimerais que tu me dises la vérité sur mon lieu de naissance, demanda la jeune fille en fixant sa mère droit dans les yeux.

— Tu sais bien, ma chérie, répondit Kate en regardant sa coupe de vin, qu'on a déjà parlé de ça. Tu es née ici, dans cette maison.

— Maman, j'ai l'impression que vous me cachez quelque chose, dis-moi si je me trompe.

— Mais non, ma chérie ! Pourquoi te cacherait-on quelque chose ?

— Et pourquoi faut-il que j'aille voir grand-père Gabriel pour qu'il m'explique ce genre de chose ? s'écria Zarya en allongeant son bras droit pour attirer la salière vers elle en la faisant léviter au-dessus de son assiette.

Kate regarda sa fille du coin de l'œil d'un air gêné, mais sans paraître trop surprise, et murmura :

— Je ne croyais pas que le processus avait déjà commencé.

— Le processus ! Quel processus ?

— Je ne suis pas une spécialiste dans ce domaine, c'est pour cette raison qu'on veut t'envoyer chez ton grand-père. Mais je peux au moins tenter de t'expliquer ce phénomène, le « processus ».

Kate réfléchit un instant, puis continua :

— C'est comme la première fois que tu as eu tes menstruations. Tu m'as demandé : « Qu'est-ce qui se passe dans mon corps ? » Et je t'ai répondu que ton corps subissait une transformation.

— Mais, m'man, je ne suis pas dans ma période de menstruations, lança Zarya, découragée. Je te dis que je peux lever des objets avec la seule force de ma pensée !

— C'est la même chose, ma chérie. Quand tu as eu tes règles pour la première fois, un processus physique s'est produit, te faisant passer de l'enfance à l'adolescence. Maintenant, un autre processus s'est enclenché, mais, cette fois, il concerne tes chakras et il marque le passage entre l'adolescente que tu es et la jeune femme que tu es en train de devenir.

— Mes chakras ?

— Bon, comme je te l'ai dit, je ne suis pas une spécialiste dans ce domaine, mais…

Kate essaya de se rappeler comment John lui avait expliqué ce processus la première fois, et elle reprit ses explications dans ses propres mots :

— Je crois que le système de chakras est responsable de la coordination des trois corps, c'est-à-dire le corps mental, le corps astral et le corps physique, et de leur relation avec ton âme.

— Mais tout le monde a des chakras ! Enfin, je crois...

— Oui, Zarya, moi aussi j'en ai, dit Kate tendrement. Mais moins évolués que les vôtres.

— Les nôtres ?

— Oui, les vôtres, confirma Kate, les tiens et ceux de la famille de ton père.

— Papa, peut-il faire bouger des objets par la pensée ?

— Plus maintenant, car ton père a eu de très graves problèmes de boisson, ce qui a atténué ses pouvoirs.

— Mais j'ai hérité de ses pouvoirs malgré son problème d'alcool ?

— Il a eu ses problèmes bien après ta naissance. Mais quand nous t'avons conçue, il était dans une très grande forme mentale !

— Mais Abbie ne fait pas partie de notre famille, alors pourquoi connaît-elle ce « processus », elle aussi ?

— Tu as parfaitement raison. Abbie aussi subit cette transformation, mais je veux que tu saches qu'il n'y a pas que ta famille qui a des pouvoirs de ce genre, il y en a plusieurs autres !

— Plusieurs autres familles ?

— Oui, mais le reste, ma chérie, ton grand-père va vous l'expliquer à toutes les deux.

— Alors, est-ce que je suis née ici ? demanda Zarya en revenant à la charge.

— Non, tu es née ailleurs.

— Mais où ?

— Je ne peux te le dire, je suis désolée, répondit Kate en tenant les mains de sa fille. Ton grand-père va tout t'expliquer, répéta-t-elle.

— D'accord, dit Zarya, satisfaite.

— Une dernière chose, ma chérie, laisse le soin à ton grand-père de l'expliquer à Abbie également.

— D'accord.

Zarya était très contente des réponses que sa mère lui avait fournies, bien que, en même temps, elle fût plongée dans le mystère le plus complet. Elle se demandait pourquoi sa famille était si différente des autres. Et pourquoi sa mère ne pouvait pas lui révéler où elle était née. Qu'est-ce qui pouvait bien être si difficile à expliquer à sa propre fille sur ses origines ?

Après avoir desservi la table et lavé la vaisselle avec sa mère, Zarya monta dans sa chambre pour faire des recherches sur Internet à propos des chakras. Elle s'installa devant son ordinateur et tapa « chakras ». Un million neuf cent quatre-vingt-dix mille liens s'affichèrent. Elle cliqua sur le premier qui lui sembla intéressant :

Le terme « chakras » provient du sanskrit et veut dire « roue ». Ce sont des centres d'énergie situés le long de la colonne vertébrale. Il y a sept chakras, le premier est situé à la base de la colonne vertébrale et le septième, au sommet du crâne...

Zarya lut des articles sur ce sujet une partie de la soirée, mais elle ne trouva rien à propos du « processus » dont sa mère avait parlé. Elle pensa que, pour le commun des mortels, les chakras devaient être des centres d'énergie assez stables, mais que, pour certaines personnes comme les membres de sa famille et elle, sans oublier son amie Abbie, ils évoluaient... Cependant, elle ne savait pas pourquoi.

Comme elle l'avait promis à sa mère, Zarya ne révélerait rien à Abbie. De toute façon, son grand-père Gabriel leur dirait sûrement toute la vérité le lendemain, lorsqu'elles arriveraient chez lui, dans son village tout près de Paris. Maintenant qu'elle avait terminé ses recherches, la jeune fille écrivit un petit message à Abbie.

Salut Abbie ! J'ai discuté avec ma mère au sujet de mon lieu de naissance, mais sans résultat. Mais elle m'a dit qu'on pourrait poser toutes les questions qu'on voudrait à mon grand-père. Je voulais également te dire que je suis très contente de partir avec toi en France. Passe une bonne nuit, car on a une grosse journée demain et, en plus, on va connaître un décalage horaire, alors, dors bien !

Ton amie, Zarya XX

Le lendemain matin, quand Zarya ouvrit les yeux, la première chose qu'elle vit fut un soleil resplendissant dont les rayons pénétraient dans sa chambre par la fenêtre entrouverte. La journée s'annonçait très belle, sans aucun nuage à l'horizon. La jeune fille se leva et alla se préparer avant de rejoindre son père et sa mère dans la cuisine.

Après un copieux déjeuner en compagnie de ses parents, qui se montrèrent particulièrement prévenants, Zarya appela Abbie.

— Bonjour, Abbie, je t'appelle pour savoir si tu es prête.

— Tu veux rire ! s'exclama Abbie d'un ton joyeux. Je me suis réveillée à 4 h 30 ce matin et j'ai été incapable de refermer l'œil après. Je me suis donc levée à 5 h 30.

— Mais notre vol est seulement à 19 h 30 ce soir !

— Oui, je sais.

— Il est 8 h 36, dit Zarya en regardant l'heure affichée sur le four à micro-ondes. Qu'est-ce que tu as fait pendant ces trois heures ?

— J'ai pratiqué tu sais quoi.

— Ah bon, et tu t'es améliorée ?

— J'ai réussi à lever mon lit au complet et à le reposer sans le faire tomber, répondit Abbie à voix basse, pour que sa tante Mary ne l'entende pas.

— Waouh ! je suis impressionnée.

— Merci.

— Mes parents seront prêts à 15 h 30 et on ira te chercher vers 15 h 35.

— Mes valises sont déjà sur le pas de la porte.

— Moi, je vais passer ma dernière journée avec mes parents et on se revoit à la fin de l'après-midi, d'accord ?

— D'accord, Zarya.

◊ ◊ ◊

Zarya ne vit pas le temps passer. L'heure était venue d'aller chercher Abbie et sa tante, et c'est avec une gaieté fébrile qu'ils firent le trajet jusqu'à l'aéroport Pierre-Elliott-Trudeau. Après des embrassades chaleureuses qui n'en finissaient plus, Zarya et Abbie se dirigèrent vers la porte d'embarquement et, sans un regard en arrière, montèrent à bord de l'avion, en route pour l'inconnu…

Le manoir

Paris, 8 h 35

L'airbus A340 d'Air Canada amorçait sa descente vers l'aéroport Roissy-Charles-de-Gaulle, au nord de Paris, à 8 h 35 du matin. À son bord, Zarya et Abbie venaient de se réveiller et regardaient par le hublot le paysage qui défilait sous un ciel sans nuages. L'airbus, qui était à présent à quelques mètres du sol, dans l'axe de la piste, ralentit et, à l'instant où les roues touchèrent le sol, le pilote décéléra et prit la direction du terminal.

Les deux amies sortirent de l'aéroport après avoir récupéré leurs bagages et s'être soumises aux vérifications d'usage. Aussitôt les portes de sortie franchies, Abbie demanda à Zarya :

— Ton grand-père avait dit qu'il viendrait nous chercher ici ?

— Exactement, répondit Zarya en regardant autour d'elle. Il m'a dit qu'il serait ici avant même que l'avion n'atterrisse.

Elle continuait de scruter les alentours lorsque, soudain, elle aperçut un homme grand et mince, aux cheveux blancs parfaitement coupés. Il portait un beau complet bleu marine et, à la main, il tenait une longue canne en acajou ornée d'un cristal vert émeraude. Il marchait en direction des deux adolescentes et leur fit un grand sourire. Zarya le reconnut sur-le-champ. C'était son grand-père Gabriel. Abbie remarqua que le grand-père de Zarya n'était pas seul ; il était accompagné de deux hommes vêtus de noir, de très grande taille, qui semblaient être ses gardes du corps. Elle savait que Gabriel Adams était un homme important ici, en France, mais pas au point d'avoir besoin de protection ! Après tout, il n'était que le maire d'un village ou d'une ville, elle ne se souvenait plus trop. Abbie se disait qu'avec l'allure qu'il avait il ressemblait davantage à un président qu'à un maire de village ! De sa démarche se dégageaient assurance et finesse, et Abbie se demanda pourquoi il avait une canne, car, à première vue, il était évident qu'il n'en avait pas besoin. Cependant, elle devait bien admettre que la canne lui donnait un air encore plus distingué, bien que, là encore, il n'eût pas besoin de cela, étant suffisamment charismatique sans cet accessoire. Alors que les deux gardes du corps restaient à distance, le grand-père s'approcha de sa petite-fille et la prit dans ses bras.

— Je me suis beaucoup ennuyé de toi, ma chère Zarya, lui dit-il en l'embrassant.

— Moi aussi, grand-père, répliqua Zarya avec sincérité en se blottissant contre lui.

— Et toi, Abbie, lança Gabriel en se tournant vers elle pour lui serrer la main, comme tu as grandi ! Et tu es devenue une belle jeune femme, si tu me permets.

— Merci, monsieur Adams.

— Maintenant, si je peux vous faire une petite suggestion, déclara-t-il, nous devrions partir pour nous rendre dans un endroit plus agréable afin de discuter et pour que vous puissiez vous reposer un peu.

— D'accord ! approuvèrent en chœur les jeunes filles.

Elles étaient sur le point de prendre leurs bagages lorsque les gardes du corps de Gabriel s'avancèrent.

— Si vous permettez, mesdemoiselles, dit l'un d'eux avec un sourire amical, tout en attrapant les bagages, aidé de son partenaire.

— Merci ! fit Zarya en regardant Abbie d'un air surpris.

Elles suivirent Gabriel qui marchait vers une magnifique voiture noire, une Rolls-Royce Phantom Black Edition de l'année. En voyant la voiture de luxe et les deux gardes du corps, Zarya se demanda comment un maire pouvait se payer un tel luxe.

Après avoir déposé les bagages dans le coffre arrière de la voiture, les gardes du corps montèrent à l'avant et celui qui faisait office de chauffeur démarra.

Zarya, qui était confortablement assise à côté de son grand-père, lui demanda :

— Où va-t-on, grand-père ?

— Nous nous rendons à ma maison de campagne, répondit Gabriel avec un beau sourire.

— Si vous êtes le maire d'un village, intervint Abbie, intriguée, vous ne devriez pas rester dans ce village ?

— Tu as un très bon jugement, chère Abbie ! s'exclama Gabriel. Et tu as parfaitement raison ! Mais, avant tout, je vais clarifier une chose, je ne suis pas le maire d'un village, mais plutôt ministre. Nous pourrions dire que ma maison de campagne est ma résidence secondaire ou, si vous préférez, ma maison pour le week-end. C'est dans cette demeure que nous allons tous résider pour quelques jours.

— Et où se trouve ta maison de la semaine ? demanda Zarya.

— Dans la ville d'Attilia, répondit Gabriel en regardant sa petite-fille droit dans les yeux.

— Attilia ! répéta cette dernière, surprise. Mais... où est située cette ville ?

— Je ne connais pas beaucoup la géographie de la région, lança Abbie, mais je n'ai jamais entendu parler d'une ville nommée Attilia, en France. Je ne savais même pas qu'elle existait.

— En effet, Abbie, approuva Gabriel, toujours de sa voix placide, elle n'est sur aucune carte. D'ailleurs, le pays de Dagmar, où se trouve Attilia, n'apparaît sur aucune carte de ce monde.

— Mais c'est impossible ! répliqua Zarya.

— Sache qu'il n'y a rien d'impossible dans notre famille, Zarya, reprit Gabriel avec un demi-sourire. Tu es bien placée pour le savoir.

— Mais comment peut-on cacher une ville, et même un pays, au monde entier ? questionna Abbie.

— Ce n'est vraiment pas facile, je peux te l'assurer, répondit Gabriel en échangeant un sourire de connivence avec ses gardes du corps. Mais je crois que nous allons mettre un terme aux questions concernant cette ville pour le moment pour aborder un sujet beaucoup plus intéressant : vous.

Ils roulèrent, tout en discutant, sur l'autoroute A1, direction nord, et, après une heure, ils prirent une sortie pour s'engager sur une petite route de campagne. Quelques minutes plus tard, le chauffeur ralentit pour emprunter une autre petite route qui serpentait dans une forêt et qui était à peine assez large pour une voiture. Zarya remarqua qu'à l'entrée de la forêt il y avait des pancartes avec les inscriptions « Terrain privé – Accès interdit » et « Terrain gouvernemental – Défense de passer ». Ils s'enfoncèrent loin dans les bois et plus ils avançaient, plus les arbres semblaient se refermer sur eux. La Rolls-Royce s'arrêta devant un portail en fer forgé d'une hauteur de quatre mètres, dont les battants s'ouvrirent automatiquement pour la laisser passer. Quelques mètres plus loin, Zarya et Abbie virent apparaître, au fond du terrain, un gigantesque manoir avec trois énormes cheminées. Stupéfaites, elles remarquèrent que le manoir se trouvait au bord d'un lac. Était-ce le lac dont elles se souvenaient ? Celui dont elles avaient parlé l'une à sa mère, l'autre à sa tante ? C'est alors que Zarya demanda à Gabriel :

— Est-ce que je suis déjà venue ici, grand-père ?

— Oui, il y a bien longtemps de cela.

— Il me semble que j'ai déjà vu ce lac, dit Abbie à son tour.

— Oui, ma chère Abbie, tu es venue ici avec tes défunts parents.

La voiture s'immobilisa et les gardes du corps sortirent les premiers pour ouvrir les portières arrière afin que les passagers puissent descendre à leur tour. Les deux amies regardaient autour d'elles, très impressionnées par la magnificence des lieux. Les hommes en noir récupérèrent les bagages dans le coffre, puis suivirent Zarya, Abbie et Gabriel qui entraient déjà dans le manoir.

En franchissant les portes, les jeunes filles furent éblouies par l'immensité des pièces ainsi que par les superbes tableaux qui ornaient les murs.

Une dame et un homme d'âge mûr s'approchèrent d'elles, et Gabriel les présenta :

— Voici Adèle et Jules... Durant votre séjour, ils seront à votre entière disposition, ajouta-t-il en souriant à ses domestiques.

Adèle était une petite dame replète, aux cheveux blancs et au sourire magnifique. Jules, quant à lui, était grand et mince ; il avait des cheveux noir charbon et, malgré son air plus sérieux, semblait d'une grande gentillesse.

Avec grand respect, Gabriel leur ordonna d'accompagner Zarya et Abbie dans leurs chambres respectives. Celles-ci les suivirent. Elles empruntèrent le grand escalier en bois ouvragé qui menait au premier étage. Arrivée devant une immense porte, Adèle regarda Zarya et dit poliment :

— Voici votre chambre, mademoiselle Zarya. L'autre, juste à côté, c'est la vôtre, mademoiselle Abbie, si vous me permettez de vous appeler ainsi.

— Mais bien sûr que vous le pouvez ! répliqua Zarya en regardant Abbie, toute souriante.

— Si vous avez besoin de quoi que ce soit, mesdemoiselles, leur déclara Jules sans se départir de son air sérieux, vous n'avez qu'à le demander.

— Très bien... Ah oui, les toilettes, où sont-elles, monsieur ? l'interrogea Abbie.

— Au fond du couloir, à votre gauche, mademoiselle Abbie, répondit-il.

— Merci !

Zarya entra la première dans sa chambre et vit ses valises posées juste à côté de son lit. Pénétrant également dans la sienne, Abbie constata que la pièce était très vaste et que le lit était deux fois plus grand que son propre lit. Au fond, il y avait une belle fenêtre panoramique, avec vue sur le lac, et, à gauche du lit, une porte. « Mais sur quoi donne cette porte ? » se demanda l'adolescente. Sa curiosité l'emporta et elle décida d'aller voir. Elle s'approcha et, au moment même où elle posait sa main sur la poignée en porcelaine, la porte s'ouvrit brusquement ! Abbie poussa un cri en faisant un bond en arrière et, à sa grande surprise, elle vit son amie dans l'embrasure.

— Salut ! dit Zarya.

— Tu m'as *vraiment* fait peur ! s'exclama Abbie, encore en état de choc.

— Nos chambres communiquent, c'est cool !

— C'est incroyable ! As-tu remarqué comment nos chambres sont faites ? lança Abbie qui reprenait son souffle.

— Oui, on dirait qu'on a la même chambre, le même lit, la même commode et même la fenêtre qui donne sur le lac, répondit Zarya.

— As-tu vu le lac comme il est grand ?

— Oui, et regarde au loin, il y a du brouillard. On ne peut pas voir l'autre côté.

— Oui, j'ai remarqué... Je vais aller me préparer pour le dîner, et toi ?

— Oui, moi aussi, je vais défaire mes valises et je te rejoindrai ensuite, déclara Zarya en retournant dans sa chambre.

◊ ◊ ◊

Quarante-cinq minutes passèrent avant que Zarya et Abbie ne se retrouvent pour se rendre à la salle à manger. Elles réussirent à trouver leur chemin dans le dédale des couloirs du manoir et finirent par atteindre leur destination. En entrant dans la salle à manger, elles virent une imposante table en acajou aussi grande qu'une table de conférence sur laquelle étaient posés de magnifiques chandeliers en argent à six branches et une profusion de fruits et de victuailles ; il y avait du rôti de bœuf, des pommes de terre ainsi qu'une belle variété de légumes frais. Adèle et Jules se tenaient debout à côté de la table. Le majordome demanda aux jeunes filles si elles voulaient bien s'asseoir à leur place.

— Où est mon grand-père ? demanda Zarya en s'assoyant à l'endroit que lui indiquait Jules.

— Monsieur Adams descendra sous peu, répondit le majordome, il aura bientôt terminé sa conférence.

— Il y a des gens avec lui ? l'interrogea encore Zarya. Est-ce qu'ils vont manger avec nous ?

— Euh... je ne crois pas... En fait, monsieur Adams est en conférence téléphonique, balbutia Jules en regardant Adèle.

Jules avait à peine terminé sa phrase que Gabriel entra dans la pièce et salua les deux jeunes filles d'un sourire radieux.

— Veuillez m'excuser, je suis un peu en retard, dit-il en s'assoyant au bout de la table. Ça ne fait pas trop longtemps que vous m'attendez, j'espère ?

— Non, ne t'en fais pas, on vient tout juste d'arriver, le rassura Zarya.

— Vos chambres vous plaisent-elles ?

— Oh oui ! s'écria Abbie. Elles sont très spacieuses.

— Et très bien décorées, ajouta Zarya.

— Bon, et maintenant, si on mangeait ce bon rôti ? lança Gabriel en admirant la belle tablée. Toute cette nourriture me paraît fort appétissante.

Zarya emplit son assiette d'un peu de tout et Abbie fit de même, et c'est avec appétit qu'elles engloutirent leur premier repas français. Pendant ce temps, Adèle offrait du thé glacé à Abbie, qui acquiesça d'un signe de tête, la bouche pleine. Zarya avala sa bouchée de pain et demanda à Gabriel :

— Avais-tu terminé ta conférence téléphonique, grand-père ?

— Ma conférence téléphonique ? fit le vieil homme, surpris, en interrogeant Jules du regard. Oui, bien sûr, ne t'en fais pas. Mais venons-en aux choses sérieuses. Si vous êtes ici, c'est dans un but précis. Vous avez fait tout ce trajet pour connaître la vérité sur certaines choses qui vous intriguent au plus haut point, je peux l'admettre. C'est tout à fait légitime étant donné que ce sont des choses qui sortent de l'ordinaire. Je vais donc commencer par répondre à vos questions pour ensuite vous expliquer le reste.

— Est-ce que nous sommes des sorcières ? l'interrogea tout d'abord Zarya.

— Non, nous ne le sommes pas, répondit Gabriel. Au cours des siècles, on a parlé de nous comme de thaumaturges, de fées, de nécromanciens et même d'anges gardiens. En fait, mesdemoiselles, nous sommes des « mages ».

— Nous sommes donc des mages ! répéta Abbie, stupéfaite.

— Oui, en effet. Et les mages que nous sommes proviennent des descendants directs des rescapés de l'Atlantide, ajouta Gabriel.

— De l'Atlantide ! La ville qui a disparu, engloutie dans l'océan il y a des milliers d'années ? Et tu dis qu'il y a eu des rescapés ? s'étonna Zarya en regardant Abbie, les yeux exorbités.

— Oui, il y a eu six survivants selon nos écritures, précisa son grand-père.

— Vous avez une bible ?

— Oui, nous avons une bible, répondit Gabriel avec un sourire. La bible chrétienne, que nous connaissons tous, a été écrite sur du papier, ou papyrus. Mais notre bible, qui a été écrite par les rescapés de l'Atlantide et leurs descendants, est sur un cristal…

— Gravée en hiéroglyphes ? demanda Abbie.

— Non, Abbie, il n'y aurait pas assez de place sur un cristal pour écrire onze mille ans d'histoire.

— Onze mille ans ! s'exclamèrent en chœur les jeunes filles.

— Pardonnez-moi, je me suis mal exprimé, se reprit Gabriel. Les mémoires n'ont pas été écrites sur un cristal, mais plutôt imprégnées du début de l'histoire à aujourd'hui.

Tandis que le vieil homme prononçait ces paroles, Jules, le majordome, s'approcha de lui pour lui annoncer qu'il y avait une urgence. Gabriel se tourna vers Zarya et Abbie, et il leur dit :

— Je dois vous quitter pour quelques heures, mes devoirs de ministre m'appellent ! Mais le manoir est tout à vous, profitez-en pour le visiter à votre convenance.

Il se leva, prit son veston, sa canne et sortit de la pièce. Les deux amies se regardèrent et haussèrent les épaules tout en continuant de manger, sans se soucier de l'urgence de Gabriel.

Après le généreux repas, elles entreprirent de visiter le manoir, commençant par le rez-de-chaussée. Elles passèrent à côté du somptueux escalier en acajou qui permettait de monter aux étages, puis se dirigèrent vers l'aile ouest du manoir. Elles arrivèrent devant une grande porte qu'elles décidèrent d'ouvrir. À leur grande surprise, elles découvrirent une immense pièce remplie de livres, avec de magnifiques toiles sur les murs. Zarya remarqua immédiatement quelque chose d'étonnant et s'écria :

— Regarde sur le mur en face de toi.

— C'est la carte du monde, dit Abbie.

— Oui, répondit Zarya. Tu ne trouves pas ça un peu bizarre qu'il y ait une île tropicale située au pôle Nord ?

Abbie s'approcha de la carte pour mieux voir les détails.

— Mais il n'y a pas de neige au pôle Nord, c'est impossible !

— C'est vraiment curieux, je dois l'avouer.

— C'est sûrement l'Atlantide, l'île engloutie, suggéra Abbie.

– Oui, je crois que tu as raison. Mais je me demande si c'est bien l'Atlantide ou plutôt le pays de Dagmar.

– Plus probable que ce soit l'Atlantide, fit Abbie, incertaine.

— Alors, c'est pour cette raison que personne ne trouve les ruines de l'Atlantide, en déduisit Zarya. Elle serait engloutie sous les épaisses couches de glace.

Abbie haussa les épaules et ajouta :

– Mais si c'est l'Atlantide, où se trouve alors le Dagmar ?

Trop occupées par la carte du monde, elles n'avaient pas remarqué les autres toiles sur les murs adjacents. Il y avait un tableau, entre autres, qui montrait une sorte d'engin spatial survolant une pyramide. Abbie montra à Zarya les petites pyramides qui étaient alignées sur le manteau de la cheminée :

— Ton grand-père aime beaucoup les choses inexpliquées.

— Oui, on dirait bien, soupira Zarya en scrutant tout ce qui l'entourait. Mais je me demande si ce sont réellement des choses inexpliquées pour lui, fit-elle remarquer en découvrant des objets qui semblaient tout droit sortis d'un film de science-fiction.

— Que veux-tu dire ? demanda Abbie, perplexe. Tu crois qu'il connaît les réponses à toutes ces choses mystérieuses ?

— Peut-être.

Abbie reporta ensuite son attention sur les livres. Elle nota qu'à première vue il n'y avait aucun roman, ni encyclopédie. Elle trouva bien étrange que, parmi tant de livres, on ne trouve pas d'ouvrages éducatifs. Elle prit un livre au hasard : *Légendes se rapportant à la Lune*. Elle en attrapa un autre : *L'association véridique entre le loup-garou et la Lune*. Sa curiosité maintenant piquée, elle ouvrit le livre et lut quelques lignes :

Au XVIIe siècle, en Europe, les Français prétendaient que les loups-garous les envahissaient et massacraient les gens du peuple. On préféra croire qu'ils étaient les adeptes de pactes avec Satan et le fruit de sombres incantations de magie noire plutôt que les victimes involontaires du cycle lunaire.

Le livre qu'Abbie prit ensuite portait sur la magie noire et était intitulé *Le côté obscur de la magie*.

La magie blanche concerne une utilisation de la magie à des fins bénéfiques ou préventives pour soi-même. Et la seconde, la magie noire, est pratiquée et motivée à des fins de vengeance.

Pendant qu'Abbie lisait, Zarya regardait une collection de pierres précieuses qui était exposée dans une armoire aux portes vitrées et scellées.

— Regarde, Abbie, s'écria-t-elle, il y a une collection de pierres de toutes les couleurs.

— Waouh ! elles sont très jolies.

— Regarde, en dessous de chaque pierre, il y a une inscription.

— Il y a le nom de la pierre ainsi qu'une petite description de ses vertus. Regarde cette pierre blanche, d'un gris bleuté, c'est une agate. Une de ses vertus est de guérir les morsures de serpent. Il est également mentionné qu'elle permet à celui qui la porte sur son cœur d'obtenir les faveurs de la personne qu'elle convoite.

— Ce serait bon pour toi et Tommy, commenta Zarya en riant.

— Ha ! ha ! ha ! fit Abbie en rougissant.

— Regarde cette pierre rouge, elle paraît un peu fade.

— Et quelles sont ses propriétés ?

— « Le corail rouge offre à son maître longue vie. S'il devient pâle, il lui annonce une maladie prochaine ; s'il y a des taches qui apparaissent, c'est signe de mort. » Fais-moi penser à ne pas y toucher, dit Zarya en jetant un coup d'œil à la pierre.

Abbie regarda la table qui se trouvait au centre de la pièce et remarqua une pierre qu'elle connaissait bien.

— Regarde, Zarya, sur la table, là, on dirait une boule de cristal.

— Oui, exactement, confirma son amie, mais il y en a une autre dans l'armoire, avec sa définition.

— Peux-tu la lire, s'il te plaît ?

— D'accord. On l'appelle « cristal de roche ». « Il symbolise la pureté. C'est aussi un puissant instrument divinatoire. La boule de cristal était un talisman recherché par les druides dans le passé lointain ; ce sont les personnes les plus anciennes dans l'histoire connue à les avoir utilisées. »

— Les druides sont peut-être les descendants directs des rescapés de l'Atlantide, eux aussi, suggéra Abbie. Et si on essayait la boule de cristal sur la table ?

— D'accord !

Abbie se dirigea vers la table sur laquelle était posée la boule en question et se plaça en face de Zarya en disant :

— Bon, voyons voir, je vais mettre mes mains sur le dessus de la boule et je vais me concentrer.

Zarya regarda son amie se concentrer de toutes ses forces en fermant les yeux. Quelques secondes plus tard, Abbie sembla entrer en transe. Une vingtaine de secondes s'écoulèrent encore et la boule de cristal, qui était au début d'une transparence limpide, devint de plus en plus opaque à cause d'une brume qui circulait à l'intérieur. Abbie dit alors d'une voix très sérieuse et plus grave :

— Zarya, tu cours un grand danger... Il y aura un jour de pleine lune meurtrier et sanglant... Une pierre te sauvera... Sois juste dans ton choix... Sinon tu périras !

Elle poussa un soupir et sortit de sa transe.

— Et puis, est-ce que ça a fonctionné ? demanda-t-elle.

— Euh... je crois... Je crois que oui, soupira Zarya.

— Cool ! Et qu'est-ce que j'ai dit ?

— Que je vais être en danger un jour de pleine lune.

— En danger ?

— Oui, tu m'as dit que je serai en grand danger. Et qu'il y aura un jour de pleine lune meurtrier et sanglant. Et que c'est une pierre qui me sauvera. Et là, je ne comprends pas trop, tu m'as dit d'être juste dans mon choix parce que, sinon, je périrai, dit Zarya d'une voix troublée.

— J'ai dit tout ça ? s'exclama Abbie.

En entendant du bruit, Zarya se tourna vers la porte et vit Adèle entrer dans la pièce d'un pas timide :

— Je suis désolée de vous déranger, déclara la domestique, mais j'ai entendu, bien malgré moi, votre séance de divination et je peux vous assurer que, pour une débutante, mademoiselle Abbie, vous m'avez impressionnée.

— Merci, répondit Abbie d'un air réjoui. Mais vous, madame, êtes-vous une mage ?

— Oui. Sachez que toutes les personnes qui gravitent autour de monsieur Adams sont des mages, mademoiselle Abbie.

— Et vous êtes plusieurs à travailler ici pour mon grand-père ? l'interrogea Zarya.

— Nous sommes six au manoir, mademoiselle Zarya.

— Six ! Je croyais qu'il n'y avait que Jules et vous...

— Non, mademoiselle Zarya, il y a aussi Victor et David qui sont les deux gardes du corps de monsieur Adams, Hubert le jardinier et, finalement, il y a Olivier, notre commissionnaire, qui est un très gentil garçon, soit dit en passant. Mais si j'ai bien compris, mademoiselle Abbie, fit Adèle, un peu angoissée, mademoiselle Zarya serait en danger !

— Je ne crois pas, fit Abbie, c'était juste pour s'amuser, c'est une prémonition sans importance...

— Excusez-moi de vous contredire, mademoiselle Abbie, la coupa Adèle, mais, dans notre monde, les prémonitions sont prises très au sérieux. Je vous en prie, mademoiselle Zarya, ne négligez pas les avertissements que mademoiselle Abbie vous a donnés par l'intermédiaire de la boule de cristal. Peut-être que si j'en parlais à monsieur Adams, il pourrait vous aider...

— Non, je ne crois pas qu'il faille lui en parler, rétorqua Zarya. Je ne veux pas l'inquiéter pour rien, il a sûrement d'autres soucis avec son travail !

— Si vous insistez, mademoiselle Zarya. Mais si vous sentez le moindre danger planer sur vous, promettez-moi que vous en aviserez votre grand-père sur-le-champ ! Il ne faudrait pas oublier, mademoiselle, que votre grand-père est responsable de vous deux.

— Promis, madame, dit Zarya.

Adèle, qui s'inquiétait encore du danger qu'Abbie avait annoncé à Zarya, quitta tout de même la pièce, satisfaite de l'accord qu'elle venait de prendre avec la jeune fille ; elle savait que cette dernière préviendrait monsieur Gabriel dès qu'elle se sentirait menacée.

Les deux amies décidèrent de continuer leur visite du manoir. Lorsqu'elles eurent atteint le hall d'entrée, Zarya ouvrit la porte pour sortir et tomba nez à nez avec un garçon de leur âge, aux cheveux blonds et courts.

— Oh ! pardon, s'empressa de dire Zarya, surprise.

— Il n'y a pas de quoi, répondit le jeune homme avec gentillesse. Vous êtes sûrement Zarya et Abbie.

— Oui, exactement. Et toi, qui es-tu ? l'interrogea Zarya.

— Je suis Olivier, Olivier Dumas, je travaille pour monsieur Adams.

— C'est toi, le commissionnaire ? demanda Abbie à son tour.

— Oui ! admit Olivier, surpris. Mais qui vous a dit ça ?

— C'est Adèle.

— Commissionnaire... et tu fais quel genre de commissions ? lança Abbie, curieuse.

— Toutes sortes de commissions entre ici et là-bas...

— Là-bas, fit Zarya, c'est Attilia ?

— Euh... oui... Attilia, bafouilla Olivier, un peu mal à l'aise.

— Et c'est loin d'ici ? se renseigna Abbie qui, après avoir scruté les alentours pour découvrir son moyen de transport, conclut qu'il était venu à pied, puisque aucun véhicule n'était en vue.

— Désolé, je ne peux pas vous révéler son emplacement, c'est un secret, dit Olivier, catégorique.

— Un tout petit indice, insista Abbie.

— Non ! Pas question, secret professionnel, je serai immédiatement démis de mes fonctions si je vous donne la moindre information, déclara Olivier, fier de son statut.

— Bon, d'accord, se résigna Abbie.

— Qu'est-ce que tu viens faire ici, si ce n'est pas un secret ? demanda Zarya, malicieuse.

— Je suis venu porter un paquet important à monsieur Adams et en même temps vérifier la génératrice, je dois le faire tous les mois.

— Tu es aussi électricien ? s'étonna Zarya, très impressionnée.

— Est-ce que je peux vous poser une question à mon tour ? fit Olivier sans répondre à la dernière question.

— Oui !

— Aimeriez-vous voir cette génératrice… spéciale ?

— Oui, bien sûr, répondirent les jeunes filles en se regardant.

— D'accord, alors suivez-moi.

Zarya et Abbie entrèrent de nouveau dans le manoir pour accompagner Olivier. Ils montèrent l'escalier jusqu'à l'étage supérieur. Une fois là, le jeune commissionnaire tourna à gauche, se dirigea vers une porte, au fond du couloir, l'ouvrit et emprunta un second escalier en haut duquel se trouvait une autre porte. Olivier la poussa et se retrouva à l'extérieur, sur le toit.

— Mais où va-t-on comme ça ? s'inquiéta Abbie.

— Vous voyez le dôme de verre, là-bas ? demanda le garçon.

— Oui !

— La génératrice se trouve à l'intérieur.

Le dôme faisait à peine un mètre de haut et ressemblait beaucoup à une demi-sphère transparente. Suivant Olivier, les deux adolescentes s'en approchèrent d'un pas prudent.

— C'est ça, une génératrice ? lança Abbie, surprise, en regardant l'objet qui se trouvait à l'intérieur du dôme.

— Oui, c'est ça, confirma Olivier.

— Mais c'est un cristal ! s'exclama Zarya en regardant Abbie.

— Exact... N'est-il pas magnifique ? fit Olivier.

— Et tu vas nous dire que c'est grâce à ce cristal, gros comme un ananas, que tu peux alimenter cette immense bâtisse en électricité ? s'étonna encore Zarya.

— Eh oui !

— Mais que dois-tu faire maintenant ? questionna Abbie.

— Je viens nettoyer le dôme qui protège le cristal des intempéries. Il est primordial que le dôme soit toujours très propre pour que le cristal capte au maximum les rayons du soleil.

— Il fonctionne donc à l'énergie solaire, conclut Zarya.

— Oui, exactement. Et c'est un cristal très puissant. Une seule journée de soleil équivaut à environ une semaine d'électricité pour le manoir.

— J'ai l'impression que les cristaux sont très importants dans votre monde, déclara Zarya.

— Oui, comme les ordinateurs pour vous. Mais les cristaux sont beaucoup, et de loin, plus puissants que vos ordinateurs, affirma Olivier avec fierté.

— Mais pourquoi, dans notre monde, nous n'avons pas de cristaux comme les vôtres ? l'interrogea Abbie.

— Il y a des cristaux dans le monde où vous vivez, mais les gens ne peuvent pas s'en servir parce qu'ils n'ont pas de lien avec eux.

— De lien ?

— Oui, un lien. Nous avons un lien... comment dire ?... disons que nous avons un lien chakramatique avec les cristaux, expliqua Olivier, heureux de partager son savoir. On peut... euh... comment dire ?... programmer certains cristaux pour qu'ils aient des tâches définies, comme celui-là. Le cristal que vous voyez ici change les rayons du soleil en énergie électrique.

— Je trouve ça intéressant et très surprenant, dit Abbie, impatiente de connaître la suite.

— Mais il y a des personnes qui s'en servent avec de mauvaises intentions, précisa Olivier d'un air lugubre. Elles les utilisent pour faire du mal.

— Que veux-tu dire par là ? demanda Zarya.

— Il y a une dizaine d'années, dans la ville d'Attilia, un groupe a voulu s'emparer des sept pierres sacrées de Prana.

— Prana ? répéta Zarya.

— Oui, Prana. C'est comme ça qu'on nomme les sept pierres qui permettent l'ouverture des sept chakras, ce qui a pour effet d'amplifier leur force pour atteindre la force divine. Le chef de ce groupe, qui s'appelait Malphas, voulait voler les sept pierres dans le but de les utiliser pour faire le mal.

— Malphas, c'est un nom qui sonne « mauvais », commenta Abbie.

— Oui, tu as tout à fait raison. Vois-tu, Malphas veut dire « président des enfers ». Rien de très rassurant, je peux vous le garantir, déclara Olivier, les yeux pleins d'effroi.

— Et où est ce Malphas ? le questionna Zarya.

— Personne ne le sait. Il y a des gens qui disent qu'il est retourné en enfer ; d'autres, qu'il a été exilé d'Attilia et qu'on lui aurait enlevé ses pouvoirs pour ensuite l'envoyer dans une autre dimension, sans retour possible.

— Je suis contente qu'il ne soit plus là, affirma Abbie en jetant un coup d'œil à Zarya. Il n'a pas l'air très sympathique.

— Bon, je crois que mon travail se termine sur ces belles paroles joyeuses, dit Olivier avec un petit sourire forcé. Maintenant, je dois aller voir Adèle.

— Tu connais Adèle depuis longtemps ? demanda Zarya.

— Oui, bien sûr. En fait, c'est ma tante !

Une fois son travail terminé, Olivier prit son chiffon, le secoua, le remit dans sa poche et raccompagna Zarya et Abbie au hall d'entrée, là où il les avait rencontrées.

Les deux amies prirent la direction du lac, en arrière du manoir. Tout en marchant, elles observèrent des arbrisseaux exotiques d'un vert mousse exceptionnel et une riche variété de fleurs, dont certaines formaient des grappes de clochettes très odorantes, qui poussaient le long du manoir. Abbie, étonnée, lança à Zarya :

— Regarde ces plantes, je n'ai jamais vu de fleurs aussi grosses.

— Incroyable ! Regarde ces roses ! s'exclama Zarya en s'approchant des fleurs en question, les yeux ronds. Elles sont deux fois plus grosses que les roses normales !

— Et regarde là-bas, on dirait un pommier, fit Abbie en marchant d'un pas rapide pour le voir de plus près. Ces pommes sont grosses comme des pamplemousses.

Zarya s'approcha de son amie et contempla les énormes pommes.

Se sentant observée, elle se retourna et vit un homme au fond du jardin. Chauve, vêtu d'un jean délavé et d'une chemise bleue salie par la terre, il les regardait, immobile. Il tenait à la main une pioche et portait des bottes en caoutchouc. Zarya songea qu'il s'agissait sûrement du jardinier dont Adèle leur avait parlé plus tôt, à la bibliothèque. Elle lui fit un sourire de politesse, mais cela ne provoqua aucune réaction chez l'homme. Après un dernier regard, il décida de retourner à son travail, sans plus se préoccuper des deux adolescentes.

Ces dernières reprirent leur marche vers le lac et virent Gabriel avec six personnes sur la terrasse. Lorsqu'elles bifurquèrent dans leur direction, le vieil homme les aperçut et s'avança vers elles.

— Bonjour, Zarya, bonjour, Abbie. J'espère que vous appréciez votre première journée au manoir.

— Oui, c'est super ! répondit Zarya. Nous étions en train d'admirer ton jardin.

— Oui, mon jardin… Plutôt impressionnantes, les pommes, n'est-ce pas ? demanda Gabriel avec un sourire de satisfaction. On peut faire une tarte avec une seule d'entre elles.

— C'est plutôt incroyable ! reprit Abbie d'un air ahuri.

— Oui, tu as parfaitement raison, Abbie. Mais le temps venu, je vais vous expliquer ce phénomène quelque peu… hors du commun.

— D'accord, dit Abbie, avide d'en savoir davantage.

— J'espère qu'on ne te dérange pas, grand-père, lança Zarya en regardant les six personnes debout sur la terrasse. Est-ce que tu étais en réunion avec ces gens ?

— Oui, j'étais en réunion, mais j'avais justement terminé. Pour ne rien vous cacher, déclara Gabriel avec un air soucieux, ces hommes, là-bas, ce sont tous des agents, ou plutôt des gardes du corps.

— Pourquoi ? fit Zarya, tourmentée.

Pour la première fois de sa vie, Zarya voyait son grand-père inquiet. « Pour que mon grand-père soit inquiet de la sorte, songea-t-elle, il doit y avoir un gros problème. » Et elle avait raison !

— Aujourd'hui, l'un de mes agents m'a avisé que ma petite-fille serait en danger, lâcha Gabriel en avalant sa salive.

— Moi ! s'écria Zarya, estomaquée. Mais pourquoi moi ?

— À vrai dire, je n'en sais trop rien, répondit Gabriel, perdu dans ses pensées. Tu peux me croire, depuis cette annonce, je n'arrête pas d'y réfléchir. Mais je n'ai pas de réponses à mes interrogations.

— Avec tous ces agents, intervint Abbie, positive, il n'y a rien à craindre.

— Oui, bien sûr, Abbie, concéda le vieil homme avec un sourire rassurant. Et pour mettre toutes les chances de notre côté, demain, nous partirons pour Attilia à la première heure.

— Mais est-ce que c'est loin d'ici, Attilia ? demanda Zarya.

— Non, pas très loin, Zarya, dit Gabriel en pointant le lac du doigt.

— On ne voit rien de l'autre côté, fit remarquer sa petite-fille. Il y a un épais brouillard au loin…

— Justement… Attilia se trouve dans ce brouillard !

Marco Vigeant

Paris, 21 h 47

Alors que Marie-Ève Arnoux et les autres victimes de l'homme tatoué et de son chef surnommé « le Gourou » étaient encore hospitalisées, Jonathan entra dans l'Hôtel-Dieu, rue d'Arcole, et se rendit au bureau de la réceptionniste.

— Bonsoir, mademoiselle. Je suis l'agent Thomas, se présenta-t-il en montrant son insigne. J'aimerais savoir dans quelle chambre se trouve Chloé Galle.

— Juste un instant, je vous prie…, répondit la réceptionniste en consultant son ordinateur. Bon, voilà… Chloé Galle se trouve dans la chambre 6017, au sixième étage.

— Je vous remercie infiniment, mademoiselle Nancy, dit Jonathan en regardant le badge épinglé à sa blouse.

— Mais je crains qu'elle ne vous soit pas d'un grand secours, précisa la jeune femme. Car Chloé Galle est dans le coma depuis son entrée ici.

— Oui, je sais. Mais c'est juste pour un contrôle de routine.

Connaissant le chemin, Jonathan prit l'ascenseur et appuya sur le bouton du sixième étage. Alors qu'il se dirigeait vers la chambre 6017, il remarqua qu'il n'y avait pas d'agent devant la porte de Chloé, contrairement à celle de Marie-Ève. Il regarda autour de lui et entra prudemment, comme un voleur sur le point de commettre un crime. Après avoir pris soin de bien refermer la porte derrière lui, il s'approcha du corps immobile de la jeune fille, fouilla dans sa poche et en retira une petite pierre verte tachetée de points d'un rouge éclatant : une pierre des Martyres. Il la mit au creux de sa main, la posa sur le front de Chloé sans la lâcher, puis ferma les yeux… Après quarante-cinq secondes d'intense concentration, la pierre, qui était toujours sur le front de la jeune fille, se mit à rayonner d'une lueur rougeâtre, et Jonathan sentit une douce chaleur qui irradiait de la pierre. Il attendit encore un peu avant de remettre la pierre dans sa poche. Chloé émergea alors de son long sommeil de près de deux mois. Elle ouvrit doucement les yeux et la première chose qu'elle vit fut ce bel homme aux yeux bleus qui, immobile devant elle, la regardait avec bonté ; elle crut que c'était un ange venu la chercher.

— Vos souffrances sont terminées, Chloé, murmura Jonathan en lui tenant la main. Maintenant, reposez-vous et, demain, vous pourrez retrouver votre famille.

Il quitta la chambre et la jeune fille referma les yeux pour la nuit.

Jonathan redescendit au rez-de-chaussée et alla de nouveau voir la réceptionniste. Il sortit discrètement une petite pierre argentée aux reflets dorés, nommée « pyrite », une pierre qui, dit-on, stimule la mémoire, mais peut également avoir le pouvoir inverse. Il s'approcha de la femme et dit :

— Bonsoir, vous me reconnaissez ?

— Oui, bien sûr, répondit la réceptionniste avec un sourire timide. Vous êtes l'agent Thomas.

— Vous avez une bonne mémoire, la félicita Jonathan.

— Oui, c'est vrai, j'ai une bonne mémoire, surtout pour les visages et les noms.

— C'est très bien ! Regardez cette belle pierre que j'ai trouvée près de l'ascenseur, fit Jonathan en lui montrant la pyrite. Regardez-la de près et voyez comme les petits cristaux dorés sont magnifiques.

La réceptionniste fixa la pierre et sembla entrer en transe. Elle ferma les yeux quelques secondes afin de retrouver ses esprits et Jonathan en profita pour remettre la pierre dans sa poche. La jeune femme rouvrit les yeux et regarda Jonathan.

— Est-ce que je peux vous aider, monsieur ? lança-t-elle, un peu confuse.

— Oui, est-ce que vous vous rappelez de moi ? demanda Jonathan.

— Non, je suis désolée.

— Parfait ! Merci et bonne fin de soirée ! dit-il, satisfait, en tournant les talons vers la sortie.

◊ ◊ ◊

Le lendemain matin, au commissariat, le lieutenant Costa arriva tôt, comme à son habitude. L'absence de son partenaire l'étonna beaucoup, puisque, jusque-là, il était pratiquement toujours arrivé le premier.

Après avoir bu son café, Christophe s'installa devant l'ordinateur central et fit des recherches sur l'homme qu'il avait pourchassé la veille jusqu'au commerce où il avait perdu sa trace. Quarante minutes plus tard, il trouva ce qu'il cherchait et parvint à identifier le suspect. Au même moment, Jonathan arriva avec un large sourire.

— Tu as l'air de bonne humeur ce matin, remarqua Christophe.

— Oui, j'ai bien dormi.

— Moi, je suis arrivé tôt ce matin en croyant te voir ici. J'ai même commencé les recherches sur l'homme que j'ai poursuivi hier.

— Et as-tu trouvé quelque chose ?

— Oui, je viens tout juste de trouver des informations sur le suspect : son nom, son adresse et même son âge, dit Christophe, réjoui.

— Et quel est son nom ?

— Attends un peu... Il s'appelle Marco Vigeant et il vit ici, à Paris, et...

Dring ! La sonnerie du téléphone l'interrompit.

— Lieutenant Christophe Costa, puis-je vous être utile ?... Oui... Elle n'est plus dans le coma... OK, j'en prends bonne note... Merci beaucoup !

Christophe raccrocha.

— Qu'est-ce qui se passe ? demanda Jonathan.

— C'était le médecin d'une des victimes. La jeune fille qui s'appelle Chloé Galle est sortie du coma après deux mois.

— Mais c'est merveilleux !

— C'est plutôt incroyable selon le médecin. Ils ne comprennent pas.

— Maintenant, on va pouvoir l'interroger.

— Non, je ne crois pas, elle est malheureusement amnésique. La seule chose dont elle se souvienne, c'est qu'elle a vu un ange quand elle est sortie du coma.

— Un ange ?!

— Oui, un ange. Une hallucination probablement due aux médicaments, affirma Christophe avec un sourire. Bon, venons-en aux choses sérieuses. On va aller rendre visite à Marco Vigeant.

— En espérant qu'il soit encore à cette adresse, dit Jonathan d'un ton sceptique. Après l'aventure d'hier, il va sûrement être très prudent.

— Oui, j'en ai bien l'impression.

Aussitôt arrivés rue Saint-Vincent, nos deux policiers se dirigèrent prudemment vers la demeure du suspect. C'était une petite maison qui faisait partie d'une rangée, avec une façade très rustique, couverte de pierres brunes, et de vieilles fenêtres à guillotine blanches. Les policiers frappèrent en tonnant : « Ouvrez, police ! » Mais comme ils l'avaient prévu, ils n'obtinrent aucune réponse ; il semblait n'y avoir personne. Cependant, cette fois, Christophe décida de retourner dans la voiture et d'attendre patiemment le suspect. Pour se faire discrets, ils allèrent se garer un coin de rue plus loin, tout en s'assurant de ne pas perdre de vue la maison de Vigeant.

L'attente commença donc pour nos deux compères. La conversation s'amorça alors tout naturellement.

— Où as-tu fait tes études pour devenir policier ?

— Au Québec, répondit Jonathan, à Nicolet, une très bonne école.

— Es-tu le premier de ta famille à être flic ? l'interrogea encore Christophe en gardant un œil sur la maison de Marco.

— Non, nous le sommes de père en fils, depuis plusieurs générations.

— Et ton père est toujours vivant ?

— Oui, mon père est toujours Maître... euh... je veux dire : policier au Canada, bafouilla Jonathan.

— As-tu dit « maître » ? demanda Christophe, curieux.

— Je voulais dire « policier », répondit le jeune homme, ennuyé. C'est qu'il est maître-chien, son partenaire s'appelle Buster et il est dans l'escouade antidrogue.

— Ah bon !

— Tiens, en parlant du Canada, dit Jonathan, ça me fait penser à la photo qu'on a trouvée chez Richard Vidal avec les informations concernant la prochaine victime. Eh bien, justement, je me suis informé et cette Zarya Adams habite au Canada... et, par un heureux hasard, au Québec, là où travaille mon père. Il va communiquer avec la famille Adams, et la police locale va mener sa propre enquête. Il va me tenir au courant et la protéger par le fait même.

— Bravo ! Mais pourquoi prennent-ils une victime aussi loin ?

— Elle est censée venir ici à Paris, la semaine prochaine, mentit Jonathan.

— Mais comment ont-ils fait pour connaître cette information ?

— C'est un voyage organisé par son école secondaire, ils doivent sûrement surveiller ce genre d'information pour recruter des victimes.

Jonathan mentait délibérément afin d'éviter que son supérieur ne pousse plus loin son investigation.

— Mais pourquoi une Québécoise ? se demanda Christophe, les yeux toujours fixés sur la maison. Cette fille a sûrement un point commun avec les autres victimes et il faudrait essayer de découvrir de quoi il peut bien s'agir.

— Il n'y a qu'un moyen de le savoir, dit Jonathan, catégorique. C'est d'interroger ce Marco Vigeant.

◊ ◊ ◊

Deux heures s'écoulèrent avant qu'une camionnette bleu foncé ne s'arrête en face de la maison du suspect. Un homme en descendit et Christophe le reconnut sur-le-champ ; c'était bien Marco Vigeant. Sans perdre une seconde, les deux policiers sortirent de la voiture pour aller affronter leur homme.

Ils s'approchèrent prudemment de la maison, arme à la main, frappèrent de nouveau et virent avec stupéfaction la porte s'ouvrit toute grande :

— Êtes-vous Marco Vigeant ? demanda Christophe.

— Oui, c'est moi.

— Vous êtes en état d'arrestation pour avoir refusé d'obtempérer hier après-midi aux ordres d'un policier ainsi que pour l'enlèvement de plusieurs jeunes filles, lui lança Christophe en lui montrant son insigne avec un petit sourire de satisfaction.

— Je ne sais pas de quoi vous parlez, dit Marco d'une voix atone.

— Ce n'est pas grave, répliqua Christophe. On va te rafraîchir la mémoire.

Jonathan passa les menottes à Marco Vigeant tout en lui débitant la liste de ses droits, procédure obligatoire et réglementaire. Puis il lui demanda de bien vouloir les suivre et de coopérer, ce qu'il fit sans problème, à la grande surprise de Christophe.

Arrivés au poste, les deux policiers amenèrent Marco dans une pièce sans fenêtre et l'interrogatoire commença.

— Quel est votre nom ? demanda Christophe.

— Marco Vigeant.

— Où étiez-vous hier matin, vers 10 h ?

— J'étais au cinéma.

— À 10 h du matin ?

— Je suis un lève-tôt.

— Étiez-vous avec Richard Vidal ?

— Connais pas, mentit Marco.

— Pourquoi vous êtes-vous enfui hier, lorsqu'on vous poursuivait ? intervint Jonathan.

— Je ne me suis pas sauvé, je ne vois pas de quoi vous voulez parler. Je vous le répète, j'étais au cinéma hier.

— Vous étiez au cinéma toute la matinée…, dit Christophe.

— Pourquoi enlevez-vous des jeunes filles ? lança Jonathan.

— Quelles jeunes filles ? fit innocemment Marco.

Après trois longues heures d'interrogatoire, rien n'avait avancé et Marco Vigeant affichait toujours le même air imperturbable. Christophe sortit de la pièce pour aller chercher du café, laissant Jonathan seul avec le suspect. Ce dernier regarda le jeune policier en souriant et il lui fit un clin d'œil malicieux. Loin d'être intimidé, Jonathan sortit quelque chose de sa poche qui eut pour effet de faire instantanément disparaître le sourire qu'affichait jusque-là Marco. Celui-ci venait de comprendre qui était vraiment cet homme d'un calme étonnant : c'était un Maître Drakar. Jonathan tenait entre ses doigts une petite pierre blanche et orangée appelée « sardonyx ». Marco ne pouvait rien faire contre cette pierre aux vertus hypnotiques. Jonathan le fixa dans les yeux et lui ordonna de dire la vérité lorsque l'interrogatoire reprendrait. Christophe entra dans la pièce avec deux cafés, un pour lui et un autre pour son partenaire, qui venait tout juste de remettre la sardonyx dans sa poche.

Marco Vigeant étant toujours sous hypnose, Jonathan reprit :

— Qui est votre chef ?

— On le nomme « le Gourou », répondit Marco.

Christophe sursauta, surpris de la soudaine coopération du suspect.

— Et où peut-on le trouver, ce Gourou ? demanda-t-il.

— Je n'en sais rien.

— Où emmenez-vous les jeunes filles ?

Marco lui donna l'adresse exacte, à la grande satisfaction de Christophe qui n'en revenait toujours pas. Ce dernier poursuivit :

— Quand le prochain enlèvement doit-il avoir lieu ?

— Dans trois semaines.

— Et pourquoi ton Gourou enlève-t-il ces jeunes filles ?

— Pour pouvoir se ressourcer…

— Se ressourcer de quoi ? fit le lieutenant, de plus en plus intrigué.

— Il leur prend leurs pouvoirs.

— Leurs pouvoirs, répéta Christophe en regardant son partenaire qui haussa les épaules avec un petit sourire. Bon, parfait pour le moment. Je vais aller parler au patron et remplir les documents et, toi, Jonathan, raccompagne notre invité à sa nouvelle demeure.

— D'accord, acquiesça Jonathan.

Christophe quitta la pièce et Jonathan se retrouva seul pour une seconde fois avec Marco. Il sortit une nouvelle pierre, une malachite, dont il se servit pour lui retirer ses pouvoirs afin qu'il ne puisse plus jamais nuire à qui que ce soit. Enfin, Jonathan reprit la sardonyx qui se trouvait dans sa poche pour faire sortir Marco de son état d'hypnose : ce dernier ne se souvenait plus de rien.

8

Attilia

Sur chacune des quatre pointes du pentacle était postée une personne qui portait une longue robe violette et un masque représentant la bête du Gévaudan. Sur la pointe inversée se tenait un homme de grande taille, vêtu d'une longue robe noire, avec un capuchon dissimulant son visage. Sur une chaise était assise une jeune fille nommée Abbie… Le chef enleva son capuchon et, stupéfaction ! c'était Gabriel Adams ! Il prit sa canne en acajou et projeta un rayon lumineux vert sur la tête de la jeune fille… Zarya se mit à hurler à pleins poumons… C'est alors qu'Abbie entra dans la chambre et qu'elle secoua son amie en disant :

— Réveille-toi, Zarya, tu fais un cauchemar.

Zarya ouvrit les yeux, déconcertée. Elle transpirait de partout ; son cauchemar était si réel !

— Pauvre Zarya ! De quoi as-tu rêvé pour avoir peur ainsi ? Tu as l'air terrifiée.

— Mon grand-père était méchant et il te voulait du mal.

Abbie se mit à rire.

— Ben voyons, ton grand-père… Ne sois pas ridicule !

— Oui, je sais, fit Zarya en sortant de son lit, c'était juste un cauchemar.

Après avoir réconforté son amie, Abbie retourna dans sa chambre afin de se préparer en prévision du départ pour Attilia.

Quelques minutes plus tard, Zarya, qui était déjà habillée, alla frapper à la porte d'Abbie. Cette dernière ouvrit et lui dit :

— Tu peux entrer !

— Est-ce que tu es prête ? demanda Zarya.

— Donne-moi encore cinq minutes.

— As-tu bien dormi ?

— Pas si mal, répondit Abbie. Et toi, je suppose que non…

— Non, pas vraiment. Hier, j'ai senti mon grand-père très nerveux.

— Oui, je dois avouer que ce n'était pas très rassurant, déclara Abbie en mettant sa chemise blanche dans sa valise.

— C'est la première fois que je vois mon grand-père dans cet état.

— Mais… pour quelle raison serais-tu en danger ? lança Abbie.

— Je n'en ai aucune idée. Peut-être parce que je suis la petite-fille d'un homme important !

— As-tu vu dehors, fit Abbie en jetant un coup d'œil par la fenêtre, tous ces gardes du corps qui sont là pour toi ?

— Oui, je crois qu'ils ont monté la garde toute la nuit.

— De toute façon, on part pour Attilia aujourd'hui, ajouta Abbie d'un ton positif. Et là, tu vas être en sécurité.

— Oui, sûrement.

Zarya regarda par la fenêtre et trouva incroyable qu'Attilia fût dans ce brouillard toujours présent. À première vue, la nappe de brume s'étalait sur approximativement un kilomètre de large, et la jeune fille songea que, sur une telle surface, on ne pouvait pas cacher une ville, encore moins un pays !

— Et regarde ces chaloupes sur le bord du quai, fit-elle observer en les pointant du doigt. Ce sont celles dont j'ai parlé à ma mère et toi à ta tante.

— On avait raison, répondit fièrement Abbie.

— Je me demande pourquoi ces chaloupes sont si petites, s'interrogea Zarya, curieuse. Quand tu possèdes un manoir et une belle voiture de luxe, il me semble que tu peux te payer un yacht !

— Alors, quand on se souvenait qu'on allait dans une ville en chaloupe, c'était à Attilia.

— Oui, ce n'est donc pas la première fois qu'on s'y rend, en déduisit Zarya.

— Mais pourquoi ne sommes-nous pas venues depuis dix ans ?

Toc ! toc ! On frappa à la porte et Abbie alla ouvrir.

— Bonjour mademoiselle Abbie, bonjour mademoiselle Zarya, dit Adèle.

— Bonjour ! lancèrent les jeunes filles à l'unisson.

— Monsieur Adams vous attend pour le déjeuner.

— D'accord, fit Abbie, nous serons prêtes dans deux petites minutes.

— Bien sûr, mesdemoiselles.

Adèle sortit en refermant la porte derrière elle. Une fois les bagages prêts, les deux adolescentes allèrent rejoindre Gabriel.

Lorsqu'elles pénétrèrent dans la salle à manger, elles constatèrent que le vieil homme n'était pas seul. Il était en compagnie de trois gardes du corps. Zarya et Abbie s'assirent à la table, à côté de Gabriel.

— Bonjour, mesdemoiselles, dit ce dernier. Bien dormi, j'espère.

— Pas vraiment, grand-père, répondit Zarya à voix basse en regardant les hommes en noir, près des fenêtres.

Ceux-ci étaient vêtus d'une façon qu'elle trouvait bien étrange : ils portaient des souliers de sport noirs, un pantalon noir avec un chandail également noir et, pour compléter le tout, un veston noir de style chinois descendant jusqu'à mi-cuisse.

— Pourquoi tous ces gardes du corps ? demanda timidement Abbie.

— D'abord, on ne les appelle pas ainsi à Attilia, précisa Gabriel en souriant gentiment, on les nomme « Maîtres Drakar ». Ils sont un peu comme nos anges gardiens, ils nous protègent. Ce sont de très grands mages.

— Ils nous protègent de qui ? l'interrogea Zarya.

— Quelle que soit la dimension dans laquelle nous vivons, expliqua Gabriel en fixant tour à tour les deux jeunes filles, il y aura toujours des personnes mal intentionnées qui voudront faire du mal, soit pour dominer, soit pour s'emparer de biens précieux. C'est pour cela que nos Maîtres Drakar sont là, pour maintenir la paix à Attilia.

— Mais y a-t-il des Maîtres Drakar ici, dans notre dimension ? fit Zarya.

— À vrai dire oui, il y a quelques Maîtres qui sont en mission spéciale. Pour l'instant, les Maîtres présents au manoir font tout pour te protéger, Zarya.

— Protéger de quoi ? lança Abbie, inquiète.

— Hier, l'un des Maîtres Drakar en mission à Paris m'a contacté pour m'informer qu'il avait trouvé des documents concernant Zarya dans la maison d'un malfaiteur, dit Gabriel en regardant sa petite-fille avec un air inquiet.

Au même instant, Jules, accompagné d'Adèle, entra dans la salle à manger avec le déjeuner. Sur une petite table de service étaient posés de magnifiques plats en argent qui contenaient du pain, des biscottes, des brioches, des croissants, sans oublier un pichet rempli de jus d'orange frais. Adèle déposa les victuailles au centre de la table, juste devant les deux adolescentes qui regardaient les plats avec appétit, pendant que Jules servait du café à monsieur Adams.

Après un déjeuner copieux, Gabriel, Zarya et Abbie quittèrent la salle à manger, accompagnés des Maîtres Drakar.

— Maintenant que vous avez l'estomac bien rempli, déclara le vieil homme en marchant vers les petites chaloupes, le moment est venu de nous rendre dans votre ville natale, Attilia.

— Nous sommes nées toutes les deux à Attilia ? demanda Zarya, surprise.

— Oui, ma chère, toutes les deux.

— Mais nous devons aller chercher nos bagages pour les emporter avec nous, fit remarquer Abbie.

— Non, pas besoin, répondit Gabriel en se tournant vers elle, ils sont déjà en route.

— Mais pourquoi ces chaloupes sont-elles si petites ? l'interrogea Zarya. On dirait qu'elles ne peuvent contenir que quatre personnes.

— Oui, exactement quatre personnes. Elles sont petites tout simplement pour être plus légères et nous faciliter la tâche lorsque vient le temps de ramer.

— Ramer ! Mais elles ont toutes un moteur, rétorqua Abbie qui n'y comprenait plus rien.

— Oui, c'est vrai, dit Gabriel en lui souriant, mais les moteurs ne fonctionneront plus dès que nous serons dans le brouillard. C'est pour cette raison que nous devons utiliser les rames à partir de ce point. Bon, maintenant, si vous êtes prêtes, mesdemoiselles, nous partons.

— Allons-y ! répondirent les jeunes filles d'une seule voix.

Toutes deux suivirent Gabriel jusqu'au quai, toujours sous l'œil vigilant des Maîtres Drakar. On pouvait en compter six : un qui se tenait sur le quai pour les aider à monter dans la chaloupe et trois autres qui les accompagnaient, déjà installés dans une embarcation ; les deux derniers montaient la garde, près du manoir, sur la terrasse.

— Pour une raison de sécurité, expliqua Gabriel en prenant les gilets de sauvetage qui étaient posés sur le banc, vous allez mettre cela.

— D'accord, répondit Zarya en tendant la main pour saisir un gilet.

— Merci ! fit Abbie en prenant l'autre.

Une fois qu'elles eurent passé leur gilet de sécurité, les deux filles embarquèrent dans l'une des chaloupes avec l'aide d'un Maître Drakar. Gabriel, après avoir lui aussi mis son gilet, s'installa dans la même chaloupe qu'elles, tout comme le Maître qui les avait aidés. Dans l'autre chaloupe, les trois Maîtres Drakar attendaient patiemment avant de s'éloigner du quai. Zarya et Abbie étaient montées à l'avant, Gabriel était au centre. Quant au Maître, il était aux commandes du petit moteur, à l'arrière. Il démarra après avoir détaché le câble qui retenait l'embarcation au quai.

Les adolescentes regardèrent le magnifique manoir de Gabriel s'éloigner peu à peu. Zarya constata que le ciel, qui était d'un bleu magnifique, tôt ce matin-là, commençait à se couvrir de nuages gris menaçants qui ne daignaient pas verser une seule goutte. Abbie laissa tremper ses doigts dans l'eau fraîche et remarqua que le lac ne semblait pas avoir de fond. Elle était stupéfaite de voir combien l'eau pouvait être foncée à cet endroit !

Gabriel, sans dire un mot, observait Zarya et Abbie qui étaient silencieuses et avaient les yeux grands ouverts en fixant le mur de brouillard. En effet, elles étaient aussi fébriles qu'un enfant qui voit pour la première fois le magnifique parc d'attractions de Disney. L'embarcation se trouvait maintenant à environ cinq mètres du rideau de brouillard, et les deux amies jetèrent à Gabriel un regard plein d'appréhension, mais ce dernier leur fit un clin d'œil rassurant. Aussitôt que la chaloupe pénétra dans l'épais brouillard, le moteur cessa brusquement de fonctionner. À ce moment précis, le Maître Drakar prit les deux rames et se mit à ramer, tout naturellement, comme s'il n'y avait pas de brouillard. Zarya tourna la tête pour le regarder, mais elle avait peine à voir à un mètre. Elle se demandait comment il pouvait se guider à travers ce mur opaque de brume blanchâtre. Puis une sensation désagréable de nausée s'empara des deux jeunes filles qui se regardèrent et comprirent qu'elles souffraient du même mal. Zarya avait de la difficulté à croire que c'était le mal de mer étant donné que le lac était dépourvu de vagues. À ce moment, Gabriel dit aux adolescentes :

— Ne vous en faites pas pour la nausée, c'est tout à fait normal.

— Toi, grand-père, fit Zarya qui se tenait le ventre, tu as la nausée aussi ?

— Oui, bien sûr, répondit Gabriel avec un léger sourire. Mais ça ne dure qu'une petite minute.

— Mais pourquoi a-t-on la nausée ? demanda Abbie qui avait hâte que la minute se soit écoulée.

— C'est à cause du champ magnétique, il affecte notre sens de l'équilibre.

Cinq minutes plus tôt, au manoir, il y avait de gros nuages gris. Maintenant, Zarya admirait un ciel d'un bleu immaculé. Elle remarqua quelque chose de curieux. Derrière le brouillard qui se dissipait peu à peu apparut un soleil éclatant. Mais le plus étrange, c'est qu'il était au-dessus de leur tête, comme s'il était midi.

Zarya baissa la tête et vit des paysages qui commençaient à se dessiner au loin. Sidérées, Abbie et elle aperçurent une ville à environ un kilomètre devant elles.

— Regarde ce qui surplombe le toit des maisons, dit Abbie, estomaquée, mais... mais c'est une...

— Une pyramide, compléta Gabriel.

— Mais c'est impossible ! lança Abbie.

— Rien n'est impossible à Attilia, déclara le vieil homme avec un sourire de satisfaction, je vous l'ai déjà dit.

— Elle est très grande, cette pyramide, fit remarquer Zarya.

— Cent quarante-six mètres de haut, ma chère Zarya.

Voyant que le Maître Drakar continuait à ramer, Abbie demanda :

– Pourquoi ne pas utiliser le moteur, nous sommes sortis du brouillard, n'est-ce pas ?

— À Attilia, on ne peut pas utiliser des moteurs à essence, répondit Gabriel. On ne veut pas commettre les mêmes erreurs que dans votre dimension, c'est-à-dire polluer l'air et détruire la couche d'ozone. Et l'exercice n'a jamais fait de mal à personne, conclut-il en regardant le Maître Drakar qui lui fit un sourire amical.

Dans l'autre chaloupe qui les suivait, les Maîtres Drakar les surveillaient de près. Telle était leur mission et ils devaient s'en acquitter au péril de leur vie.

Abbie constata que l'eau, contrairement à celle du lac du manoir, était d'une limpidité à couper le souffle ; elle pouvait voir les rocailles tout au fond. Zarya remarqua dans le ciel des oiseaux au plumage bleu royal, avec de grandes ailes et une longue queue qui flottait au gré du vent.

— Quels drôles d'oiseaux ! s'exclama-t-elle. De quelle espèce s'agit-il, grand-père ?

— Ce sont des picquorts. Dans la dimension que vous connaissez, dit Gabriel, les espèces d'animaux sont souvent différentes d'un pays à l'autre, alors imaginez quand on passe d'une dimension à une autre !

Ils approchaient tranquillement de la rive et les jeunes filles en profitaient pour admirer le paysage tropical et les maisons de couleur crème. Il faisait très chaud ; du manoir à Attilia, il y avait bien cinq degrés de différence.

Ils étaient à environ vingt mètres du quai lorsque Zarya aperçut une dame qui semblait les attendre. C'était une femme dans la cinquantaine avancée, vêtue d'une robe bleu pâle qui lui descendait au genou, avec des cheveux noirs ramenés en un chignon sur la nuque, ce qui lui donnait un air sévère.

La chaloupe où se trouvaient les trois Maîtres Drakar arriva la première. Ils débarquèrent et inspectèrent les alentours du regard. Ne remarquant rien d'inquiétant, ils firent signe aux occupants de la deuxième chaloupe qu'ils pouvaient s'approcher sans crainte.

Lorsque la seconde embarcation eut accosté, le Maître Drakar sauta à terre et aida tout d'abord les adolescentes, puis Gabriel à débarquer. Ce dernier s'approcha de la dame et lui dit :

— Bonjour, Mitiva ! Je vous présente ma petite-fille Zarya et son amie Abbie. Mesdemoiselles, ajouta-t-il en regardant les jeunes filles, je vous présente madame Mitiva Phidias, elle s'occupera de vous pendant vos vacances.

— Bonjour, mesdemoiselles, lança Mitiva d'un ton mesuré. Je vous souhaite la bienvenue à Attilia et j'espère que vous allez apprécier votre séjour. Je ferai en sorte que vos vacances soient des plus agréables.

— Bonjour, madame Phidias ! répondirent Zarya et Abbie, intimidées.

— Bon, fit Gabriel, nous allons nous rendre à votre nouvelle demeure.

Zarya trouva curieux qu'il n'y ait pas de brouillard de ce côté-ci. Elle regarda autour d'elle et remarqua qu'il n'y avait aucune voiture, aucun moyen de transport. Elle marchait aux côtés de son amie Abbie, qui avait l'air aussi perdue qu'elle. En avant marchait son grand-père, accompagné de madame

Phidias. Les Maîtres Drakar fermaient la marche. Zarya se dit que leur maison ne se trouvait sans doute pas très loin, puisqu'ils s'y rendaient à pied. Voulant en avoir le cœur net, elle demanda à Gabriel :

— La demeure où nous nous rendons ne se trouve pas très loin d'ici, n'est-ce pas, grand-père ?

— À vrai dire, Zarya, répliqua Gabriel en se tournant vers les deux amies, votre demeure se situe de l'autre côté de la ville.

— Ah oui ? Mais comment y va-t-on ? s'exclama Abbie. Je ne vois aucune voiture.

— Je vois que le passage d'une dimension à une autre n'a en rien affecté ta logique, ma chère Abbie, lui dit le vieil homme avec un brin d'humour. Ici, à Attilia, nos moyens de transport sont différents des vôtres. Comme je l'ai mentionné précédemment, nous n'avons aucun moyen de transport fonctionnant à l'essence. C'est trop polluant, et pas assez rapide ! Suivez-moi, je vais vous montrer.

Gabriel marchait en direction d'une cabine qui ressemblait à un abribus, mais en plus petit. Il s'arrêta devant l'engin à trois côtés, de couleur gris métallique et dépourvu de porte.

— Voici notre moyen de transport le plus commun à Attilia, dit-il en montrant la cabine de deux mètres de haut.

— Mais qu'est-ce que c'est, cette chose ? demanda Zarya, à moitié rassurée.

— Cette « chose », comme tu dis, rétorqua son grand-père avec un sourire amusé, s'appelle un « transmoléculaire »...

— Une sorte de téléporteur, dit Zarya, les yeux tout ronds, en observant la cabine.

— Oui, exactement, et ça fonctionne de la même façon.

— Et ça donne des nausées ? lança Abbie en souhaitant qu'il dise non.

— Non, pas du tout, répondit Gabriel en pouffant de rire.

— Et ça fonctionne comment ? poursuivit Zarya.

— Pour l'instant, on va simplement se donner la main. Par la suite, il vous faudra suivre un cours sur les voyages transmoléculaires pour obtenir votre permis. Après cela, vous pourrez vous déplacer seules.

— D'accord, fit Zarya en fixant Abbie et en haussant les épaules.

Madame Phidias entra la première dans le transmoléculaire et, aussitôt qu'elle posa le pied sur le plancher métallique, le fond de la cabine s'éclaira d'une lumière vert émeraude qui partait du plafond et tombait comme une fine pluie de cristaux lumineux sur le sol. Elle se dirigea vers ce rideau lumineux et dès qu'elle entra en contact avec cette lumière, elle disparut. Zarya et Abbie se regardèrent, les yeux écarquillés. Gabriel informa les Maîtres Drakar qu'ils pouvaient maintenant disposer et partir de leur côté, car, pour l'instant, il n'y avait plus rien à craindre. Puis il donna la main à Zarya et à Abbie, leur disant :

— Bon, maintenant, suivez-moi.

Ils entrèrent dans le transmoléculaire, pénétrèrent dans le rideau lumineux et disparurent.

À l'autre bout d'Attilia, Gabriel, Zarya et Abbie sortirent d'une cabine semblable à la première.

— Et alors, mesdemoiselles, demanda Gabriel, comment avez-vous aimé votre première transmoléculation ?

— Waouh ! j'ai des fourmis partout dans le corps, répondit Abbie.

— Oui, moi aussi, fit Zarya.

— C'est vrai, c'est la sensation que cela procure, confirma Gabriel. C'est une impression normale une fois que vos particules morphologiques se sont dissociées de votre âme, puis reconstituées en un tout, et tout cela en une microseconde.

— J'imagine ! s'exclama Abbie, encore tout ébahie.

— Bon, maintenant, je vais vous laisser aux bons soins de madame Phidias, qui va vous accompagner à votre nouvelle demeure. Moi, je dois aller travailler.

— D'accord, grand-père, on se revoit plus tard ?

— Bien sûr. Je vais revenir pour souper.

— Entendu !

Gabriel reprit le transmoléculaire et disparut.

— Si vous voulez bien m'accompagner, mesdemoiselles, dit madame Phidias avec politesse.

Elles marchèrent sur un trottoir dallé qui longeait les façades de la rue d'Argone, en direction d'une petite maison de couleur crème. Elles croisaient des gens qui les regardaient d'un air amusé, sûrement à cause de leur habillement. L'apparence vestimentaire de Zarya et d'Abbie différait de celle des habitants d'Attilia. Ceux-ci s'habillaient de façon très élémentaire. Les jeunes filles portaient de longues robes en lin de couleur pastel et les garçons, des pantalons amples et des gilets à manches courtes qui descendaient jusqu'à mi-cuisse.

Aussitôt arrivées en face d'une petite rue, là où était située la maison de Gabriel, les deux amies constatèrent que c'était une construction très commune, comparée au magnifique manoir. Elles avaient peine à croire que cela pouvait être la demeure de Gabriel après avoir vu le luxe dans lequel il vivait dans l'autre dimension. Zarya, perplexe, demanda à madame Phidias :

— Excusez-moi, madame, est-ce bien la maison de mon grand-père ?

— Oui, bien sûr, répondit la dame. Ah ! je comprends. Vous vous demandez pourquoi un homme aussi important que monsieur Adams vit dans une maison aussi modeste. Une maison comme celle de tout le monde, quoi ! Surtout après avoir vu son manoir, dans l'autre dimension. Je comprends très bien votre étonnement.

— Oui, c'est ça, confirma Zarya, un peu gênée par sa question.

— Dans notre dimension, expliqua madame Phidias, les biens matériels n'ont aucune importance, contrairement à ce qui se passe dans la vôtre. Disons que cela élimine la cupidité et la convoitise.

— C'est une très bonne philosophie, dit Abbie, très touchée.

Zarya regarda autour d'elle et remarqua que la demeure de son grand-père était à l'écart des autres. C'était une jolie maison située dans un cul-de-sac, à approximativement cinquante mètres de la rue principale. De magnifiques arbres touffus, bordaient la partie arrière de la propriété, ornée entre autres par de jolies fleurs papilionacées ; on aurait dit presque des insectes devenus plantes. Et de magnifiques arbres fruitiers, disposés en éventail, déployaient à tout venant leurs branches chargées d'innombrables fruits attiliens.

Madame Phidias pénétra dans la maison, accompagnée des jeunes filles. Dès qu'elle franchit le seuil, Zarya eut une sensation de déjà-vu. Elle demanda alors à madame Phidias :

— Est-ce que je suis déjà venue ici, madame ?

— Oui, bien sûr, répondit Mitiva, vous êtes née ici.

— Je suis née dans la maison de mon grand-père ?! s'exclama Zarya d'un ton surpris.

— Non, bien sûr que non. C'était la maison de vos parents quand ils habitaient encore ici. Pour l'instant, votre grand-père l'habite.

— Pour l'instant ? fit Abbie.

— Oui, pour l'instant, répéta Mitiva. Lorsque vous atteindrez l'âge de vingt ans, cette maison sera à vous, mademoiselle Zarya. Telle est la volonté de vos parents et de votre grand-père.

— Waouh ! lança Abbie, tu as déjà ta propre maison et, en plus, c'est ici, à Attilia.

— Vous aurez la vôtre aussi, mademoiselle Abbie, dit Mitiva. Vos défunts parents vous ont légué leur maison. Mais en attendant que vous atteigniez votre majorité, c'est un couple âgé qui y vit.

— Ma maison ?

— Oui, elle est située pas très loin d'ici, précisa Mitiva avec un gentil sourire.

— Mais c'est un rêve ! s'écria Zarya, radieuse.

Après avoir visité sa future demeure de fond en comble, Zarya, accompagnée d'Abbie, entra dans la chambre des invitées. Leurs bagages étaient déjà là, à côté des lits jumeaux. La chambre était très grande et, en plus des deux lits à une place, elle contenait deux commodes et une stéréo toute neuve qui semblait avoir été achetée expressément pour elles. Abbie se dirigea vers le fond de la pièce et ouvrit la garde-robe :

— Regarde, Zarya, il y a des vêtements pour nous, je crois !

— Qui te dit que c'est pour nous ? demanda Zarya en jetant un coup d'œil dans les tiroirs. C'est peut-être à mon grand-père...

— Ah oui ! C'est peut-être à lui s'il aime porter des robes.

— Des robes ?

— Oui, des robes. Celles qui sont du côté droit sont pour toi et celles de gauche sont pour moi, ajouta Abbie, sûre d'elle.

— Pourquoi dis-tu qu'elles sont à moi ? l'interrogea Zarya.

— Parce qu'elles sont toutes noires..., dit Abbie en riant. Ton grand-père te connaît bien.

— Oui, on dirait, approuva Zarya en s'approchant de la garde-robe. Oh ! elles sont jolies !

— Regarde en dessous de tes robes, tu as des bottillons noirs. Il a vraiment pensé à tout.

— Tes robes aussi sont très jolies !

— Oui, fit Abbie en les palpant.

Après une courte séance d'essayage, Zarya et Abbie remirent leurs vêtements et prirent la direction de la cuisine pour aller rejoindre Mitiva Phidias. Celle-ci avait préparé une petite collation. Deux verres de jus ainsi que des petits gâteaux se trouvaient sur un plateau, au centre de la table.

— Il est près de 11 h et j'ai pensé que vous auriez peut-être un petit creux, lança Mitiva.

— Oh oui ! On a une faim de loup, répondit Abbie en se tenant le ventre à deux mains.

— Aimeriez-vous manger des fruits, mesdemoiselles ?

— Oui, j'aimerais bien, madame, dit Zarya.

— Oui, ce serait bon ! renchérit Abbie à son tour.

Mitiva ouvrit la fenêtre au-dessus de l'évier, tendit son bras à l'extérieur et, par la force de la pensée, attira à elle deux fruits provenant de l'arbre qui se trouvait à sept mètres de la maison. Elle les déposa sur la table, juste à côté des petits gâteaux, sous les yeux ébahis des deux filles.

— Je ne m'habituerai jamais à ce genre de choses, déclara Abbie, bouche bée.

— Comment appelle-t-on ces fruits, madame Phidias ? s'informa Zarya.

— Ces fruits, ce sont des promnites. Ils sont juteux et légèrement sucrés.

— Ça ressemble à des prunes, mais en plus gros, fit remarquer Abbie.

Zarya prit un gâteau, y mordit à belles dents, puis le posa dans la petite assiette devant elle. Elle prit ensuite une gorgée de jus.

— Excusez-moi, madame Phidias, demanda-t-elle poliment en remettant son verre sur la table. Est-ce que vous auriez des glaçons pour refroidir mon jus ?...

— Il est trop chaud ? fit Mitiva en souriant.

Elle s'approcha, prit le verre dans sa main et le redéposa devant Zarya :

— Tenez, maintenant est-il à votre goût ?

Zarya reprit son verre de jus sous le regard attentif d'Abbie.

— Mais… il est froid ! s'extasia-t-elle, les yeux brillants.

— Comment avez-vous fait ça ? lança Abbie, ahurie.

— C'est très simple, dit Mitiva sans se départir de son sourire. Notre esprit a un certain contrôle sur les éléments qui nous entourent. J'ai utilisé mon deuxième chakra, le Swadhistan, qui est associé à l'élément eau. Par la force de ce chakra, j'ai recueilli l'humidité ambiante et je l'ai transformée en petits cristaux de glace, ce qui a naturellement refroidi votre boisson.

— C'est vrai que c'est simple ! dit Abbie en s'esclaffant, enchantée.

— Vous pouvez essayer, suggéra Mitiva en montrant le verre de jus d'Abbie. Zarya, voulez-vous être la première à essayer ?

— D'accord, mais comment dois-je faire ? l'interrogea Zarya.

— Bon, tout d'abord, concentrez-vous sur ce deuxième chakra, au niveau du nombril, expliqua Mitiva en pointant du doigt son propre nombril sous le regard attentif d'Abbie. Et vous ordonnez à votre esprit de simplement refroidir le verre de jus.

— D'accord.

Zarya prit le verre dans sa main et se concentra de toutes ses forces en suivant les directives de Mitiva. Soudain, elle sentit une énergie qui semblait émaner de son nombril et parcourir tout son corps pour sortir par le pouce de sa main droite, celle qui tenait le verre. Et subitement, le jus se transforma en un glaçon, sous les yeux écarquillés d'Abbie.

— On peut également faire l'inverse, affirma Mitiva en touchant le verre avec le majeur de sa main droite.

Et c'est sous le regard stupéfait des jeunes apprenties que le jus, qui était devenu un glaçon grâce au pouvoir de Zarya, se mit à bouillir comme une soupe.

— Incroyable ! s'écria Abbie.

— J'ai remarqué que vous utilisiez votre majeur, déclara Zarya. Moi, quand j'ai refroidi le jus, j'ai senti l'énergie passer par mon pouce.

— En effet, rien ne vous échappe, très chère Zarya, répondit Mitiva, impressionnée. Le Swadhistan, le deuxième chakra, celui de l'eau, passe par le pouce, tandis que le Nabhi, le troisième chakra, celui du feu, qui est situé au niveau de l'estomac, passe par le majeur.

Zarya et Abbie s'entraînèrent pendant un moment à faire les tours que Mitiva Phidias leur avait montrés. Puis cette dernière annonça :

— Après le dîner, vous irez vous changer et vous vous préparerez pour les cours de transmoléculation, car vous devez maintenant obtenir votre permis.

La transmoléculation

Aussitôt terminé le repas préparé par madame Phidias avec l'aide de Zarya et d'Abbie, celles-ci allèrent se changer, tandis que leur hôte desservait la table.

Dans la chambre, Abbie ouvrit la garde-robe et essaya de choisir une robe de circonstance pour aller au cours de transmoléculation.

— Je n'arrive pas à me décider... La robe verte ou la robe orangée ?... confia-t-elle, désireuse d'avoir un conseil de sa meilleure amie.

— La verte !

— D'accord, la verte, et toi, laquelle prends-tu ?

— Moi, j'hésite entre la noire... et la noire, répondit Zarya avec humour.

— Ha ! ha ! c'est vrai que tu n'as pas besoin de te casser la tête avec tes robes.

Une fois habillées, les jeunes filles allèrent retrouver madame Phidias qui était encore dans la cuisine.

— Vous êtes très jolies, mesdemoiselles, dit cette dernière en les observant d'un œil critique. De plus, vous allez vous intégrer facilement, vêtues de cette façon.

Zarya avait choisi une robe de lin noire qui descendait au genou et de petits bottillons de la même teinte. Pour sa part, Abbie portait une robe vert foncé qui s'harmonisait bien avec ses cheveux bouclés châtain clair et qui était sensiblement de la même longueur que celle de Zarya. À son cou pendait le pendentif en forme de tête de loup dont elle ne se séparait jamais.

Les trois femmes sortirent et se dirigèrent vers le transmoléculaire. Zarya jeta un dernier coup d'œil admiratif à sa future maison. Ensuite, elle donna la main à Mitiva et elles disparurent dans le rideau de cristaux.

Quelques microsecondes plus tard, elles réapparurent devant un bâtiment doté de deux immenses colonnes. Sur le mur de brique, à côté des portes, on pouvait voir une plaque en or portant l'inscription suivante : Institut de transmoléculation d'Attilia.

Selon l'idée que Zarya se faisait de ce genre d'édifice, celui-ci ressemblait davantage à une banque qu'à un institut voué à la transmoléculation. Les deux amies, escortées par Mitiva, franchirent les imposantes portes en bois franc, ornées de magnifiques vitraux resplendissant de fines couleurs arc-en-ciel. Aussitôt entrée dans le hall, Mitiva alla voir la réceptionniste, Zarya et Abbie sur les talons. Pendant qu'elle inscrivait les deux jeunes filles au cours qui devait débuter sous peu, Zarya remarqua qu'elles n'étaient pas les seules à vouloir suivre le cours en question. Il y avait une quinzaine d'adolescents et d'adolescentes accompagnés de leurs parents qui attendaient tous patiemment, debout devant la salle où serait donné le cours. Mitiva revint vers Zarya et Abbie, et leur dit :

– Bon, voilà, vous êtes inscrites.

— Le cours dure combien de temps ? demanda Zarya.

— Tout l'après-midi.

— Madame Phidias, fit Abbie à son tour, est-ce que vous restez avec nous ?

— Non, je ne peux pas, répondit Mitiva en posant sa main sur l'épaule d'Abbie. Les adultes doivent s'en aller dès le début du cours. De toute manière, vous allez sûrement trouver le cours sur la transmoléculation très intéressant et vous ne vous apercevrez même pas de mon absence. Bon, maintenant, je dois partir, ajouta-t-elle en jetant un œil à sa montre, le cours va commencer dans trois minutes. Je vous souhaite bonne chance et, surtout, bonne réussite !

– Bonne réussite ? ! répéta Abbie. Qu'est-ce qui se passe si on ne réussit pas ?

— Si vous ne réussissez pas votre examen final, dit Mitiva, il faudra que vous recommenciez une seconde fois, tout simplement.

– On va réussir, lança Zarya, positive.

Après avoir salué les jeunes filles, Mitiva quitta les lieux.

Pendant les trois minutes qui restaient avant le début du cours, Zarya prit le temps d'observer les habitants de cette dimension. Elle trouva qu'ils ressemblaient beaucoup à ceux de l'autre monde, sauf en ce qui avait trait à leur habillement, peu sophistiqué. En effet, les Attiliens ne se compliquaient pas la vie comme beaucoup de gens qu'elle connaissait. Ils portaient des vêtements très simples et aucun ne semblait posséder de téléphone cellulaire ou même de iPod. Les gens prenaient le temps de se parler, chose rarissime dans le monde qu'elle venait de quitter.

La porte de la salle s'ouvrit enfin et une très grande femme dans la cinquantaine en sortit. Elle avait des yeux d'un vert exceptionnel et de longs cheveux d'un blanc immaculé noués en une natte qui descendait entre ses omoplates, jusqu'au bas du dos. Elle s'avança vers les élèves et s'adressa à eux d'un ton aimable :

— Bonjour à tous, mon nom est Virlane Dranesas. Je serai votre instructrice de transmoléculation. Ce cours consiste à apprendre à utiliser les transmoléculaires en solo. Le cours durera une bonne partie de la journée et, si tout va bien, nous devrions terminer à 18 h pour que vous puissiez tous retourner chez vous pour souper. Maintenant, ajouta-t-elle à l'intention des parents, je vous demanderai de bien vouloir quitter les lieux. Ne vous inquiétez pas, votre progéniture est entre de bonnes mains, dit-elle, rassurante.

Alors que les parents tournaient les talons pour s'en aller, madame Dranesas lança aux élèves :

— Bon, maintenant, si vous voulez bien entrer dans la classe en silence.

Dix-sept adolescents pénétrèrent dans la salle avec une discipline militaire, et Zarya et Abbie furent très impressionnées par le silence qui régnait, ce qui les incita à rester elles aussi silencieuses. Zarya remarqua que la plupart des élèves semblaient très nerveux. Elle en conclut que ce cours devait être très important pour un adolescent qui vivait à Attilia étant donné que c'était le principal moyen de transport. Pour un adolescent, voyager toujours accompagné d'un adulte devait être agaçant. Les deux amies étaient au centre du groupe et finirent par entrer dans la salle. Elles constatèrent que cette dernière était très grande, aussi grande que le gymnase de leur école. Des chaises étaient alignées d'un côté. Il y en avait pour tout le monde. De l'autre côté, on pouvait voir des objets d'un gris métallisé que les filles reconnurent immédiatement ; c'étaient des transmoléculaires. En tout, il y en avait quatre : une cabine au centre de la pièce et trois autres au fond, les unes à côté des autres. Les élèves se dirigèrent vers les chaises et restèrent debout en attendant que madame Dranesas leur donne la permission de s'asseoir. Zarya et Abbie s'étaient installées l'une près de l'autre dans la deuxième rangée, près de la professeure.

— Maintenant, vous pouvez vous asseoir, déclara madame Dranesas d'une voix puissante. Très bien... Comme certains d'entre vous le savent, le transmoléculaire a été inventé il y a six cent quarante-deux ans par l'un de nos ancêtres, un très grand mage de son temps, qui se nommait Nathan Shiray-Camus... J'ai dit « certains d'entre vous », puisqu'il y a des visages que je reconnais. Que ceux qui suivent le cours pour la seconde fois lèvent la main !

Zarya se tourna et fut surprise de constater que quatre élèves avaient levé la main.

— Et maintenant, ceux qui suivent le cours pour une troisième fois ou plus.

Une main se leva.

— Bon, très bien, merci pour votre franchise, fit Virlane en avançant entre les adolescents. Maintenant, les nouveaux élèves ont la confirmation que ce n'est pas un cours de tout repos. Donc, je compte sur vous pour que vous fassiez votre maximum si vous voulez obtenir votre permis de transmoléculation à la fin de ce cours.

Zarya sentit un certain stress s'emparer d'elle. Les élèves qui vivaient ici ne réussissaient pas tous le cours du premier coup ! Elle se dit qu'une fille qui venait d'une autre dimension et qui avait pris le transmoléculaire deux fois dans sa vie n'avait aucune chance de réussir, du moins aujourd'hui ! Elle regarda Abbie et comprit que celle-ci avait les mêmes appréhensions qu'elle.

◊ ◊ ◊

Après avoir expliqué pendant deux heures le côté technique du processus de la transmoléculation, madame Dranesas passa à la deuxième étape.

— Bon ! maintenant, j'aimerais poursuivre avec le côté pratique. Je vais commencer par vous expliquer comment fonctionne notre système de transmoléculation un peu particulier, dit Virlane en pointant du doigt les quatre cabines. Et je vous ferai une petite démonstration par la suite. Ici, il y a la cabine principale identifiée par la lettre A. Les trois autres, au fond de la salle, sont identifiées par les lettres B, C et D. Maintenant, je vais entrer dans la cabine principale, celle qui porte la lettre A, et je vais me concentrer sur la cabine de mon choix. Ne vous en faites pas, précisa-t-elle pour rassurer les élèves, ces transmoléculaires ne sont pas programmés pour les sorties à l'extérieur de cette salle. Je vais donc entrer dans la cabine en posant mon pied sur le plancher métallique, ce qui aura pour effet d'enclencher automatiquement le processus. Aussitôt que le rideau cristallisé apparaîtra, j'irai droit dessus et en passant à travers. Je vais devoir penser à la cabine de mon choix et je vais la nommer à voix haute pour que tout le monde puisse m'entendre.

Madame Dranesas entra dans la cabine et dès qu'elle mit un pied à l'intérieur, elle lança avant de traverser le rideau :

— C !

Elle disparut dans un léger crépitement de la cabine A pour réapparaître dans la cabine D, à la grande surprise des élèves.

— J'ai fait cette démonstration pour vous montrer une chose très importante : le « dire » et le « penser » sont deux choses complètement distinctes. Mais heureusement que nous sommes ici, à l'intérieur, dans un environnement contrôlé parce que… si j'avais fait cette erreur dans une cabine publique, j'aurais pu me transmoléculer à l'autre bout du pays.

Dans la salle, l'ambiance était extrêmement tendue.

— Maintenant, je vais procéder par ordre alphabétique, déclara madame Dranesas en regardant dans ses notes. J'appelle mademoiselle Adams.

Zarya lança à Abbie un regard qui signifiait : « Je regrette d'être venue. » Mais elle prit son courage à deux mains, se leva et s'avança vers la professeure.

— Bonjour mademoiselle Adams, dit Virlane avec gentillesse. Je peux vous poser une question ?

— Oui, répondit Zarya, surprise.

— Êtes-vous parente avec le ministre Gabriel Adams ?

— Oui, c'est mon grand-père.

Les élèves se mirent à chuchoter entre eux.

— J'aimerais avoir le silence, je vous prie, lança Virlane en les regardant. Je crois que tout le monde connaît bien votre grand-père et ses exploits passés. Bon, maintenant, mademoiselle Adams, si vous voulez bien vous avancer vers la cabine A et vous concentrer sur la cabine de votre choix en la nommant à haute voix.

— D'accord, fit Zarya en marchant vers la cabine tout en jetant un regard à Abbie qui se rongeait les ongles de nervosité.

Elle mit le pied dans la cabine, puis cria d'une voix ferme :

— D !

Zarya disparut dès qu'elle toucha le rideau de lumière. Elle réapparut dans la cabine D, celle qu'elle avait choisie, et en ressortit avec un grand sourire. Abbie lâcha un cri d'exaltation qui fit rire le reste de la classe.

— Bravo ! s'exclama madame Dranesas. C'est très bien, et du premier coup ! Vous faites honneur à votre grand-père.

— Merci, répondit Zarya en rougissant.

Son succès eut pour effet de donner espoir à Abbie ainsi qu'aux autres élèves. Après avoir passé la moitié du groupe, madame Dranesas suggéra :

— Bon, je crois qu'il est temps de faire une petite pause. Il y a des rafraîchissements pour tout le monde au fond de la salle.

Les élèves se levèrent et se dirigèrent vers la table couverte de fruits, de gâteaux et de pichets remplis de bon jus frais.

Zarya dégustait un gâteau avec un verre de jus quand Abbie lui demanda :

— Tu as réussi du premier coup, c'est vraiment cool ! Peux-tu me donner ton truc ?

— Je me suis simplement concentrée sur la cabine dans laquelle je voulais me rendre, déclara Zarya avec modestie.

— Simplement !

— Oui, mais il faut rester calme. Oui, c'est ça, rester calme... c'est le truc !

— Rester calme, répéta Abbie.

— Bonjour ! dit une fille au visage sympathique, légèrement parsemé de petites taches de rousseur.

Zarya et Abbie se tournèrent en même temps et répondirent en chœur :

— Bonjour !

— Félicitations pour ta belle performance de tout à l'heure, déclara l'adolescente en faisant à Zarya un sourire sincère.

— Moi, c'est Abbie et elle, c'est Zarya.

— Je m'appelle Élodie... Élodie Vernet.

— Est-ce que tu es venue seule suivre le cours ? l'interrogea Zarya.

— Non, je suis avec mon frère et son amie, répliqua Élodie en pointant du doigt un couple.

— C'est la première fois que tu suis ce cours ?

— Moi, non, c'est la deuxième fois. Mais eux, oui. Attends ! Je vais leur demander de venir nous rejoindre... si ça ne vous dérange pas, évidemment, dit Élodie poliment.

— Aucun problème, assura Abbie en souriant et en regardant Zarya.

Élodie les fixa intensément pendant trois secondes. Son frère, qui se trouvait à l'autre bout de la table, se tourna subitement vers elle. Il acquiesça d'un signe de tête pour lui signifier qu'il était d'accord.

Les deux amies, très impressionnées, devinèrent qu'Élodie avait communiqué avec lui par télépathie.

— Salut ! lança le jeune homme de seize ans, de grande taille, aux cheveux châtain clair très courts.

— Salut ! répondirent Zarya et Abbie.

— Je vous présente mon frère Jeremy et son amie Karine, déclara Élodie, et voici Zarya et Abbie.

— Es-tu vraiment la petite-fille de Gabriel Adams ? s'empressa de demander Karine, une jeune fille au sourire engageant, dont les cheveux bruns touchaient presque les épaules et qui semblait avoir le même âge qu'Élodie.

— Oui.

— Mais pourquoi tout le monde est-il si impressionné par monsieur Adams ? questionna à son tour Abbie qui voulait savoir.

— Monsieur Adams... Gabriel Adams, répéta Jeremy, abasourdi. Mais tout le monde connaît son exploit.

— Quel exploit ? dit Zarya en jetant un regard furtif à Abbie.

— Il a neutralisé Malphas !

— Le... Malphas ? fit Zarya, se rappelant qu'Olivier lui en avait parlé.

— C'est ton grand-père et tu ne le sais même pas ? ! s'exclama Élodie, étonnée.

— Je suis venue en vacances chez mon grand-père. Non, il ne m'a pas parlé de ça et...

— Il ne t'a rien dit sur son exploit ?... l'interrompit Jeremy qui n'en croyait pas ses oreilles. Mais tout le monde dans le pays sait ce qui s'est passé ce jour où ton grand-père et les Maîtres Drakar ont mis fin au carnage de Malphas et de ses disciples. Mais c'est le combat ultime entre Gabriel et Malphas, qui dura près d'une heure à ce qu'on dit, qui a été fatidique pour les mages noirs.

— C'est depuis ce jour que Jeremy veut devenir un Maître Drakar, révéla Karine.

— Oh oui ! je peux vous l'assurer, ajouta sa sœur Élodie. Il avait environ cinq ans qu'il jouait déjà au Maître Drakar dans la maison.

— Et comment devient-on un Maître Drakar ? demanda Zarya.

— Tous les étés, répondit Jeremy, les yeux brillants, il y a un camp d'entraînement pour les jeunes qui veulent s'entraîner avec les Maîtres Drakar. Et c'est à ce moment-là qu'ils peuvent savoir s'ils sont aptes à devenir l'un d'entre eux.

— Y es-tu déjà allé ? l'interrogea Abbie.

— Non, j'ai eu mes pouvoirs il y a trois mois. Mais, dans une semaine, je serai prêt pour commencer le camp.

— Commence par obtenir ton permis de transmoléculation ! fit Karine avec humour.

Virlane Dranesas s'approcha de ses élèves et leur lança :

— Très bien, mes chers élèves, veuillez reprendre vos places. J'espère que vos estomacs sont bien remplis.

Elle prit sa liste pour choisir un autre élève afin de continuer la formation.

— J'aimerais maintenant avoir... Marlène Maros.

Après que trois élèves sur onze eurent manqué le premier exercice, Virlane appela Abbie.

— Bonjour, mademoiselle Steven, lui dit-elle en mettant la main sur son épaule. Vous connaissez la procédure, alors vous pouvez commencer.

Abbie s'avança avec un peu d'hésitation vers la cabine A en se remémorant les conseils de Zarya : être concentré et rester calme. Elle posa le pied sur le plancher de métal, et le rideau de lumière cristallisée s'alluma instantanément. Avant de pénétrer dans le rideau, la jeune fille cria :

— C !

Zarya avait les yeux fermés lorsque Abbie entra dans la cabine. Elle pria de tout son cœur pour que son amie réussisse et quand elle rouvrit les yeux, elle la vit sortir de la cabine C, un large sourire aux lèvres, montrant sa joie d'avoir réussi du premier coup.

— Félicitations, mademoiselle Steven ! fit Virlane. Maintenant vous pouvez aller vous rasseoir.

Abbie retourna à sa place, essayant avec difficulté de ne pas courir, tant sa joie était grande. Elle arriva à côté de Zarya qui, encore plus excitée qu'elle, l'accueillit avec un sourire éloquent.

Le cours pratique dura une bonne partie de l'après-midi, le temps que chacun fasse l'exercice de transmoléculation une dizaine de fois. Virlane décida de faire passer l'examen à quatorze élèves sur dix-sept. En effet, deux garçons et une jeune fille n'avaient pas réussi à se transmoléculer. C'était la première fois qu'ils suivaient ce cours. Ils quittèrent tristement la salle. En les accompagnant jusqu'au hall, madame Dranesas les encouragea à revenir au prochain cours qui aurait lieu dans un mois.

Pendant l'absence de la professeure, les élèves s'étaient levés et parlaient entre eux. Élodie s'approcha de Zarya et d'Abbie.

– Demain on va à la Récré-A-Thèque, dit-elle. J'espère que vous voudrez bien nous accompagner !

— La Récré-A-Thèque ? répéta Zarya.

— Vous ne connaissez pas la Récré-A-Thèque ? s'exclama Élodie. Mais d'où venez-vous ?

— On vient du Canada, répondit timidement Zarya, ignorant si ses amis savaient qu'il existait une autre dimension.

– Le Canada ! Mais c'est de l'autre côté, fit Élodie, surprise.

– Oui, c'est ça, approuva Zarya en regardant Abbie, de l'autre côté.

– Cool ! Et puis, vous venez ?

– Euh... oui, on va y aller, répondit Zarya, soulagée.

Madame Dranesas entra de nouveau dans la classe et demanda à ses élèves de regagner leur place et de se concentrer en vue de l'examen final. Une atmosphère de nervosité régnait.

— Bon, mes chers élèves, lança Virlane en consultant sa liste, comme tout à l'heure, nous allons procéder par ordre alphabétique. J'aimerais que mademoiselle Adams se présente à l'avant.

Zarya sentit un énorme stress monter en elle. Elle se leva et se dirigea vers la professeure d'un pas lent.

— Mademoiselle Adams, déclara Virlane d'une voix douce, je perçois une grande angoisse en vous, mais c'est une chose très normale. Vous avez obtenu une note parfaite au test pratique, il vous suffit de faire la même chose à présent. Bon, maintenant, mademoiselle Adams, si vous voulez bien commencer.

— D'accord.

Un silence de mort tomba sur la salle. Si les mouches avaient existé dans cette dimension, on les aurait entendues voler.

Zarya marcha en direction de la cabine A, posa le pied sur le plancher métallique et dit d'une voix forte :

— C !

Puis elle entra dans le rideau de lumière et ressortit aussitôt de la cabine qu'elle avait choisie ! Heureuse, elle regagna sa place.

Lorsque tous les élèves eurent réussi l'examen final, madame Dranesas leur dit :

— Je suis très contente pour vous tous et je peux vous avouer que je suis très impressionnée par votre groupe. Aucun échec à l'examen final... alors là, bravo !

Elle sortit de son bureau une boîte de la grandeur d'une boîte de chaussures.

— Bon, fit-elle en se tournant vers ses élèves, maintenant, j'aimerais vous remettre votre permis de transmoléculation.

Elle ouvrit la boîte.

— Vous franchissez une nouvelle étape dans votre vie et j'en suis très heureuse, déclara Virlane en reprenant sa liste. J'aimerais voir mademoiselle Adams.

Zarya se leva et se dirigea vers madame Dranesas. Celle-ci l'accueillit avec un beau sourire et lui remit un petit cristal de la grosseur d'un bouton de manchette ainsi qu'une carte transmographique.

— Ce petit cristal, lui expliqua-t-elle, vous devez toujours le garder dans votre poche. C'est un permis enregistré qui vous permet de faire fonctionner les transmoléculaires. Et cette carte transmographique, c'est un plan de la ville et, si je peux vous donner un bon conseil, ajouta-t-elle en regardant tous les élèves, c'est de la mémoriser.

Madame Dranesas se tourna de nouveau vers Zarya.

— Je vous félicite, mademoiselle Adams, dit-elle en lui serrant la main.

Zarya regagna sa place en observant le petit cristal orange qu'elle tenait au creux de sa main.

Après avoir reçu leur permis, les élèves sortirent de la salle tout joyeux. Élodie alla rejoindre Zarya et Abbie, accompagnée de son frère Jeremy et de Karine.

— Vous êtes toujours d'accord pour qu'on se voie demain, à la Récré-A-Thèque ? demanda-t-elle.

— Oui, bien sûr, répondit Zarya en regardant Abbie. Mais on ne sait pas où ça se trouve.

Élodie sortit la carte transmographique que madame Dranesas lui avait donnée.

— Regarde, c'est ici, pas très loin de la bibliothèque, expliqua-t-elle en lui montrant l'endroit sur la carte avec son doigt. Nous, on va être là, dans l'après-midi, vers 13 h 30.

— D'accord, fit Zarya, on va essayer d'être à l'heure... Naturellement, cela dépendra de ce que mon grand-père a prévu.

— On comprend, déclara Jeremy qui avait entendu ces dernières paroles. Mais si tu veux, Zarya, tu peux emmener ton grand-père ; j'aimerais bien le rencontrer et lui demander quelques conseils. Je voudrais avoir des trucs pour savoir comment devenir un bon Maître Drakar et il est la personne tout indiquée pour me renseigner.

— D'accord, répondit Zarya en souriant, je vais lui demander s'il veut venir.

— Bon, on va y aller, s'impatienta Karine, tout excitée à l'idée de prendre le transmoléculaire seule pour la première fois. On se revoit demain. Bye-bye !

— Bye ! lancèrent Zarya et Abbie en regardant leurs trois nouveaux amis s'éloigner.

Elles jetèrent un coup d'œil autour d'elles pour voir si madame Phidias était venue les chercher. Constatant que ce n'était pas le cas, elles se demandèrent si elles devaient prendre le transmoléculaire pour revenir à la maison ou s'il était préférable de l'attendre.

— J'ai bien l'impression que madame Phidias ne viendra pas, dit Abbie. Elle doit se douter que nous avons obtenu notre permis.

— Oui, moi aussi j'en ai l'impression. Alors, on va y aller !

Zarya prit sa carte et regarda attentivement les numéros de cabine qui y étaient inscrits. Durant le cours, madame Dranesas avait expliqué comment se servir de la carte transmographique. Cette dernière était un plan détaillé de la ville d'Attilia, indiquant ses principaux points d'attraction, le nom des rues, sans oublier les numéros des cabines que l'on trouvait en grand nombre dans toute la ville.

— Mais te souviens-tu du nom de la rue de ta maison ? demanda Abbie.

— Avant de partir, madame Phidias m'a donné un papier avec l'adresse de la maison en me disant que ça serait utile si on se perdait.

Zarya sortit de sa poche le papier en question et lut ce qui était écrit dessus :

— C'est le numéro 10 de la rue Adams... Facile à retenir !

— Oui, répondit Abbie, rassurée, et quel est le numéro de la cabine ?

— Trois cent deux.

— D'accord, je vais y aller la première.

— OK.

Abbie s'avança vers la cabine, regarda Zarya, entra et disparut. Son amie jeta un dernier coup d'œil au bâtiment, puis fit la même chose qu'elle.

La pyramide d'Hélios

Zarya réapparut dans la cabine 302, pas très loin de la maison de son grand-père, et vit Abbie qui l'attendait en face du transmoléculaire, affichant un sourire victorieux. Elle sortit de la cabine pour rejoindre son amie et poussa un long soupir de soulagement. Abbie regarda le ciel d'un bleu tendre et magnifique, arrondi comme un dôme, et déclara :

— J'avoue que je n'ai jamais été aussi heureuse de ma vie.

— Moi aussi, dit Zarya en embrassant le paysage du regard. Je me demande bien pourquoi mes parents ont déménagé dans l'autre monde.

— C'est à n'y rien comprendre, approuva Abbie en regardant une cohorte d'enfants souriants qui semblaient bien s'amuser avec un simple ballon.

Les deux amies parcoururent la faible distance qui les séparait de la maison. En entrant dans le salon, elles virent Mitiva Phidias assise sur le divan, les yeux fermés. Elle semblait dormir, mais Zarya et Abbie trouvèrent étrange qu'elle soit assise, le dos bien droit, les mains à plat sur les cuisses, pour faire une sieste.

— On dirait qu'elle est en méditation, chuchota Zarya.

— Oui, et même une méditation assez profonde, si tu veux mon avis, répondit Abbie.

Elles traversèrent la pièce en silence pour ne pas la déranger. En pénétrant dans la salle à manger, Zarya vit son grand-père en train de lire le *Journal d'Attilia* sur la chaise berçante, près de la fenêtre. Une agréable odeur de nourriture flottait dans l'air, semblant provenir d'un plat qui était dans le four.

— Bonjour, mesdemoiselles, lança Gabriel avec un sourire enchanté. J'ai bien l'impression que vous avez réussi l'examen de transmoléculation, du moins l'une d'entre vous.

— On a réussi toutes les deux, déclara Zarya avec fierté.

— Merveilleux ! s'exclama le vieil homme avec sincérité. Mais je dois vous avouer que je ne suis pas surpris.

— Et peut-on savoir pourquoi tu n'es pas surpris, grand-père ? demanda poliment sa petite fille.

— Disons que je vois l'énergie qui entoure votre corps physique ou plutôt, devrais-je dire, votre aura, pour employer le mot qui convient vraiment. Je vois une belle aura d'une blancheur pure qui dégage beaucoup d'énergie positive. Cela montre une certaine maturité de votre âme et signifie que vous avez beaucoup de potentiel, et je peux même ajouter que j'ai pleinement confiance en vos facultés.

— Grand-père, dit Zarya en prenant une grande respiration, j'ai plusieurs questions à te poser, mais je ne sais pas par laquelle commencer...

— Alors, je te conseille fortement de commencer par la première, répliqua Gabriel avec un petit rire espiègle.

— Oui, évidemment, fit-elle avec un sourire amusé. As-tu déjà été un Maître Drakar ?

— Oui, bien sûr, répondit Gabriel sans réticence. Pendant plusieurs années, et je peux même vous avouer qu'elles ont été les plus excitantes années de ma vie ! Mais qui vous a parlé de ce détail ?

— Ce sont des jeunes qu'on a rencontrés au cours de transmoléculation, déclara Abbie.

— Et ils nous ont également dit que tu étais un grand Maître Drakar, ajouta sa petite-fille, très fière de son grand-père.

— Grand, c'est un grand mot, rétorqua Gabriel avec humour. Disons que j'ai bien fait mon travail.

— Et c'est bien toi qui as mis fin au carnage de Malphas, n'est-ce pas, grand-père ?

Gabriel sembla tout à coup embarrassé par cette question. Il se leva, marcha en direction du comptoir et se retourna finalement vers les deux jeunes filles.

— Malphas et ses mages noirs ! dit-il, semblant revivre des moments pénibles.

Zarya regarda son grand-père dans les yeux : quelle sombre horreur pouvait donc s'y cacher ? Elle regrettait presque de lui avoir posé la question.

— Ce furent des temps bien ténébreux pour la ville d'Attilia, et même pour le pays de Dagmar, commença Gabriel après avoir pris une longue inspiration. Le peuple vivait dans un incontestable cauchemar. Plus rien ne fonctionnait. Les parents refusaient même d'envoyer leurs enfants jouer dans les parcs, et ils avaient raison ! Avec tous ces meurtres sordides, ces enlèvements de jeunes hommes... Oui, malheureusement ! les mages noirs, sous les ordres de Malphas, avaient semé la terreur chez les parents en séquestrant des jeunes hommes qu'ils soumettaient, bien malgré eux, au côté obscur de la magie à l'aide de puissants sortilèges. Par la suite, il nous a fallu nous battre contre ces innocents jeunes hommes qui étaient devenus de « faux mages noirs », comme on les surnommait. Pour nous, les Maîtres Drakar, c'était un véritable casse-tête. Lesquels, parmi ces mages noirs, étaient de véritables méchants ? Et lesquels étaient les fils de nos propres amis ?...

Les yeux pleins d'effroi et la gorge serrée, Zarya et Abbie écoutèrent les horreurs que Gabriel raconta dans les minutes qui suivirent. Ce Malphas était le mal en personne, pensèrent-elles. Mais une chose les surprit au plus haut point :

— La dernière chose que je peux vous avouer, pour l'instant du moins, mes chères demoiselles, c'est que ce Malphas était... disons... à moitié coupable des atrocités qu'il commettait.

— Comment peut-on être « à moitié coupable » de quelque chose ? demanda Zarya, un peu perdue.

— D'accord, je vais vous expliquer, dit Gabriel en se rapprochant des adolescentes. Ce Malphas avait un nom. Mais en raison du secret ministériel, je ne peux pas vous le révéler. Alors, si vous le voulez bien, nous allons l'appeler « monsieur X »...

— Monsieur X... d'accord, répéta Zarya.

— Donc, ce monsieur X était un homme tout à fait ordinaire qui vivait à Attilia. C'était un jeune Maître Drakar qui avait beaucoup de potentiel ainsi qu'une force intérieure peu commune.

— Un Maître Drakar ? lança Abbie, étonnée.

— Oui, et un très grand Maître Drakar en devenir, répondit Gabriel en pesant ses mots. Je peux même vous dire que je l'avais moi-même entraîné.

— Mais pourquoi a-t-il mal tourné, monsieur Adams ? l'interrogea Abbie.

— Vois-tu, très chère Abbie, ce jeune homme était assoiffé de pouvoir. Il en voulait toujours plus ; il s'entraînait jour et nuit.

— Mais il n'y a rien de mal à s'entraîner jour et nuit, fit remarquer Zarya.

— Je suis d'accord avec toi, Zarya, mais c'est par la suite qu'il est tombé dans la déchéance..., expliqua Gabriel d'un air accablé. Il a essayé de voler les sept pierres sacrées de Prana pour accroître sa force.

— Les sept pierres sacrées de Prana ! s'exclama Zarya. Mais ce sont les pierres qui permettent l'ouverture des sept chakras et qui amplifient leur force pour atteindre la force divine.

— Exactement, dit Gabriel, surpris. Je vois que vous apprenez bien vos leçons. Je ne sais pas qui vous a dit cela, mais cette personne a dit juste.

— C'est Olivier, votre commissionnaire, répondit timidement Abbie.

— Olivier ! Bien sûr ! fit Gabriel avec un sourire. Ce gentil Olivier a raison : ces pierres sont très puissantes et elles existent pour une raison précise.

— C'était ma prochaine question, lança Zarya. Pourquoi personne ne les utilise ?

— C'est une très bonne question ! Mais je vais te répondre par une autre question. Pourquoi les Américains n'utilisent-ils pas la bombe atomique contre leurs ennemis ?

Les deux amies se regardèrent et comprirent que les sept pierres sacrées de Prana recelaient une très grande puissance et qu'il ne fallait pas en profiter, sauf en cas d'absolue nécessité.

— Je devine que vous avez très bien compris, déclara Gabriel avec un sourire en coin. Si ces pierres tombent entre les mains d'une personne malintentionnée, celle-ci pourrait prendre le contrôle de notre dimension et, par le fait même, de la vôtre.

— Mais, grand-père, où sont ces pierres ?

— Dans la grande pyramide d'Hélios.

— La pyramide d'Hélios ? Est-ce celle qu'on voit au loin ?

— Oui, c'est ça, confirma Mitiva Phidias qui venait d'entrer dans la salle à manger. Elle est située en plein centre d'Attilia.

— Bonjour, Mitiva, dit Gabriel. Vous avez fait un beau voyage ?

— Oui, c'était magnifique.

— Un voyage ! s'exclama Zarya, surprise, mais vous dormiez dans le salon...

— Exactement, mademoiselle Zarya, mon corps dormait dans le salon, mais mon esprit était parti au loin.

— Vous avez fait un voyage astral ! s'écria Abbie, les yeux ronds comme des billes.

— Rien ne t'échappe, ma chère Abbie, déclara Gabriel. Mais si vous le voulez bien, nous reparlerons du voyage astral un peu plus tard.

— Vous pouvez continuer votre discussion, leur lança madame Phidias en se dirigeant vers la cuisine. Je vais mettre le couvert pour le souper.

— Je vous remercie beaucoup, fit le vieil homme. Bon, où en étions-nous ?

— Monsieur X a essayé de voler les sept pierres sacrées de Prana, répondit Abbie.

— Oui, bien sûr, se rappela Gabriel. Mais, heureusement, il n'a pas réussi. Par contre, je crois que, bien qu'on l'ait surpris dans la pyramide allongé sur le sol, à demi conscient, à côté des pierres, il a tout de même réussi à canaliser un peu de leur énergie. À ce jour, personne ne sait comment il a déjoué le champ de forces qui entourait les pierres, c'était un exploit ! Par la suite, sa force avait quadruplé. Cinq Maîtres Drakar l'entouraient et il a quand même réussi à s'échapper, et avec une facilité déconcertante... Mais j'ai ma petite idée sur la manière dont il s'y est pris pour se procurer suffisamment d'énergie pour pouvoir déjouer le champ de forces, qui jusqu'à ce jour avait toujours été incontournable.

— Et comment ? l'interrogea Zarya.

— Quelques jours avant cet événement, je l'avais surpris en train de faire une cérémonie satanique.

— Il a invoqué Satan ? s'écria Zarya, les yeux écarquillés.

— Non, plutôt son général, rectifia Gabriel avec une lueur de frayeur dans les yeux. Il a invoqué Malphas, le président des enfers.

— Mais je croyais que monsieur X était Malphas ! dit Zarya qui n'y comprenait plus rien.

— Pas tout à fait. Le jour où il a invoqué Malphas, précisa Gabriel, monsieur X a été possédé par l'âme méphistophélique de Malphas lui-même.

— C'est donc à partir de ce jour que monsieur X est devenu Malphas, comprit Zarya.

— Oui, et c'est pour cette raison que je vous ai dit que monsieur X était à moitié coupable des fâcheux événements qui se sont déroulés à Attilia.

— Et maintenant, demanda Abbie, où est-il, ce monsieur X ?

— Après une guerre qui a duré plusieurs années, on a réussi à capturer Malphas ainsi que quelques-uns de ses disciples. J'ai moi-même procédé au rituel qui a permis de soutirer ses pouvoirs à Malphas et j'ai également exorcisé le démon du corps de monsieur X. Finalement, sur l'ordre du Grand Conseil des ministres, nous l'avons exilé dans une autre dimension pour être sûrs qu'il n'entrerait plus jamais en contact avec les pierres sacrées.

— Et maintenant, le souper est prêt ! déclara Mitiva en déposant au centre de la table un gratin aux fruits de mer qui dégageait un agréable fumet.

Attablées autour des délicieux plats que madame Phidias avait préparés avec soin, les deux adolescentes relatèrent leur journée remplie d'anecdotes et de belles rencontres, ce qui contrastait grandement avec l'histoire de Malphas !

◊ ◊ ◊

Le lendemain matin, après une bonne nuit de sommeil, Zarya et Abbie quittèrent la maison avec en main la carte transmographique que Virlane Dranesas leur avait donnée la veille, après l'obtention de leur permis de transmoléculation. Elles avaient besoin de cette carte pour aller visiter les endroits que madame Phidias leur avait recommandés à Attilia. Le ciel demeurait implacablement pur et les vastes pelouses, qu'ombrageaient les arbres touffus du terrain de Gabriel, ondulaient sous une brise chaude. C'était une magnifique journée pour jouer les touristes à Attilia, pensèrent les jeunes filles.

Au déjeuner, Zarya avait informé son grand-père du lieu où elles devaient rejoindre leurs nouveaux amis ; Gabriel connaissait très bien la Récré-A-Thèque, qui était très populaire auprès des adolescents attiliens. Elle en avait profité pour lui demander s'il pouvait venir les y rejoindre plus tard, dans la journée. Il lui avait répondu que cela lui ferait un grand plaisir.

Devant le transmoléculaire, les deux amies regardèrent la carte. Elles décidèrent de commencer par la pyramide d'Hélios.

— Quel est le numéro de la cabine ? demanda Abbie.

— Cinquante-quatre... Regarde la pyramide là-bas, dit Zarya en tendant le bras, elle est au moins à sept kilomètres.

— Oui, environ.

— Et dire qu'on va y être dans moins de cinq secondes ! s'exclama Zarya qui avait encore de la difficulté à y croire. C'est vraiment inouï !

— Oui, et j'adore ça !

— Bon, j'y vais la première.

Zarya rangea la carte transmographique dans sa poche, entra dans la cabine, se concentra en silence et disparut. Elle sortit de la cabine 54 quelques microsecondes plus tard, bientôt suivie par Abbie. Toutes deux se tournèrent en même temps vers la pyramide, qui s'élançait à une cinquantaine de mètres d'elles.

— Waouh ! s'écria Abbie, les yeux exorbités.

Zarya se figea sur place à la vue de cette gigantesque splendeur. Contrairement aux pyramides d'Égypte qui tombaient en ruine, la pyramide d'Hélios était d'une blancheur éclatante, presque aveuglante. C'était un endroit magnifique. Il y avait des fleurs partout. Des plantes au riche feuillage et de majestueux arbres centenaires bordaient la pyramide comme si celle-ci avait été déposée intentionnellement en plein cœur d'un immense jardin luxuriant. Des centaines de personnes longeaient cette magistrale construction sans y prêter attention. Probablement que, pour elles, la pyramide d'Hélios était un simple élément de leur décor quotidien. Zarya et Abbie, elles, étaient persuadées qu'elles ne s'habitueraient jamais à cette vue à couper le souffle. Soudain, elles entendirent quelqu'un derrière elles sortir du transmoléculaire :

— Bonjour, mesdemoiselles !

Sans même le voir, Abbie le reconnut illico : c'était Olivier Dumas.

— Bonjour ! répondirent en chœur les jeunes filles.

— J'ai fait une commission pour monsieur Adams, et comme elle m'a pris moins de temps que prévu, j'ai décidé d'en profiter pour venir vous saluer… C'est monsieur Adams qui m'a dit que je vous trouverais sûrement ici.

— C'est gentil de ta part. Ça nous fait plaisir de te revoir.

— On est venues voir la pyramide, l'informa Abbie.

— Parfait, et si vous voulez un peu de compagnie, je vais vous la faire visiter, leur suggéra Olivier.

— On peut la visiter ? demanda Zarya, surprise. C'est ouvert au public ?

— Bien sûr que oui, fit Olivier en leur indiquant la direction.

Aussitôt arrivées devant l'entrée principale, les adolescentes virent deux statues en bronze de chaque côté. La statue de gauche représentait une femme, et celle de droite, un homme. C'étaient des statues colossales, d'une hauteur de dix mètres, et, curieusement, les deux personnages regardaient vers le ciel, les bras tendus devant eux, les paumes tournées vers le haut, comme si elles attendaient quelque chose du ciel ou plutôt comme si elles lui faisaient une offrande.

Bouche bée devant tant de magnificence, Zarya et Abbie franchirent le seuil. L'entrée était aussi haute que les deux statues de bronze. Les gigantesques portes, sculptées somptueusement de haut en bas et ornées de cuivre, étaient si bien entretenues qu'elles brillaient malgré leur vieillesse ; elles étaient entrouvertes.

Les jeunes filles n'en croyaient pas leurs yeux. Le hall d'entrée était d'une taille démesurée. Les murs étaient tapissés de toiles relatant l'histoire de la pyramide d'Hélios ainsi que sa construction spectaculaire. Celle du centre montrait des centaines de personnes empilant des pierres qui devaient peser à peu près deux tonnes chacune, mais le plus inouï, c'est qu'elles utilisaient la télékinésie pour les déplacer. Zarya et Abbie comprenaient maintenant plus facilement le secret des pyramides.

Après avoir traversé le hall, le petit groupe arriva devant la salle principale qui avait la forme d'un pentagone, au centre de la pyramide, et qui était assez grande pour contenir la maison de Gabriel. Sur le sol dallé, on pouvait voir des lignes tracées en diagonale de trente centimètres de largeur, de couleur dorée, qui reliaient les cinq coins de la salle pentagonale. Vu de haut, cela donnait un immense pentacle doré sur un sol de marbre couleur crème. Zarya et Abbie virent, au centre du pentacle, un énorme cristal qui flottait et tournait sur lui-même, à trois mètres du sol, enveloppé d'un champ électromagnétique. C'était un cristal vert brillant, d'une dimension incroyable de deux mètres de diamètre.

— Qu'est-ce que c'est que ça ? s'exclama Zarya en regardant ce cristal démesuré. Mais c'est impossible, une pierre de cette grosseur !

— C'est une tsavorite géante, répondit Olivier.

— Et qu'est-ce qu'elle fait dans les airs ? questionna Abbie, les yeux rivés sur le cristal.

— Vous vous souvenez, dit le jeune homme en se tournant vers ses compagnes, le cristal sur le toit du manoir qui fournit le courant électrique pour toute la bâtisse ?...

— Oui !

— Eh bien, ce cristal fait la même chose, conclut Olivier, mais pour la ville d'Attilia en entier. La pyramide agit comme une immense antenne. En fait, la forme pyramidale sert de génératrice d'énergie cosmique et elle permet la transformation de cette énergie en courant électrique : une énergie sans risque, gratuite et sans limites.

— Incroyable ! fit Abbie.

Zarya remarqua que la pièce pentagonale avait une porte sur chaque mur, outre celui où se trouvait l'entrée.

— Où mènent les quatre autres portes ? demanda-t-elle, intriguée.

— La porte de gauche, expliqua Olivier en la pointant du doigt, contient la pierre du Savoir. Notre technologie y est imprégnée par les plus grands mages de notre histoire depuis onze mille ans. La deuxième renferme la pierre de notre histoire et celle du début de l'Atlantide. La troisième est celle qui protège la pierre surnommée « Clef de l'Atlantide ».

— La Clef de l'Atlantide..., répéta Zarya. Mais pourquoi une clef pour une ville qui a disparu ?

— Personne ne le sait, dit le garçon. Enfin, peut-être que les Anciens le savent.

— Les Anciens ? lança Abbie.

— Oui, il y a sept Anciens. Monsieur Adams est l'un d'eux.

— Mon grand-père ! Mais j'ignorais ce fait.

— Et la quatrième porte recèle sûrement les sept pierres sacrées de Prana, déclara Abbie, sûre d'elle.

— Précisément. Je vois que vous vous souvenez de ces pierres dont je vous ai parlé au manoir, fit Olivier, agréablement surpris.

— Est-ce qu'on peut les voir de près ? l'interrogea Zarya.

— Bien sûr, répondit le jeune homme, suivez-moi !

Ils contournèrent le cristal géant pour se diriger vers la porte derrière laquelle se trouvaient les sept pierres. Olivier tourna la poignée et ouvrit la porte en bois ouvragé couleur acajou, qui devait mesurer environ trois mètres de haut. Ils entrèrent dans une pièce plus petite de sept mètres sur sept, au plafond de forme pyramidale, de sept mètres également. Sur le plancher, on pouvait voir un pentacle comme celui de la pièce principale, avec un autel rectangulaire au centre.

— Pourquoi n'y a-t-il pas de surveillant ? demanda Abbie. Il y a beaucoup de choses de valeur dans cette pyramide.

— Regardez ces champs magnétiques qui entourent les pierres sacrées, fit remarquer Olivier. Depuis la construction de la pyramide, il y a de cela six cent soixante-cinq ans cette année, personne n'a réussi à voler ou à endommager une seule pierre.

— Mais Malphas a réussi à s'approcher suffisamment pour capter un peu d'énergie de ces pierres sacrées, dit Zarya.

— Oui, tu as raison sur ce point. Il a réussi à soutirer un peu d'énergie, mais pas à voler les pierres. Mais il ne faut pas oublier que ce Malphas n'était pas humain, c'était un démon. Et, heureusement, il n'est plus parmi nous aujourd'hui.

Les deux amies s'approchèrent le plus possible de l'autel, là où étaient déposées les sept pierres. Zarya fut surprise de leur dimension ; elles avaient à peine la grosseur d'une balle de golf. Et elles étaient toutes de couleurs différentes, blanc brillant, rouge flamboyant et même bleu cyan. La jeune fille les trouvait fort jolies et elle avait de la difficulté à croire que ces petites pierres, qui semblaient si inoffensives, étaient très puissantes et même qu'elles pouvaient être extrêmement dangereuses si elles tombaient entre de mauvaises mains.

Après avoir terminé leur visite, Zarya et Abbie sortirent, toujours escortées par Olivier.

— Qu'est-ce que vous faites cet après-midi ? leur demanda ce dernier en se tournant vers elles.

— On va rejoindre de nouveaux amis à la Récré-A-Thèque, répondit Zarya.

— Tu peux venir avec nous, l'invita Abbie avec un sourire engageant.

— Oui, bien sûr ! fit Olivier, enchanté.

— Très bien, on se rejoint là-bas, conclut Zarya, ou si tu préfères, tu peux venir nous chercher chez mon grand-père.

— À quelle heure devez-vous rencontrer vos amis ?

— Ils nous ont demandé d'être là à 13 h 30, dit Abbie.

— D'accord, alors je vais m'y rendre directement. J'ai une petite commission à faire avant pour le ministre Rissac, mais je serai là vers 13 h 30.

Olivier prit le transmoléculaire en sifflant un air joyeux.

— Je crois qu'il a un petit faible pour toi, confia Zarya à son amie qui le regardait disparaître.

— Tu dis n'importe quoi, répliqua cette dernière en rougissant.

— Je trouve qu'il te regardait d'une drôle de façon…, insista Zarya avec un sourire malicieux, comme un sans-abri regarderait un gâteau au chocolat….

— Tu te fais de drôles d'idées, affirma Abbie, écarlate.

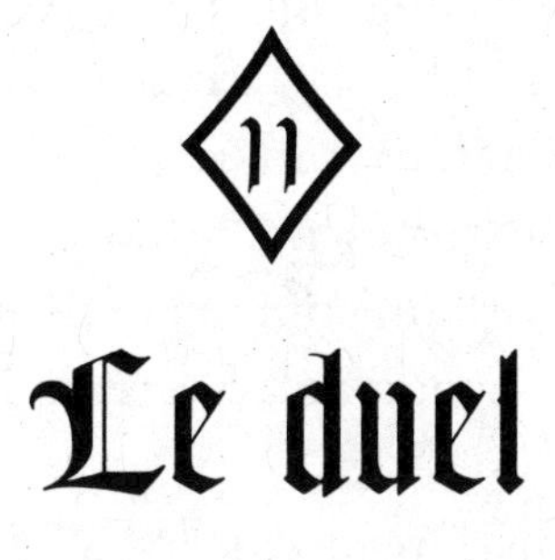

11 Le duel

Après avoir fait honneur au bon dîner santé concocté par madame Phidias, Zarya et Abbie se dirigèrent vers le transmoléculaire. Elles avaient hâte de revoir leurs nouveaux amis. Elles se mêlaient rarement aux autres et se suffisaient à elles-mêmes, là où elles vivaient. Mais ici, à Attilia, c'était différent ; elles avaient un point commun avec eux : elles aussi étaient des mages. Les relations étaient beaucoup plus simples, plus sincères.

Zarya consulta la carte transmographique pour relever le numéro de la cabine la plus proche de la Récré-A-Thèque.

— Et puis, quel est le numéro ? lui demanda Abbie, tout excitée à l'idée de bientôt mettre les pieds dans un endroit cool d'Attilia.

— C'est la... 263, répondit Zarya en remettant la carte dans sa poche.

Selon la carte, la Récré-A-Thèque se trouvait à une minute de marche vers l'ouest, dans la rue Bennyb. Alors qu'elle marchait dans une ruelle étroite, Zarya regarda attentivement autour d'elle et constata que les Attiliens aimaient beaucoup les plantes et s'en occupaient très bien. En effet, partout, dans les rues et sur le rebord des fenêtres, il y avait des fleurs tropicales et des plantes ornementales de diverses couleurs, ce qui donnait un cachet extraordinaire à cette ville peu ordinaire.

Arrivées en face de la Récré-A-Thèque, les deux filles virent un imposant bâtiment qui s'élevait sur trois étages, avec de hautes fenêtres blanches à carreaux. À mi-chemin entre la rue et l'édifice, une statue sculptée dans la pierre noire trônait sur un piédestal ; elle représentait un jeune garçon penché, un genou au sol, caressant un animal qui ressemblait à un chien. Tout en haut, sur le pignon de la Récré-A-Thèque, une horloge indiquait 13 h 22.

Lorsqu'elles pénétrèrent dans le hall d'entrée bien éclairé, Zarya et Abbie sentirent d'emblée que c'était un endroit très accueillant. Il y avait des dessins peints à même les murs et, partout où il se posait, le regard était ébloui par les couleurs vives et la beauté des plantes tropicales qui s'épanouissaient dans de magnifiques pots artisanaux. Les dessins représentaient des adolescents jouant à des jeux que les deux visiteuses ne connaissaient pas. Sur l'un d'entre eux, on pouvait voir une fille et un garçon en position de combat. Selon Abbie, cela ressemblait au jeu d'escrime, mais sans fleuret.

Ne sachant où aller, Zarya et Abbie se dirigèrent d'instinct vers la porte du fond, d'où provenaient des bruits de jeunes gens qui avaient l'air de bien s'amuser. Zarya ouvrit la porte et vit une dame derrière un comptoir, dans la quarantaine, qui paraissait très accueillante.

— Bonjour, madame, lui dit-elle. C'est la première fois que nous venons ici et nous sommes un peu perdues.

— Il n'y a pas de problème, répondit la dame avec un petit sourire engageant. Quel genre d'activité voulez-vous faire, mesdemoiselles ?

Abbie, qui regardait à droite du comptoir, aperçut une trentaine d'adolescents rassemblés au fond de la pièce et semblant observer quelque chose.

— On vient rencontrer des amis, précisa Zarya à la dame en jetant un coup d'œil en direction des adolescents. Peut-on aller voir ?

— Mais bien sûr que vous le pouvez, mesdemoiselles. Désirez-vous laisser vos sacs à main au vestiaire ?

— Non merci, madame !

Les deux amies se dirigèrent vers les jeunes gens, essayant de repérer leurs nouveaux amis parmi eux, mais ce fut sans succès. Zarya s'approcha davantage pour voir à quel genre d'activité les adolescents s'adonnaient et ce qui attirait autant de monde. Elle aperçut un garçon et une fille qui semblaient jouer à un jeu de dextérité. « Donar-ball » était inscrit sur le mur. Même si ce sport semblait passionnant, Zarya et Abbie décidèrent de poursuivre leur recherche. À peine avaient-elles fait trois pas qu'elles entendirent une voix familière. C'était Olivier Dumas qui marchait d'un pas rapide pour venir les rejoindre.

— Salut ! Vous n'êtes pas avec vos amis ?

— Non, pas encore, répondit Abbie en lui faisant un beau sourire. On regardait ce jeu.

— Le donar-ball ! Ah oui, je me débrouille plutôt bien à ce jeu, déclara Olivier en bombant le torse de fierté, sous le regard admiratif d'Abbie.

— Bon, maintenant, il faudrait les trouver, lança Zarya.

— Ils sont peut-être au terrain de psychiforce, dit Olivier. C'est un jeu très populaire dans cette dimension.

— Le « psychiforce » ? répéta Abbie. Est-ce que c'est un jeu de précision comme celui-là ? demanda Zarya en pointant du doigt les jeunes qui jouaient au donar-ball.

— Non, pas tout à fait. C'est plutôt un jeu conçu pour les Maîtres Drakar. Ils l'utilisent pour s'entraîner ou, plutôt, on utilise cet entraînement pour en faire un jeu.

Au même instant, Zarya sentit une présence amicale derrière elle. Elle se retourna et vit Élodie qui venait à leur rencontre.

— Salut, les filles ! dit cette dernière amicalement.

— Salut ! répondirent en chœur Zarya et Abbie.

— Vous venez d'arriver ?

— Il y a dix minutes environ, fit Zarya. Connais-tu Olivier Dumas ?

— On se connaît de vue, déclara Élodie en souriant.

— Oui, c'est vrai, confirma Olivier. Je t'ai vue souvent ici et à la bibliothèque municipale.

— Il y a une bibliothèque municipale ? demanda Abbie, très contente d'apprendre cela.

— Oui, bien sûr ! s'exclama Olivier. Je t'y emmènerai un jour, quand tu le voudras.

— D'accord.

Zarya, voyant sa meilleure amie se faire inviter par Olivier et rougir de la sorte, lui fit un petit sourire attestant qu'elle était heureuse pour elle.

— Bon ! Allons retrouver mon frère et Karine, lança Élodie, ils nous attendent.

Ils suivirent Élodie qui emprunta un long couloir labyrinthique à l'éclairage sobre et tamisé. Des tablettes, bien éclairées par des lumières multidiffusion, étaient encastrées dans les murs de ciment pour mettre en évidence une trentaine de trophées. Sur les murs adjacents étaient exposées les photos des champions du centre récréatif, exhibant fièrement leurs médailles. Élodie ouvrit la porte, au bout du couloir, et entra dans une salle deux fois plus grande que la précédente. Zarya, qui la suivait de près, fut étonnée d'y voir autant d'adolescents que d'adultes. Tous semblaient captivés par le jeu qui s'y déroulait.

— C'est ici, la psychiforce, dit Olivier, les yeux brillants.

La psychiforce était un divertissement très populaire, très apprécié des Attiliens. Ce sport exigeait beaucoup de concentration et une très grande maîtrise de la force mentale. Le terrain faisait quinze mètres de long et deux mètres de large. Le sol était recouvert d'une poussière de roche orangée ; des lignes tracées à la craie blanche délimitaient le terrain et, au centre, on pouvait voir un pentacle bleu royal, l'emblème de la Récré-A-Thèque. Les deux joueurs se faisaient face, chacun à une extrémité du terrain. Derrière eux, une ligne déterminait la limite qu'ils ne devaient pas dépasser. Le but du jeu consistait à faire sortir l'autre joueur du terrain par la seule force de la pensée. Il était toutefois interdit de faire léviter son adversaire !

— Combien y a-t-il de terrains de psychiforce ? demanda Zarya.

— Tu peux en compter cinq, répondit Olivier. Mais le principal est au centre.

— Le principal ? répéta Zarya.

— Oui, quand il y a des tournois importants, les joueurs prennent celui du centre.

— Les voilà ! s'écria Élodie en marchant vers Jeremy et Karine.

Ceux-ci étaient debout à côté des estrades, un verre de jus à la main, discutant du dernier combat de psychiforce qui s'était déroulé quelques instants plus tôt.

— Ils étaient près du terrain de donar-ball, leur dit Élodie en arrivant près d'eux.

— Salut ! lança Zarya.

Abbie les salua de la main, accompagnant son geste d'un sourire lumineux.

— Salut, les filles ! répondit Karine.

— Salut ! fit Jeremy d'un ton joyeux. Vous avez regardé un match de donar-ball ? Attendez de voir un match de psychiforce, vous allez adorer. Tiens, salut ! dit-il de nouveau en remarquant Olivier qui, debout à côté des jeunes filles, l'écoutait attentivement. Je crois qu'on s'est déjà vus, non ?

— Oui, répondit Olivier en lui serrant la main. Je m'appelle Olivier Dumas.

— On s'est vus à l'école, je crois…, avança Jeremy qui n'en était pas sûr.

— Non, je ne crois pas, je travaille maintenant.

— Et tu fais quoi ?

— Je travaille comme commissionnaire pour Gabriel Adams.

— Quoi ? ! s'écria Jeremy. Tu travailles pour Gabriel Adams ?

— Oui, exactement…

— Incroyable ! En deux jours, je rencontre trois personnes qui connaissent Gabriel Adams ! s'exclama Jeremy qui n'en revenait pas.

Pendant que Jeremy et Olivier faisaient connaissance, Zarya regarda le terrain de psychiforce qui était, pour l'instant, vide.

— Bon, je crois qu'un autre match va débuter, fit remarquer Karine.

En effet, deux joueurs s'avancèrent vers le terrain.

— Oh ! regardez qui va jouer, fit Élodie. C'est Devon Ekin.

— Qui est-il ? demanda Abbie.

— C'est le champion de sa catégorie.

Devon Ekin était un type de grande taille, aux cheveux noirs lui tombant jusqu'aux épaules et à qui il ne faisait pas bon se frotter. Il avait un sale caractère et aimait défier tout le monde à la psychiforce, surtout les plus petits que lui.

Zarya et ses amis se trouvaient tout près de Devon Ekin. Ce dernier regarda Jeremy et lui dit sur un ton de défi :

— Tu es le prochain, Vernet.

Ekin se retourna vers son adversaire et se mit en position.

Jeremy appréhendait l'affrontement avec Devon. Il le connaissait depuis sa tendre enfance et savait que Devon ne le portait pas dans son cœur. Ils habitaient dans le même quartier. Devon, son aîné de deux ans, avait reçu son pouvoir avant lui et s'en était servi pour l'intimider et lui faire du mal, par pur plaisir. Il avait tant abusé de ses pouvoirs que Jeremy avait fini par déposer une plainte aux autorités d'Attilia. Devon avait ainsi eu des démêlés avec la justice et c'était pour cette raison qu'il en voulait à Jeremy.

L'adversaire de Devon était du même âge que lui et avait sensiblement la même expérience. C'était un garçon très costaud qui ne se laissait pas intimider par la réputation de Devon.

Au centre du terrain, on pouvait voir un arbitre vêtu d'un chandail bleu royal portant l'inscription « Officiel » dans le dos. Sur le devant du vêtement, à la hauteur de la poitrine, figurait le logo de la Récré-A-Thèque, soit un pentacle bleu royal sur fond blanc.

Les deux joueurs se regardèrent droit dans les yeux. Ils étaient en position de combat, le pied posé sur le trait blanc de devant et à deux mètres de la limite qui se trouvait derrière eux. L'arbitre recula de deux pas, puis donna un coup de sifflet pour annoncer le début du combat. Son rôle était d'intervenir en cas de tricherie et de mettre fin au combat lorsqu'un des joueurs sortait du terrain. Les combats de psychiforce n'étaient pas limités dans le temps ; le combat le plus long avait duré trente-quatre minutes.

Au coup de sifflet, les joueurs lancèrent leur attaque de télékinésie sensiblement en même temps. L'impact des deux vagues d'ondes translucides, lorsqu'elles se heurtèrent, fut très violent. Zarya fut surprise par la vibration et le bruit sourd qui se répercutèrent jusqu'aux tribunes. On aurait dit que deux taureaux venaient de se foncer dessus ! Devon avait à peine glissé de quelques centimètres sous le choc. Son adversaire avait pour sa part reculé de un mètre. Devon, voyant qu'il avait l'avantage sur l'autre, donna tout ce qu'il avait comme force de poussée. L'adversaire recula sous la pression qu'exerçait Devon, qui le dominait de toute sa puissance. Les deux pieds bien ancrés au sol, ce dernier poussait de toute sa force intérieure. Son rival avait perdu de l'assurance et, sous la pression immense, ses pieds glissèrent sur la poussière de roche orangée jusqu'à dépasser la ligne arrière. Le coup de sifflet retentit aussitôt et Devon lâcha enfin l'emprise sur son adversaire qui, très déçu, quitta le terrain la tête basse.

Devon, affichant un sourire triomphal, se tourna vers Jeremy.

— C'est ton tour, Vernet ! s'écria-t-il d'un air mauvais.

— Que veux-tu prouver ? lança Karine qui n'avait pas peur de lui, contrairement à Jeremy qui baissa les yeux.

— Je te mets au défi, Vernet ! insista Devon. On a un petit compte à régler.

Jeremy leva les yeux et lui répondit :

— D'accord, j'accepte !

— Tu n'es pas obligé, dit Karine dont le courage diminuait maintenant que le combat semblait inévitable. C'est un moins que rien et il ne vaut pas la peine que tu te battes avec...

— Je vais régler ça une bonne fois pour toutes ! affirma Jeremy sous l'effet de l'adrénaline.

— Mais il a beaucoup plus d'expérience que toi dans ce sport, essaya de le raisonner sa sœur Élodie.

Zarya et Abbie trouvèrent que, finalement, les deux dimensions avaient plusieurs points communs !

Jeremy se dirigea vers l'extrémité libre du terrain et se mit en position de combat, sous le regard moqueur de Devon Ekin. Les gens se rapprochèrent en grand nombre ; ce combat était devenu l'attraction principale de la Récré-A-Thèque.

L'arbitre avait à peine posé le sifflet sur ses lèvres que Devon lança sa première attaque, avant même que le son strident ne se fît entendre ! Jeremy fut violemment projeté au sol et l'arbitre siffla pour interrompre le combat. Les spectateurs huèrent le geste gratuit de leur champion. Zarya et ses amies crièrent à l'injustice, mais, selon le règlement, Jeremy, qui n'avait pas quitté le terrain, était le seul à pouvoir décider s'il voulait annuler la partie ou continuer. Toujours étendu sur le sol, le souffle coupé, il décida, malgré sa souffrance, de se relever et de se remettre en position. Jeremy n'avait pas anticipé l'attaque déloyale de Devon et il n'avait donc pu la contrer. Il reprit sa position initiale et l'arbitre siffla de nouveau ; le combat recommença. Devon lança une deuxième attaque, mais, cette fois, Jeremy bloqua son formidable coup de poussée. Il recula tout de même de quelques centimètres sous la force de l'impact. Ses amis l'encourageaient en criant : « Vas-y, Jeremy ! »

Jeremy donna tout ce qu'il pouvait, se servant de sa poussée d'adrénaline pour tenter de mettre son adversaire hors de combat. Ce dernier recula alors de quelques centimètres et la foule, transportée, encouragea encore plus Jeremy. Mais la chance tourna. Devon utilisa toute son agressivité pour pousser et Jeremy glissa à l'extérieur du terrain sans rien pouvoir faire ; Devon était trop puissant.

À cet instant, Gabriel Adams arriva in extrémis pour voir la fin du combat. Abordé par une connaissance, il profita du compte rendu que cette dernière lui fit sur le passionnant combat qui venait d'avoir lieu.

Pendant ce temps, près du terrain de psychiforce, Jeremy retourna à sa place, très déçu de sa performance. Malgré sa défaite, ses amis l'encouragèrent.

— Ne t'en fais pas, dit Karine. Il a beaucoup plus d'expérience que toi, et tu as failli l'avoir.

— Oui, la prochaine fois, s'il ne triche pas, tu es sûr de le vaincre, affirma Zarya en fixant Devon droit dans les yeux.

— Toi, la petite ! tu peux venir t'essayer si tu veux, lui lança Devon en lui faisant un clin d'œil plein d'arrogance.

— Tu ne sais pas à qui tu t'adresses, répliqua Karine avec colère. C'est la petite-fille du grand Gabriel Adams et si tu la touches…

— Gabriel Adams, ha ! ha ! laisse-moi rire, se moqua Devon, c'est un vieillard !

— Il peut te botter les fesses les yeux fermés, lui dit Abbie, qui n'avait pas la langue dans sa poche.

C'est alors que Zarya chuchota discrètement à Olivier :

— Est-ce que les filles ont la même force que les garçons dans ce sport ?

— Oui, il n'y a aucune différence, marmonna le jeune homme, qui avait peur de comprendre.

— Allez, viens, poupée ! la provoqua encore Devon avec un sourire moqueur. Je ne te ferai pas de mal, je vais même te laisser une chance.

— D'accord, j'accepte le défi ! dit Zarya, visiblement peu impressionnée par Devon.

Abbie se tourna vers elle et la dévisagea, les yeux écarquillés.

— Mais qu'est-ce que tu fais, Zarya ? demanda-t-elle, déconcertée. Il va te démolir, regarde-le, c'est un bœuf !

— Justement ! Et je n'ai rien à prouver.

— Alors, ne te gêne pas et fonce dans le tas ! l'encouragea Abbie en regardant Devon.

— C'est bien, je vois que tu as plus de courage que ce Jeremy, lança le champion de psychiforce en jetant un regard méprisant à ce dernier.

— Si tu avais respecté les règles, affirma Zarya, il t'aurait battu.

Elle se leva et marcha la tête haute, sans crainte, vers l'autre extrémité du terrain. C'est à ce moment que Gabriel l'aperçut.

Contre toute attente, il ne fit pas un geste. Il observa sa petite-fille défier le champion. Il savait qu'elle ne pouvait pas se blesser à ce jeu qui était considéré comme inoffensif.

Zarya se mit en position de combat sous les rires discrets du public. La rumeur se propagea rapidement et l'assistance gonfla ; les gens des autres salles entraient pour voir ce qui se passait sur le terrain de psychiforce. Quelque deux cents personnes avaient maintenant les yeux rivés sur le terrain où allait commencer un combat qui sortait de l'ordinaire. Un champion au gabarit impressionnant se mesurait à une jeune fille menue, vêtue de noir.

L'arbitre se plaça au centre du terrain, regarda les deux joueurs et attendit que Devon se mette en position tout en rappelant que, cette fois-ci, il ne devrait pas y avoir de tricherie.

Zarya profita de ce court laps de temps pour se concentrer et se remémorer tous les conseils que son amie Abbie lui avait déjà prodigués : « Si tu te sers de tes émotions, bonnes ou mauvaises, cela peut amplifier ta force. » L'adolescente s'efforça donc de penser à de belles choses, comme à son voyage ici, chez son grand-père, à ses nouveaux amis qu'elle appréciait déjà beaucoup, mais tandis qu'elle les évoquait, un visage s'imposa, celui de Devon Ekin… Cela eut pour effet de faire monter en elle un mélange de colère et de dégoût !

L'arbitre recula et siffla.

Devon et Zarya lancèrent leur poussée de télékinésie en même temps : ce fut d'un synchronisme parfait. Le choc des deux vagues d'ondes translucides fut d'une extrême violence, à la grande surprise du public. Le plus étonnant, c'est qu'aucun des deux adversaires ne recula sous l'impact. Devon fut le plus stupéfait de tous ; il avait sous-estimé la jeune gothique, qui semblait si innocente à ses yeux. Abbie criait avec une telle ferveur que les gens qui l'entouraient se bouchaient les oreilles !

Devon, se sentant faiblir, fit tout ce qu'il put pour ne pas se faire humilier devant le public qui, manifestement, soutenait la jeune fille. Zarya glissa alors sur la poussière de roche et s'arrêta seulement à quelques centimètres de la ligne arrière. Ses amis hurlèrent de toutes leurs forces pour l'encourager alors qu'elle reculait.

Soudain, un phénomène étrange se produisit : les cheveux de Zarya se mirent à flotter dans l'air, comme si elle touchait un objet chargé d'électricité statique. Gabriel fut le premier surpris de ce phénomène quelque peu particulier, même ici, dans cette dimension. Il se concentra pour regarder l'aura de sa petite-fille et remarqua, à sa grande stupéfaction, qu'elle était d'une blancheur extrême et d'une densité qu'il n'avait encore jamais vue. Une aura normale se répandait sur quelques centimètres autour du corps, mais celle de Zarya atteignait deux mètres, ce qui créait un champ d'électricité statique hors du commun.

C'est alors que Zarya poussa de nouveau sur Devon et, dans un bourdonnement sourd, il fut projeté hors du terrain avec une extraordinaire violence ; il heurta les personnes qui se trouvaient derrière lui, comme s'il avait été poussé par une dizaine de taureaux en furie. Abbie se mit à sauter et à crier de joie, et ses nouveaux amis en firent autant. Le public était estomaqué par la performance de la jeune étrangère qui avait mis leur champion hors de combat. Devon se leva et quitta la salle à grands pas, sans regarder qui que ce soit. Zarya retourna fièrement à sa place, à côté de ses amis, qui étaient tous très excités et très fiers du dénouement du combat.

Que pouvaient bien signifier ces phénomènes étranges ; ce bourdonnement et cette aura exceptionnelle ? D'où provenait cette phénoménale énergie ? se demanda Gabriel, soudain perplexe.

L'investigation de Jonathan

Paris, 22 h 18

Assis au volant d'un coupé sport noir, Jonathan roulait, seul cette fois, en direction du bâtiment dont Marco Vigeant avait donné l'adresse, plus tôt dans la journée. Christophe, quant à lui, devait patienter jusqu'au lendemain, retenu par les lourdeurs administratives. En effet, Richard Deblois, son chef, avait pris connaissance de la transcription de l'interrogatoire de Marco Vigeant, et le lieutenant devait attendre le mandat de perquisition pour aller enquêter sur les lieux avec une équipe. Cependant, étant sous les ordres de Gabriel Adams, Jonathan devait s'y rendre avant dans le but de trouver le plus d'indices possible ; des indices qui pouvaient sembler insignifiants aux yeux des policiers parisiens, mais qui étaient très importants pour un Maître Drakar d'Attilia.

Aussitôt arrivé, Jonathan gara sa voiture à quatre cents mètres du bâtiment pour ne pas éveiller les soupçons, quoiqu'il n'y eût pas âme qui vive dans un rayon de un bon kilomètre. Il descendit de la voiture le plus discrètement du monde et marcha vers l'édifice en longeant les buissons épineux. Le gazon desséché ne semblait pas avoir été coupé depuis des mois, et les mauvaises herbes avaient envahi le parterre. L'obscurité presque totale, due aux épais nuages grisâtres qui cachaient la demi-lune, permettait à Jonathan de se faire encore plus discret. Il arriva à proximité du vieux manoir, qui semblait abandonné au milieu de nulle part, en pleine campagne, et était entouré d'une forêt domaniale dense et brumeuse. La personne qui l'avait fait bâtir ne devait pas être très sociable pour s'être isolée ainsi ! C'était un manoir à un étage en briques d'un gris foncé, avec d'immenses fenêtres ceintes de carreaux de céramique blancs, jaunis par les intempéries. Sur le côté droit du manoir, il y avait une cheminée colossale en pierre calcaire blanche, constellée de taches irrégulières qui s'agençaient bien avec la brique. Jonathan se dirigea vers l'arrière du bâtiment en prenant soin de rester à couvert, à l'affût du moindre signe de danger. Là, il entrevit un ténébreux marais qui dégageait une odeur nauséabonde, une odeur de mort !

Jonathan scruta l'intérieur par une fenêtre du rez-de-chaussée, mais il avait de la difficulté à percer la pénombre à cause de la saleté accumulée durant des années de négligence. Par souci de discrétion, il décida d'entrer par l'une des portes arrière et constata avec étonnement qu'elle n'était pas fermée à clé ! Il pénétra donc dans une pièce sombre, poussiéreuse, et une forte odeur de moisissure l'assaillit. Il s'empressa de sortir une petite pierre de sa poche, un cristal transparent qu'il frotta avec sa main et qui, aussitôt, se mit à éclairer. La pièce était remplie de meubles antiques, tous protégés de la poussière par de vieux draps, ce qui donnait un air lugubre à ce manoir qui semblait hanté par de sinistres spectres.

Après avoir traversé quelques pièces qui auraient donné des frissons à Dracula lui-même, Jonathan arriva à la fameuse pièce où les jeunes filles avaient été séquestrées. Il n'eut aucun mal à la reconnaître étant donné son aménagement qui ne pouvait servir qu'à des cérémonies sataniques. L'immense pentacle inversé sur le sol dallé parlait de lui-même. Le jeune homme remarqua également la chaise en métal ainsi que le piédestal, au centre de la pièce. Ce piédestal avait pour fonction de recevoir un objet de culte suprême durant les cérémonies, mais Jonathan ignorait encore de quel objet il pouvait bien s'agir. Il fouilla chaque recoin de la pièce à la recherche d'indices qui pourraient faire avancer son enquête. Maintenant qu'il connaissait les intentions de ce fameux Gourou à l'égard des filles qu'il séquestrait, il cherchait à en connaître l'identité !

Grâce à sa médiumnité, Jonathan pouvait percevoir des silhouettes fantomatiques qui se déplaçaient dans le manoir. Il ressentait la présence de beaucoup d'ondes maléfiques dans cette pièce et, malgré sa formation de Maître Drakar qui le préservait de toute peur, il avait des frissons dans le dos. Cependant, un Maître Drakar de sa trempe était habitué à voir des phénomènes sortant de l'ordinaire. En fait, ces apparitions étranges n'étaient pas des âmes de défunts ; c'étaient plutôt des Erliks, ou « gardiens des enfers ». Les Erliks surveillaient l'endroit, mais ils ne pouvaient pas avoir de contact direct avec les vivants ; ils étaient seulement des messagers pour leur maître. Avec l'expérience qu'il avait, Jonathan savait qu'il n'allait pas être tranquille encore longtemps ; il devait donc rapidement examiner les lieux ou encore attendre les individus qui n'allaient pas tarder à arriver. Il choisit la deuxième option. Il sortit de la pièce et alla se cacher dans un endroit plus discret.

Quelques instants plus tard, une camionnette noire entra dans la cour du manoir à une vitesse folle. Quatre hommes en surgirent et entrèrent précipitamment dans le manoir. Ils avaient reçu du Gourou un ordre précis : faire disparaître toute personne nuisible. C'étaient des mages noirs. Ils se séparèrent en équipes de deux et commencèrent leurs recherches dans le manoir. La première équipe monta au premier étage, tandis que l'autre décida de fouiller la salle où se déroulaient les cérémonies sataniques.

Deux mages noirs entrèrent donc dans la grande salle et allumèrent les torches sur les murs. Aussitôt la dernière torche allumée, ils sentirent une présence derrière eux. Ils se retournèrent et virent un homme vêtu de noir qui les fixait de ses yeux bleus perçants, affichant un petit sourire tranquille. C'était Jonathan, qui les attendait de pied ferme. Les deux hommes, dans un synchronisme parfait, lancèrent une vague translucide de télékinésie en direction du jeune Maître Drakar. Mais ce dernier contra promptement cette première attaque de ses deux mains et de toute sa force intérieure, sans trop de difficulté. Les deux mages noirs se séparèrent pour se placer de chaque côté de Jonathan, qui gardait toujours sa position d'attaque, impassible. L'homme qui se trouvait à sa gauche lança une nouvelle attaque et Jonathan se jeta sur le sol pour esquiver la poussée. Puis, usant de sa force mentale, le Maître Drakar descella la chaise en métal, vissée dans le plancher, à l'autre bout de la salle, et la lança sur l'homme qui tomba par terre, assommé. Le deuxième mage noir l'attaqua de nouveau avec beaucoup d'agressivité. Cette fois, Jonathan contra la poussée de face, mais le coup fut si violent qu'il fut projeté au sol. Le mage noir s'avança alors vers lui avec un sourire mauvais et voulut mettre fin au combat en essayant d'écraser son crâne. De sa main gauche, le jeune Maître Drakar bloqua la poussée et, de sa main droite, il fit jaillir une brume de glace qu'il dirigea vers son adversaire. Celui-ci se figea à son contact et se transforma en statue de glace.

Jonathan se leva pour aller rejoindre les deux autres disciples du Gourou. Mais alors qu'il était tout près de la porte, ils entrèrent dans la pièce avec une seule idée en tête : se débarrasser de l'intrus pour de bon !

Tous deux regardèrent leurs compagnons : l'un couché sur le sol, immobile, et l'autre debout, en position de combat, également immobile, comme une statue. Les mages noirs lancèrent un regard froid en direction du jeune homme.

— Mais qui es-tu ? demanda l'un d'eux.

— Je suis le Maître Drakar Jonathan, dit le jeune homme d'un ton flegmatique. Je vous somme de vous rendre.

— Tu veux rire, gamin... On va faire une bouchée de tes petits pouvoirs à la noix.

— C'est sûrement ce que pensaient vos deux compagnons ! fit le Maître en regardant les deux hommes qu'il avait neutralisés.

Aussitôt ces mots dits, il lança, avec une vitesse extraordinaire, une double poussée de télékinésie vers les deux mages noirs. Ces derniers eurent à peine le temps de ciller qu'ils étaient projetés contre le mur derrière eux, avec une force inouïe. Assommés, ils étaient à présent hors de combat, eux aussi. Jonathan les transporta près des deux autres et les attacha tous ensemble. Puis il sortit de sa poche une pierre vert clair marbrée de zones noirâtres, avec des reliefs mauves : c'était la malachite. Avec cette pierre en main, Jonathan fit face aux mages noirs et leur retira leurs pouvoirs.

Lorsqu'il eut terminé, le jeune homme se retourna et vit un être de lumière se présenter à lui, une silhouette translucide qui le fixait avec un doux sourire.

L'être de lumière lui adressa la parole par télépathie :

— *Bonsoir, Jonathan... Tu as fait un bon travail, je suis très fier de toi et de la tournure de ta mission. Je vais t'envoyer des Maîtres pour venir les chercher, ils seront là dans quelques minutes…*

— Merci ! Je vous souhaite une bonne soirée, Maître Gabriel Adams.

13

Le T.C.L.D

Ce fut Jeremy qui félicita Zarya le premier pour sa belle performance sur le terrain de psychiforce. Il souhaitait depuis fort longtemps que Devon Ekin ait une bonne leçon. Et à sa grande satisfaction, c'est une jeune fille qui la lui avait donnée. On n'était plus à la veille d'entendre les vantardises de ce Devon.

Tout autour de Zarya et de ses amis, un bourdonnement d'excitation se faisait entendre. Les Attiliens n'avaient pas vu un combat de psychiforce aussi insolite et captivant depuis très longtemps.

Zarya jeta un coup d'œil par-dessus l'épaule de Jeremy, en direction des tribunes, et vit son grand-père qui se dirigeait vers elle en affichant un large sourire.

— Bonjour, grand-père ! fit-elle, rayonnante.

Aussitôt qu'elle eut prononcé le mot « grand-père », Jeremy rougit d'excitation. Il était sur le point de réaliser l'un de ses plus grands rêves : rencontrer son idole et lui parler, enfin…

— Bonjour, Zarya, bonjour à tous ! lança Gabriel en regardant tous ses amis.

— Bonjour ! répondirent les adolescents en chœur.

— Bonjour, monsieur Adams, dit Abbie. Avez-vous vu la performance de Zarya sur le terrain ?

— Oui, bien sûr ! Et je peux t'avouer, ma chère Abbie, que je suis à la fois très fier et très surpris de l'exploit de Zarya. Pas que je doute de ses nombreux talents, loin de là, mais qu'elle réussisse à mettre un champion de la trempe de ce garçon hors de combat, et tout ça sans la moindre expérience, c'est vraiment incroyable ! Je suis très fier de ma petite Zarya.

Sa petite-fille rougit en entendant ces mots gentils.

Jeremy regarda Gabriel d'un œil admiratif et déclara précipitamment :

— Monsieur Adams ! Je suis Jeremy Vernet... Toutes les choses qu'on raconte sur vous... sont-elles vraies ?

— Toutes les bonnes sont vraies, et les mauvaises sont fausses, répliqua le vieil homme en riant.

— C'est vraiment incroyable ! s'exclama Jeremy. Un jour, je serai Maître Drakar, comme vous.

— Et tu seras un très bon Maître Drakar, prédit Gabriel avec assurance. Même si tu as perdu le combat d'aujourd'hui, et de justesse, et encore parce que ton adversaire a triché, tu as gardé la tête haute. Cela démontre que tu as beaucoup de force en toi. C'est un geste digne d'un bon Maître Drakar.

Jeremy sentit une boule de bonheur monter en lui.

— Mais quel âge as-tu, Jeremy ? poursuivit Gabriel.

— Je viens d'avoir seize ans, répondit le jeune homme en se demandant pourquoi monsieur Adams lui posait cette question.

— Sais-tu, Jeremy, que c'est à dix-sept ans que l'on commence à recruter les nouveaux Maîtres Drakar ? Alors, je te conseille fortement de participer au camp d'entraînement cet été. Il débutera dans trois jours. Tu devrais t'y inscrire. Et maintenant, si vous me permettez, j'aimerais m'entretenir quelques instants avec ma petite-fille.

Gabriel prit délicatement le coude de Zarya et ils se dirigèrent vers le couloir en parlant de sa journée et de ses nouveaux amis. Une fois là, près des trophées, et loin des regards indiscrets, le vieil homme lui dit d'un ton sérieux :

— J'aimerais te poser une question.

— Bien sûr !

— Quand tu as affronté ce garçon sur le terrain de psychiforce, comment te sentais-tu ?

— Je me sentais très nerveuse.

— Très bien, c'est tout à fait normal pour une première compétition. Et te sentais-tu… toi-même ? demanda Gabriel, un peu mal à l'aise de lui poser cette question.

— Oui, répondit la jeune fille, un peu troublée par les questions de son grand-père.

— Très bien, très bien, répéta ce dernier, pensif, en laissant glisser son regard sur les trophées.

— Je te sens un peu inquiet, grand-père, chuchota Zarya en regardant une adolescente passer à côté d'eux.

— Je vais être sincère avec toi, Zarya, dit Gabriel en mesurant ses paroles. La démonstration que tu as faite sur le terrain de psychiforce tout à l'heure m'a rendu un peu anxieux !

— Mais… mais pourquoi ? balbutia Zarya, maintenant très inquiète.

— Quand tu as donné ta dernière poussée, il y a eu un phénomène très rare, le Fortitudo. Personnellement, je ne connais que deux personnes, à part toi, qui ont cette force intérieure extrêmement puissante.

— Le Fortitudo ! Est-ce une maladie ?

— Non ! Oh non, Zarya ! la rassura son grand-père. Dans certains cas, comme le tien, c'est un cadeau des dieux.

— Et dans l'autre cas ?

— Dans l'autre cas, c'est un pouvoir qui vient des enfers. C'est pour cette raison que monsieur X a invoqué les démons : il voulait se procurer le Fortitudo. Mais, dans son cas, cela a vraiment mal tourné. Il a effectivement reçu le pouvoir qu'il désirait, mais en prime il a hérité du démon Malphas. Nous reparlerons du Fortitudo un peu plus tard, ma chérie. Pour l'instant, tu m'as rassuré, et nous pouvons rejoindre tes amis. Ils vont se poser des questions, ils vont croire que je suis en train de te gronder ! ajouta-t-il en laissant entendre un rire franc.

— D'accord, grand-père.

Par la suite, ils n'eurent plus tellement l'occasion de parler ensemble. Jeremy Vernet monopolisait l'attention de monsieur Adams. Mais, heureusement, celui-ci adorait parler avec lui de ses aventures de Maître Drakar ; cela lui rappelait de beaux souvenirs.

Bientôt, l'heure du souper fut si proche que la Récré-A-Thèque commença à se vider. Zarya et ses amis, accompagnés de Gabriel, décidèrent qu'il était temps de quitter les lieux.

— Eh bien, mes chers amis, déclara le vieil homme, ce fut un réel plaisir de faire votre connaissance. Zarya et Abbie, je dois faire une commission. Je vous rejoindrai à la maison pour souper.

Avant de pénétrer dans le transmoléculaire, Gabriel salua poliment les adolescents qui en firent autant.

— Il est vraiment incroyable, ton grand-père, affirma Jeremy une fois qu'il eut disparu, fou de joie d'avoir pu discuter avec son idole.

— Oui, il est vraiment sympathique, monsieur Adams, approuva Élodie.

— Oui, je l'aime beaucoup, fit Zarya avec un sourire ému. Bon, maintenant, on doit y aller. On vous remercie beaucoup pour cette belle journée et j'espère qu'on va se revoir bientôt... Salut !

— Salut ! dirent à leur tour Olivier et Abbie.

Zarya, Abbie et Olivier se dirigèrent vers le transmoléculaire.

— Attendez ! cria Élodie. Et si on se voyait demain ?

— Quelle bonne idée ! approuva Jeremy.

— Oui, bien sûr, répondit Abbie en regardant Zarya.

— D'accord, on se rencontre ici ? suggéra cette dernière.

— Non, nous avons prévu de faire une randonnée dans la forêt et nous apportons nos tentes pour y passer la nuit, expliqua Élodie. Nous allons coucher à la belle étoile !

— C'est une excellente idée, se réjouit Olivier. Je vais apporter ma tente.

— Mais nous, intervint Abbie, nous n'avons pas de tente !

— Je vais emprunter celle de mes parents, proposa Karine, et vous prendrez la mienne.

— De toute façon, dit Élodie à Zarya, demande d'abord à ton grand-père la permission de partir pour une journée et une nuit en notre compagnie. Si tu as une réponse positive, on communiquera ensemble pour se donner rendez-vous.

— Aucun problème, fit Zarya en regardant Abbie et Olivier.

— Peut-être à demain alors, lança Jeremy.

— À demain !

Zarya, Abbie et Olivier montèrent dans le transmoléculaire et réapparurent près de la rue Adams.

— Bon, bien, on va se revoir demain, dit Olivier en se dandinant et en se grattant la nuque, ce qui était un signe de nervosité chez lui. N'oubliez pas de demander la permission à monsieur Adams.

— Je n'y manquerai pas, assura Zarya.

Olivier se tourna en direction de la cabine, salua les deux jeunes filles et disparut.

Alors que ces dernières marchaient vers la maison, Abbie s'arrêta brusquement en s'écriant :

— Flûte ! on n'a pas pris leur numéro de téléphone...

— Quel téléphone ? fit Zarya. Il n'y a pas de téléphone ici, à Attilia ! Comment va-t-on faire pour communiquer avec eux ?

— Il y a sûrement un moyen de communication. Ils ont onze mille ans d'évolution après tout !

Confiantes, les deux amies entrèrent dans la maison. Mitiva Phidias était en train de couper des légumes sur le comptoir de la cuisine. Elle se tourna et lança avec un beau sourire accueillant :

— Bonjour, mesdemoiselles, j'espère que vous avez apprécié votre journée.

— Oh oui, on a adoré, répondit Zarya.

— Est-ce qu'on peut vous aider, madame Phidias ? demanda poliment Abbie.

— Oui, c'est gentil de votre part. Vous pouvez mettre la table.

Alors qu'elle s'apprêtait à ouvrir une armoire pour prendre des verres, Zarya s'arrêta pour poser une question à madame Phidias :

— Nous devons communiquer avec des amis ce soir et nous nous demandions si vous avez un moyen de communication qui ressemblerait au téléphone de chez nous...

— Bien sûr ! Je vais vous montrer de quelle façon cela fonctionne, dit madame Phidias avec plaisir. Mais après le souper.

Zarya entendit la porte d'entrée s'ouvrir puis se refermer. Elle entrevit, dans la pénombre du vestibule, son grand-père qui s'avançait vers elles.

— Bonjour, grand-père ! C'était une petite commission...

— Oui, ç'a été rapide, approuva Gabriel. Comme à l'accoutumé, ça sent la bonne nourriture concoctée par Mitiva... Que nous avez-vous préparé qui sent si bon, ce soir ?

— J'ai fait du péryton grillé sur le charbon de bois avec une sauce aux tripousets. C'est ma spécialité, répondit Mitiva.

— Qu'est-ce que c'est, un péryton ? demanda Abbie.

— Le péryton est un animal mi-oiseau, mi-cerf qui viendrait du Nord. Il a un corps de cerf, mais avec des plumes ainsi que des pattes et des ailes d'oiseau, expliqua Gabriel. Ce sont des bêtes extrêmement nuisibles, car elles mangent nos plantations de kogurnes. Et les kogurnes, ça ressemble à du maïs.

— Et le tripouset ? l'interrogea Abbie, curieuse.

— C'est un petit fruit bleu qui pousse près du fleuve Astaroth.

Après un souper remarquable, surtout pour Zarya et Abbie qui adoraient la nourriture attilienne, les trois femmes firent la vaisselle. Gabriel était sorti dans le jardin afin de ramasser des fruits pour le déjeuner du lendemain.

Lorsqu'elle eut terminé de ranger les chaudrons dans les armoires, madame Phidias alla rejoindre les jeunes filles qui étaient déjà au salon. Elles étaient en train de parler de la randonnée du lendemain avec Gabriel. Celui-ci leur donna la permission d'y aller à condition qu'elles soient très prudentes et qu'elles écoutent les consignes d'Olivier, qui était habitué à ce genre d'activité.

— Pardonnez-moi, mesdemoiselles, dit Mitiva, je crois qu'il est temps de vous montrer notre moyen de communication ainsi que son fonctionnement.

— C'est une excellente idée ! fit Gabriel.

Dans sa main, Mitiva tenait un objet qui ressemblait à une boule de cristal. Mais contrairement à la boule traditionnelle, transparente comme du verre, cette boule-ci était d'un bleu opaque, marbré d'un bleu plus pâle. Elle reposait sur un trépied en argent.

— Ceci est un T.C.L.D., c'est-à-dire un « Télépathie Communication Longue Distance », déclara Mitiva en posant ce dernier sur la table. C'est l'équivalent de votre téléphone.

— Si vous préférez, reprit Gabriel, les jeunes l'appellent le « télépat ».

— C'est plus cool, le « télépat », dit Abbie.

— Nous, les mages, précisa Mitiva, avons la faculté de communiquer par télépathie sur une courte distance et le T.C.L.D., ou si vous aimez mieux le télépat, permet de communiquer entre nous sur de longues distances.

— Et les appels interurbains sont gratuits, ajouta Gabriel en s'esclaffant.

— Ça fonctionne de quelle façon ? lança Zarya qui avait hâte de savoir.

— C'est très simple, assura Mitiva, c'est comme faire de la télépathie... À vrai dire, c'est de la télépathie, se reprit-elle, mais cette boule clarifie la communication que vous projetez avec votre pensée et augmente sa portée.

— C'est vrai que ç'a l'air simple ! s'exclama Abbie, enthousiaste.

— Et comment se nomme ce cristal ? demanda encore Zarya qui trouvait la boule très jolie.

— C'est une sodalite géante, répondit Mitiva. Maintenant, mademoiselle Zarya, vous allez appeler votre amie, si vous le voulez bien.

— D'accord ! Je vais essayer.

— D'abord, vous posez votre main sur le télépat en pensant à votre amie, expliqua Mitiva, et, ensuite, il ne reste plus qu'à patienter.

— Et ça va sonner chez elle ? questionna Abbie.

— Non, non ! dit Gabriel en riant encore. Tu es vraiment charmante, ma chère Abbie, et drôle en plus ! Je vais leur expliquer la suite, si vous le voulez bien, Mitiva. Lorsque vous entendez un sifflement aigu dans vos oreilles, vous vous dites : « Quelqu'un pense à moi ! » Eh bien, c'est vrai !

— Les oreilles d'Élodie vont siffler ?! fit Zarya qui allait de surprise en surprise.

— Oui, affirma Gabriel, et elle va courir vers le télépat le plus proche. À ce moment-là, tu écoutes et tu réponds avec ta pensée ou à voix haute, c'est ton choix ! Ne t'inquiète pas, ton réflexe de mage va prendre le dessus automatiquement.

— D'accord, je vais essayer, dit Zarya qui avait hâte de tenter l'expérience.

Zarya posa la main droite sur le télépat, pensa à sa nouvelle amie Élodie et patienta.

Une trentaine de secondes plus tard…

— *Allo, Zarya ! Comment vas-tu ?* demanda Élodie.

— Ça va bien ! répondit Zarya à voix haute en faisant signe à Abbie que ça fonctionnait. Je t'appelle pour confirmer notre rendez-vous pour la randonnée de demain.

— *Parfait ! Et où est-ce qu'on se retrouve ?*

— Euh… à la pyramide d'Hélios, proposa Zarya sans trop réfléchir.

— *D'accord, c'est une excellente idée !* approuva Élodie. *On y sera à 9 h, demain matin.*

— OK ! Nous aussi. À demain, Élodie.

— *À demain.*

Zarya enleva sa main du télépat.

— Waouh ! c'est vraiment incroyable, Abbie, lança la jeune fille qui était emballée par le télépat. C'est comme si Élodie était à côté de moi, je la sentais tout près.

— Si vous voulez vous exercer, suggéra Gabriel, il y a un autre télépat dans votre chambre, sur une des commodes.

— D'accord, dit Abbie, j'y vais !

Elle courut vers la chambre et essaya le télépat à plusieurs reprises, mais, cette fois, les deux amies utilisèrent la télépathie pour communiquer par l'intermédiaire du télépat. Abbie trouva que la télépathie avec le T.C.L.D. était très amusante.

La soirée passa très rapidement. Gabriel, assis dans son fauteuil préféré, lisait un livre intitulé *La philosophie selon Piranlian Simonyan*. Mitiva, quant à elle, était partie voir la voisine pour prendre une tasse de thé et échanger des recettes de cuisine. Pendant ce temps, dans leur chambre, Zarya et Abbie s'exerçaient à utiliser leurs pouvoirs. Elles s'entraînaient à faire de la télépathie à courte distance, sans le T.C.L.D. Zarya était assise d'un côté de la chambre et Abbie, à l'autre bout, et, sans se regarder, elles discutaient de tout et de rien. Par la suite, elles travaillèrent leur pouvoir préféré, la télékinésie, déplaçant des objets sans les toucher.

Après un entraînement intensif, les deux adolescentes se préparèrent à aller se coucher. Zarya était épuisée ; elle avait eu une journée riche en émotions, et elle savait que celle du lendemain le serait tout autant. Une randonnée avec de nouveaux amis dans un monde dont elle ne connaissait pas l'environnement naturel, et qu'elle apprenait à connaître un peu plus chaque jour, risquait d'être assez éprouvante. La jeune fille évoluait dans un monde inconnu, mystérieux, et elle ne savait pas à quoi s'attendre. Mais, malgré cela, elle adorait sa nouvelle vie.

Alors qu'elles étaient étendues l'une à côté de l'autre dans leurs lits respectifs, Abbie dit à Zarya :

— J'espère que je ne vais pas me réveiller demain matin dans ma chambre, chez moi, au Québec, en me disant que ce n'était qu'un rêve.

— Moi aussi.

— Comment trouves-tu Olivier ? demanda timidement Abbie.

— Il est très sympathique, très attentionné et très beau, répondit Zarya avec sincérité. Il est fait pour toi !

— Tu crois ?... Mais ce n'est pas ce que je te demandais...

— Ben voyons ! se moqua gentiment Zarya.

— Toi, Zarya, comment trouves-tu les garçons d'Attilia ?

— Pour le peu de garçons qu'on a rencontrés, je trouve qu'ils sont très matures et, par le fait même, qu'ils sont plus sérieux que ceux de chez nous. Mais je n'ai pas encore vu un garçon qui me plaise vraiment.

— On n'en a pas rencontré beaucoup, fit Abbie pour encourager son amie.

— Je crois que... quand je vais rencontrer mon mec, dit Zarya, je vais le savoir tout de suite : mon cœur va exploser.

— Waouh ! Zarya avec un mec, j'ai hâte de voir ça !

— Moi aussi ! répliqua Zarya dans un éclat de rire.

Le lendemain matin, en ouvrant les yeux, Zarya constata qu'un magnifique soleil inondait la chambre de ses rayons, illuminant le visage d'Abbie. Celle-ci se réveilla et s'étira, un petit sourire joyeux sur les lèvres. Les deux amies se regardèrent sans dire un mot et comprirent que la bonne humeur régnait dans la chambre. La journée s'annonçait très belle, parfaite pour une randonnée. Zarya s'arracha à ses couvertures et alla à la fenêtre pour regarder le ciel. Il était d'un bleu immaculé, parsemé de petits nuages blancs.

— Une autre belle journée en perspective ! s'exclama-t-elle.

— Oui ! fit Abbie. J'ai hâte !

— Moi, je te parlais du temps, lança Zarya, amusée, pas de ton Olivier !

— Tu es drôle, toi ! Moi aussi, je te parlais du temps, reprit Abbie avec un petit air gêné.

Elle se leva à son tour pour aller rejoindre Zarya près de la fenêtre et jeta un coup d'œil à l'extérieur. La fenêtre de leur chambre donnait sur l'arrière de la maison avec une vue sur un magnifique jardin et de gigantesques arbres. Les deux adolescentes trouvaient que les gens d'Attilia prenaient bien soin de la nature.

Quelques minutes plus tard, elles entrèrent dans la salle à manger et virent des sacs à dos à côté de la table. Mitiva fredonnait une belle chanson joyeuse. Elle se tourna vers les jeunes filles et dit :

— Bonjour, mesdemoiselles !

— Bonjour, madame Phidias !

— Assoyez-vous, le déjeuner sera prêt dans quelques instants.

— Où est grand-père ? lança Zarya.

— Il a eu un télépat ce matin, très tôt, lui confia Mitiva, et ça semblait très urgent. Il est parti au temple des Maîtres Drakar !

— Il existe un temple des Maîtres Drakar ? demanda Zarya, intriguée.

— Oui, répondit Mitiva, et votre grand-père en est le directeur...

Cette nouvelle laissa les jeunes filles bouche bée...

— Je vous ai préparé un sac pour votre randonnée, déclara Mitiva.

— Oh ! merci beaucoup, lui dit Zarya en s'étonnant de sa gentillesse. Vous pensez vraiment à tout, madame Phidias.

— Oui, c'est très gentil, approuva Abbie.

— Ça me fait vraiment plaisir, assura Mitiva avec un sourire sincère, je vous prie de me croire. Je vous ai mis des collations ainsi que des boissons faites avec des fruits que monsieur Adams a cueillis lui-même hier soir, après le souper.

Depuis l'arrivée de Zarya et d'Abbie, madame Phidias était très bonne pour elles. Les petits plats qu'elle leur mijotait ainsi que le temps qu'elle prenait pour leur expliquer certaines particularités d'Attilia témoignaient bien de l'affection qu'elle leur portait. Les deux adolescentes ne connaissaient personne d'aussi dévoué qu'elle. Même si aucun lien de parenté ne les unissait, Mitiva Phidias s'occupait d'elles comme si elles étaient ses propres filles. À leur connaissance, madame Phidias n'avait pas de famille et Gabriel la traitait comme une amie plutôt que comme une employée, et c'était peut-être pour cela qu'elle était si gentille avec elles ; en réalité, elle faisait office de « mère de remplacement » à Attilia et elle se considérait un peu comme telle.

Après avoir pris un bon déjeuner avec madame Phidias, Zarya et Abbie mirent leur sac sur leur dos et se dirigèrent vers le transmoléculaire. La mine joyeuse, Zarya saisit la main d'Abbie, entra dans la cabine et disparut.

Elles ressortirent du transmoléculaire près de la grande pyramide d'Hélios. Leurs amis n'étaient pas encore arrivés. Abbie regarda sa montre : elle indiquait 8 h 53. Elles étaient un peu en avance. Elles en profitèrent pour admirer encore la pyramide qui était aussi impressionnante que la première fois qu'elles l'avaient vue.

Quelques minutes passèrent. Zarya se retourna lorsqu'elle entendit le crépitement du transmoléculaire et vit Olivier en sortir. Abbie l'accueillit avec un large sourire. Zarya remarqua qu'Olivier s'était mis du gel dans les cheveux, sûrement pour plaire à Abbie. À peine une minute plus tard, Élodie, Karine et Jeremy sortirent à leur tour du transmoléculaire avec leurs sacs à dos.

— Salut, les filles ! dit Jeremy. Je vois que vous avez apporté vos provisions.

— On avait apporté des choses pour vous, au cas où vous n'y auriez pas pensé, ajouta Élodie. Mais je vois que vous vous êtes bien préparées.

— Merci, vous êtes très gentils, mais nous n'y sommes pour rien, avoua Zarya, c'est madame Phidias qui a préparé le nécessaire.

— Parfait ! Puisque nous sommes tous prêts, nous allons reprendre le transmoléculaire pour nous rendre aux abords du ravin d'Hadès, déclara Jeremy.

— D'accord, répondit Olivier. Le numéro de la cabine est 241, précisa-t-il à l'intention de Zarya et d'Abbie.

Jeremy entra le premier, suivi de Karine et d'Élodie. Olivier regarda Abbie et Zarya, et il leur fit signe de le suivre, ce qu'elles firent.

La randonnée

Quelques microsecondes plus tard, les jeunes gens réapparurent aux abords du ravin d'Hadès, comme Jeremy l'avait annoncé une minute plus tôt. En sortant de la cabine, Zarya et Abbie furent prises de vertige en voyant ce fabuleux site. Le ravin était tout près du transmoléculaire, ce qui leur donna un haut-le-cœur. S'étendant à perte de vue, il faisait une trentaine de mètres de large et donnait l'impression de ne pas avoir de fond. De l'autre côté, une magnifique forêt recouvrait entièrement l'horizon. Zarya regarda les immenses arbres touffus et colossaux qui semblaient toucher un ciel limpide. Il y avait un pont suspendu avec des câbles d'acier qui paraissait, à première vue, très sécuritaire. Dès qu'Abbie s'approcha du ravin, près du pont, la peur des hauteurs l'envahit. Elle se dit : « Jamais, au grand jamais, je ne franchirai ce pont ! »

Au prix d'un gros effort, Abbie reprit finalement ses esprits et elle fit remarquer à Zarya qu'ils n'étaient pas les seuls à faire une randonnée. Il y avait une trentaine d'adolescents qui cavalaient un peu partout et se préparaient à partir pour une longue randonnée pédestre. En effet, ils portaient tous des sacs sur leur dos. C'était sûrement un loisir très populaire chez les adolescents d'ici – un autre bon point pour Attilia !

— Comment trouvez-vous le ravin d'Hadès ? lança Jeremy.

— Époustouflant ! dirent les jeunes filles.

— Pourquoi nommer ce ravin « Hadès » ? demanda Abbie, toujours aussi curieuse.

— Dans la mythologie, Hadès est le frère de Zeus et de Poséidon, expliqua Olivier. Zeus est le dieu du Ciel, et Poséidon, celui des Mers. Quant à Hadès, il a obtenu la souveraineté du monde souterrain. On dit qu'il y a des milliers de grottes dans ce ravin et que, certains soirs, on peut entendre Hadès chanter son amour pour Menthé. Menthé est une épouse qui, toujours selon la légende, serait une nymphe des enfers.

— Waouh ! quelle belle histoire ! s'exclama Abbie qui avait les yeux brillants.

— Bon, maintenant, allons-y, fit Jeremy, nous devons nous rendre au lac Stella Matutina. Il faut y être avant la tombée de la nuit...

— C'est si loin que ça ? demanda Zarya, surprise.

— Non, bien sûr que non, la rassura Karine, c'est seulement à une heure de marche. Il ne faut pas croire tout ce qu'il dit !

— Faut-il traverser ce pont ? lâcha Abbie, osant à peine le regarder.

— Oui, bien sûr, répondit Élodie

— Je... je n'en serai jamais capable ! J'ai une peur bleue des hauteurs.

— Ne t'en fais pas, Abbie, l'encouragea Élodie qui la comprenait bien. À moi, ils m'ont couvert les yeux la première fois que j'ai franchi ce pont.

— Et je l'ai traînée par le fond de culotte en plus, ajouta Jeremy pour détendre l'atmosphère.

— Je vais y aller avec toi, dit Zarya.

— Et je vais te tenir la main, intervint Olivier avec un sourire ensorceleur.

— D'accord, je veux bien essayer. De toute façon, je n'ai pas vraiment le choix, soupira Abbie en regrettant déjà d'avoir dit oui.

Équipés de leurs sacs à dos et d'un peu de courage, ils se dirigèrent tous vers le pont suspendu qui offrait un point de vue spectaculaire. Étant donné que c'était la seule voie d'accès à des kilomètres à la ronde, il fallait bien le traverser. Ce pont faisait trente-quatre mètres de long et un mètre cinquante de large, et il surplombait le ravin à une hauteur impressionnante de deux cent cinquante-quatre mètres. Karine fut la première à s'armer de courage pour s'y engager, suivie d'Élodie. Puis ce fut le tour d'Abbie. Elle avait les mains moites, tellement elle était nerveuse, et les jambes un peu molles. Depuis son enfance, Abbie avait la phobie des hauteurs. Elle ne pouvait pas monter sur une échelle ni même sur une chaise sans être prise de vertige. Zarya décida de passer devant elle pour lui donner une chance, tout en restant près d'elle. En fixant le dos de son amie, Abbie réussit à se mettre en marche et commença le pénible périple que représentait cette traversée. Pour se donner du courage, elle tenait fermement la main d'Olivier, tandis que son autre main se cramponnait désespérément au câble du pont suspendu qui la séparait de l'abîme. Jeremy fermait la marche, tout en restant calme pour ne pas affoler davantage Abbie.

Tout allait bien jusqu'à ce qu'Abbie eût la mauvaise idée de jeter un coup d'œil en bas. Un peu malgré elle, son regard se détacha du sac de Zarya pour aller s'égarer dans l'abîme et, sur-le-champ, elle s'immobilisa ; elle ne pouvait plus avancer. Olivier, qui était très attentif au moindre de ses gestes, entreprit de lui parler calmement pour la rassurer, essayant de juguler la panique qu'il sentait poindre en elle. Sans lui lâcher la main, il passa devant elle et l'obligea, par de douces paroles, à relever les yeux. Par sa seule volonté, il parvint à capter son regard et, tranquillement, ils reprirent leur progression. Olivier avançait en reculant pour ne pas rompre le contact visuel qu'il avait réussi à établir avec Abbie.

Aucun des adolescents qui accompagnaient Abbie ne se moqua d'elle ou ne fit une remarque désobligeante à son endroit. Ils la respectaient et comprenaient très bien que tout le monde pouvait avoir des phobies. Au contraire, ils l'admiraient pour le courage et la détermination dont elle faisait preuve.

Au bout de la longue traversée, qui avait pris un peu plus de temps que d'ordinaire, ils arrivèrent tous de l'autre côté, à la grande satisfaction et au grand soulagement d'Abbie qui avait réalisé un véritable exploit. Le retour risquait d'être moins pénible, du moins elle l'espérait. Après avoir jeté de loin un dernier coup d'œil au ravin d'Hadès, elle tourna les talons et emboîta le pas à ses amis en direction de la forêt.

Bien que l'on fût en plein jour, le sentier tortueux et aride des premières collines où marchaient Zarya et ses amis était sombre et, dès qu'ils pénétrèrent dans cette partie ombreuse, ils sentirent une légère baisse de température à cause de la densité de la forêt. Zarya marchait en regardant partout autour d'elle, admirant les belles plantes arborescentes en pleine floraison qui poussaient entre d'énormes pierres couvertes de mousse verdâtre, les troncs morts envahis par le lierre et les ruisseaux babillant sous les rochers solitaires.

Au bout d'un long moment, l'obscurité humide qui régnait dans la forêt se dissipa peu à peu. Apparurent alors d'immenses clairières ensoleillées. Dans l'une d'elles se trouvait un petit lac, divisé en plusieurs bassins par des murailles de pierres grises. Zarya remarqua des animaux qui s'abreuvaient sur les berges et constata avec étonnement qu'ils ressemblaient étrangement aux chevreuils du Québec, à deux différences près : ils étaient aussi gros que des chevaux, et des cornes dorées pointaient sur leur crâne à la place des bois.

— Ces animaux, tout près du lac, demanda-t-elle, s'arrêtant pour les montrer du doigt, est-ce que ce sont des chevreuils ?

— Non, ce sont des kalats cornés, la renseigna Élodie. Ce sont des bêtes magnifiques. Si on réussit à toucher leurs cornes dorées, on a de la chance pendant sept années consécutives.

— Et vous avez déjà réussi à y toucher ? fit Abbie.

— Non, ils sont beaucoup trop rapides pour les humains, répondit Olivier qui avait déjà essayé par le passé, mais sans succès.

Ils continuèrent à marcher dans l'étroit sentier en prenant bien soin de suivre le guide, à savoir Jeremy, qui était habitué à la forêt.

Après une marche qui dura près d'une heure, ils virent devant eux un immense lac.

— Nous sommes arrivés ! lança Jeremy en déposant son sac par terre.

— Waouh ! c'est vraiment un endroit magnifique ! s'exclama Zarya.

— Je suis d'accord avec toi, confirma Abbie.

— C'est un lac immense, fit remarquer Zarya.

— C'est le lac Stella Matutina, dit Olivier qui connaissait bien la géographie de la région. Il a un diamètre de vingt-deux kilomètres. Et cette montagne que vous voyez au loin, de l'autre côté du lac, c'est le mont Hécate, nommé ainsi en l'honneur de la déesse de la Lune.

Abbie était très impressionnée par le savoir et la mémoire d'Olivier. Zarya observait avidement le paysage paradisiaque, presque utopique, qui se présentait à sa vue. Il y avait de grands arbres ressemblant étrangement à des palmiers ; ils longeaient la plage de sable aussi blanc que de la neige fraîchement tombée. Une chaleur torride régnait déjà aux abords du lac, et le soleil éclatant était presque rendu au zénith. La jeune Québécoise avait hâte de se baigner dans cette eau d'une limpidité merveilleuse et d'un bleu turquoise incroyable.

Il était 11 h et tout le monde avait un petit creux après cette longue marche. Ils s'installèrent près d'un gros arbre à l'épais feuillage pour être à l'abri du soleil ardent. Élodie étendit une nappe de coton colorée sur le sol pendant que les autres filles sortaient la nourriture et la mettaient dans des assiettes. Les garçons montèrent les tentes pour que chacun puisse enfiler son maillot de bain en toute discrétion, car ils avaient tous l'intention de se baigner et de bien s'amuser avant le dîner.

Zarya regarda en direction de la plage, au loin, et remarqua que beaucoup de gens se baignaient déjà. Le groupe d'adolescents le plus proche de leur campement se trouvait à environ trois cents mètres.

Nos amis s'assirent en rond, sur la nappe, et commencèrent à déguster des petits gâteaux moelleux et fondants ainsi que des fruits. Une fois rassasiés, ils se levèrent pour se préparer pour la baignade. Zarya et Abbie entrèrent dans leur tente, qu'Olivier et Jeremy avaient montée quelques minutes plus tôt, afin d'enfiler les maillots de bain que madame Phidias avait pris soin de mettre dans leurs sacs. Ayant terminé la première, Abbie fit glisser la fermeture éclair pour ressortir de la tente, mais au moment où elle avança sa tête dans l'ouverture, quelqu'un, ou plutôt quelque chose, se présenta devant elle, à quelques centimètres de son visage.

— Aaaaaah !... hurla-t-elle en tombant à la renverse, aux pieds de Zarya, qui n'avait pas fini de se changer.

Cette dernière regarda Abbie qui, hébétée, restait assise sur ses fesses et était d'une blancheur inquiétante. Zarya sortit sa tête à son tour pour voir ce qui avait fait si peur à son amie.

Elle crut alors apercevoir un petit être vert de la grandeur d'un enfant de cinq ans qui courait en direction du lac. Il semblait avoir eu aussi peur qu'Abbie et il alla se réfugier dans son habitat naturel, le lac. Entendant des bruits derrière elle, Zarya se retourna et vit Jeremy qui était mort de rire.

— Veux-tu bien arrêter ?! lui lança Karine en le frappant derrière la tête. Ce n'est pas drôle !

Élodie, s'approchant de la tente avec un sourire rassurant, déclara :

— Ne vous en faites pas, il n'est pas dangereux.

Mais Zarya ne savait pas si sa nouvelle amie parlait de Jeremy ou du petit être vert. Elle aida Abbie, qui était encore toute pâle, à se relever et elles sortirent de la tente.

— Mais qu'est-ce que c'était, cette bestiole ? demanda Abbie, tout en sueur.

— C'était Loïk ! dit Jeremy qui reprenait lentement son sérieux. Il vient du fond du lac, c'est notre ami.

— Loïk est un pyracmun des eaux, expliqua Olivier en souriant à Abbie pour la réconforter. Ce sont des créatures inoffensives qui respectent beaucoup les êtres humains. De nombreuses fois, les pyracmuns ont sauvé des gens de la noyade dans ce lac. C'est pour cette raison qu'il n'y a pas de sauveteur ici, comme c'est le cas dans les piscines publiques d'Attilia.

— Et il y en a plusieurs ? fit Zarya.

— Il y en a des milliers dans ce lac, répondit Olivier.

— Et comment vous savez que c'était Loïk ? questionna Abbie qui n'en revenait pas que l'on puisse sympathiser avec de telles bestioles.

— Il a une tache en forme de cœur sur l'oreille gauche qui le différencie des autres pyracmuns, affirma Jeremy.

— Et qui lui a donné ce nom ? demanda encore Zarya.

— C'est moi qui l'ai nommé Loïk, dit Jeremy, comme mon grand-père. Je l'ai baptisé ainsi parce qu'il m'a sauvé de la noyade quand j'étais petit, je devais avoir six ans. Depuis ce jour, Loïk vient toujours nous dire bonjour. D'ailleurs, je lui ai apporté un sac de promnites fraîchement cueillies de ce matin. Il adore ça !

— Bonne idée ! s'exclama Karine. Va chercher ton sac, Loïk va revenir et on va pouvoir le présenter à nos nouvelles amies.

— Ce n'est pas nécessaire, marmotta Abbie, plutôt réticente.

— De toute façon, déclara Olivier, il y en a plein dans ce lac. Tu vas finir par les voir. Mais ne crains rien, ils sont tellement gentils !

— Je crois que tu n'as pas vraiment le choix, lança Zarya avec un sourire en coin.

— J'en ai bien l'impression, se résigna Abbie, la mine déconfite et le sourire un peu forcé.

Jeremy alla chercher le sac de promnites dans sa tente, puis s'avança vers le lac.

— Loïk, viens ici ! cria-t-il en lançant une promnite dans l'eau.

Le fruit flotta à la surface du lac et quelques instants plus tard… floc ! il disparut. Une petite tête sortit alors timidement de l'eau, surmontée d'une crête qui ressemblait à celle d'un coq. La créature avait des yeux bleus et gros comme des balles de tennis, deux trous en guise de narines et une bouche avec des crocs saillants qui lui permettaient d'attraper les poissons, son repas favori. Elle avait de minuscules oreilles, avec une tache en forme de cœur sur celle de gauche, comme Jeremy l'avait souligné un moment plus tôt.

— Loïk ! Viens ici, mon beau, il n'y a pas de danger. Abbie ne te fera pas de mal, assura Jeremy en regardant la jeune fille avec un air gentiment moqueur.

Loïk sortit de l'eau et marcha prudemment vers son ami. Zarya et Abbie avaient les yeux rivés sur le petit pyracmun des eaux. Il devait mesurer un mètre, avait de grands pieds palmés et marchait en se balançant comme un canard. Il était tout vert, mis à part quelques taches noires sur le corps. Il s'approcha de Jeremy et tendit sa petite main, qui était également palmée, pour prendre une autre promnite. Tenant le fruit à deux mains, il le mangea avec appétit. Zarya et Abbie finirent par le trouver très sympathique avec ses beaux grands yeux bleu pervenche.

— Maintenant, dit Jeremy en prenant la main de Loïk pour l'emmener près d'elles, je te présente mes amies Zarya et Abbie.

Zarya lui tendit la main sans savoir si cette créature comprenait ce geste et, à sa grande surprise, Loïk lui rendit la politesse. Abbie s'approcha à son tour du pyracmun, serra sa main palmée et il lui fit un petit sourire timide.

— Bon, maintenant que les présentations sont faites, déclara Élodie en regardant le lac, allons nous baigner !

Les adolescents s'élancèrent vers le lac et sautèrent dans l'eau qui se révéla très chaude, à leur grande satisfaction. Zarya fut surprise de voir Loïk courir à une vitesse stupéfiante malgré ses petits pieds palmés et faire un incroyable bond de cinq mètres avant de toucher l'eau. La jeune fille était une très bonne nageuse, ses parents l'ayant inscrite toute petite à des cours particuliers de natation et de plongeon. Elle se sentait dans son élément. Ses compagnons et elle formèrent un cercle, se maintenant dans l'eau grâce au mouvement continu des jambes. Loïk s'amusa à sauter par-dessus leurs têtes, au grand bonheur des jeunes gens qui adoraient le spectacle.

Durant une bonne partie de l'après-midi, ils s'amusèrent à nager, à jouer au ballon et à se faire bronzer sur la magnifique plage sablonneuse.

À la tombée du jour, après un bon souper, Jeremy et Olivier allèrent chercher du bois pour faire un feu. La fraîcheur s'était tranquillement installée, ce qui contrastait agréablement avec la chaleur et l'humidité que les jeunes gens avaient connues durant la journée, surtout à midi, quand le soleil était au zénith. Après avoir tant transpiré, tous appréciaient cet air frais. Mais s'ils voulaient préparer un feu, c'était avant tout pour créer une ambiance chaleureuse et éloigner les insectes. Loïk était retourné parmi les siens, au fond du lac. Abbie, finalement, l'adorait, le trouvant adorable et amusant. En effet, Loïk s'était amusé un bon moment avec elle ; il s'entendait bien avec sa nouvelle amie humaine.

Les jeunes filles étaient assises sur un tronc d'arbre, qui avait été frappé par la foudre. Olivier et Jeremy revinrent les bras pleins de branches mortes et sèches. Ils les déposèrent sur le sol, en face d'elles, et s'installèrent à leurs côtés.

— Il faudrait peut-être l'allumer, fit remarquer Abbie.

— Tu as raison, dit Olivier. À toi l'honneur.

— D'accord, répondit Abbie qui trouva étrange sa réaction. Mais alors, donne-moi des allumettes…

— Pourquoi ? lança le jeune homme avec un petit sourire.

— Mais pour allumer le feu ! C'est évident, non ? fit Abbie, le trouvant encore plus bizarre.

— Tu n'en as pas besoin ici, spécifia Olivier. Il ne faut pas oublier que maintenant tu as beaucoup de facultés.

— Oui, mais faire du feu ? s'étonna Abbie. Je peux faire du feu ?

— Oui, bien sûr !

— Et comment je fais ça ?

— Tu utilises ton troisième chakra, le Nabhi, celui du feu, qui est situé au niveau de l'estomac, expliqua Olivier, et tu te concentres pour le faire passer par le majeur. Mais attention, n'en donne pas trop, on ne veut pas faire un feu de forêt !

— Oui, je m'en souviens, dit Abbie en regardant Zarya, madame Phidias nous l'a montré.

— Alors, vas-y !

Abbie se concentra, puis tendit sa main devant elle, à un mètre du monticule de branches sèches et zap ! un minuscule faisceau orangé sortit de son majeur et alla frapper de plein fouet le bois, qui s'embrasa sur-le-champ.

— Waouh ! s'écria-t-elle, très surprise des pouvoirs qu'elle avait.

Alors que ses amis l'applaudissaient, Abbie était bouche bée. Elle regardait son majeur de près en essayant de comprendre comment cela fonctionnait, mais c'était peine perdue.

Une fois que le feu fut bien pris, Élodie sortit de son sac à dos une boisson sans alcool, le sammael, très populaire chez les jeunes Attiliens. C'était une boisson bleu azur, à base de jus de fruits concentré et de girganes importées de la région d'Abzac. Ils prirent tous un verre de sammael et trinquèrent à cette belle journée de vacances qu'ils avaient beaucoup appréciée, en particulier Zarya et Abbie qui avaient découvert plein de choses merveilleuses. Tout à coup, un petit sifflement se fit entendre, un son que Zarya connaissait bien.

— Avez-vous entendu ce sifflement ? demanda cette dernière en regardant partout, mais sans rien voir.

— Oui, on l'a bien entendu, dit Olivier d'un air naturel. C'est un Rodz.

— Je savais bien que je n'étais pas folle ! s'exclama Zarya en regardant Abbie.

— Mais c'est ton petit compagnon en forme de bâton ! fit cette dernière sur un ton comique.

— En effet, confirma Olivier, c'est fait comme un bâton, mais avec des petites ailes, et ça vole à une vitesse incroyable. Il est probable que tu en as vu dans ta dimension, Zarya, étant donné qu'ils peuvent se promener sans difficulté d'une dimension à l'autre. C'est leur mission...

— Leur mission ? répéta Abbie sans comprendre.

— Oui, en effet, enchaîna Jeremy, ce sont des sentinelles. Ils surveillent nos dimensions en cas d'invasion...

— Invasion de quoi ? lança Zarya, intriguée.

— Des démons de l'enfer !

— Et qu'est-ce qu'ils font s'il y a une invasion ? s'inquiéta Zarya.

— Ils vont avertir leur chef, reprit Olivier. Je crois qu'il s'appelle Namtard. Je sais qu'il vit dans une dimension différente de la nôtre et qu'il a également un aspect différent du nôtre.

— Comment se fait-il que tu connaisses toutes ces choses ? demanda Jeremy.

— Il ne faut pas que vous oubliiez que je suis commissionnaire pour Gabriel et les autres ministres ! répondit fièrement Olivier. Ensuite, Namtard avertit nos ministres d'un danger potentiel et c'est là que les autorités attiliennes et les Maîtres Drakar entrent en jeu.

— Waouh ! j'ai des frissons rien que d'y penser, s'emballa Jeremy qui avait hâte de devenir Maître Drakar.

— Est-ce que tu connais d'autres secrets que tu peux nous raconter ? demanda Élodie qui aimait ce genre d'histoires.

— Bien évidemment, je n'ai pas accès à toute l'information qui circule dans le département ministériel et il y a des secrets gouvernementaux que je ne connais pas, chuchota Olivier de peur que ses paroles n'arrivent aux oreilles des campeurs de l'autre groupe qui étaient, en fait, trop loin pour entendre quoi que ce soit. Mais un jour, j'ai entendu le ministre Rissac parler de la Montagne sacrée de Mocktar et d'une sorcière très puissante.

— Une sorcière ! s'étonna Abbie. Ce n'est pas dans les contes de fées, les sorcières ?

— Non, les sorcières et les sorciers existent vraiment, affirma Karine. En fait, ils ne sont pas très différents de nous. Ils ont des pouvoirs comme nous, mais ils doivent utiliser une baguette pour activer leurs chakras. Et tout comme nous, ils utilisent des potions pour jeter des sorts. On pourrait dire, sans trop se tromper, que ce sont nos cousins.

— Et où est-ce qu'ils vivent, ces sorciers ? l'interrogea encore Zarya.

— Dans un autre pays... Ça commence par Doud... ou Poud... Je ne m'en souviens plus ! C'est bête, j'ai une mauvaise mémoire ! conclut Karine.

— Je ne sais pas pour vous, dit Élodie en se frottant les yeux, mais moi, je suis très fatiguée, je vais aller me coucher.

— Tu as raison, approuva Zarya en se levant. Nous aussi, on va y aller. Alors, bonne nuit à tous !

— Bonne nuit !

Après avoir bien éteint le feu, les garçons allèrent se coucher à leur tour. Au loin, on pouvait voir qu'il n'y avait plus de feu dans les différents campements et que tout le monde était couché.

◊ ◊ ◊

Il était près de 2 h 30 du matin. Tous les adolescents dormaient profondément, sauf Zarya. Depuis un certain temps, elle rêvait toujours de la même chose : un grand homme vêtu d'une longue robe noire avec un grand capuchon dissimulant son visage. Sur une chaise était assise Abbie, entourée de plusieurs personnes... L'homme, qui était leur chef, enlevait son capuchon et, ô stupéfaction, c'était son grand-père ! Il prenait sa canne d'acajou et projetait un rayon lumineux vert sur la tête d'Abbie... Et c'était toujours à ce moment-là qu'elle se réveillait en sueur.

Après ce rêve, Zarya avait beaucoup de difficulté à se rendormir, comme maintenant. Elle était dans la tente, assise sur son matelas de camping, lorsqu'elle entendit un bruit étrange à l'extérieur. Croyant que c'était Loïk qui se promenait autour du campement, elle sortit de la tente, vêtue d'un chandail noir et d'un short. Elle regarda en direction de la plage, mais ne vit rien. C'est alors qu'elle sentit une présence, ou plutôt plusieurs présences derrière elle. La jeune fille se retourna lentement, et lui apparut alors une scène cauchemardesque : quatre bêtes noires lui faisaient face. Les animaux avaient les crocs sortis et salivaient en regardant leur proie, sans bouger ; ils attendaient. Une question traversa l'esprit de Zarya : » Pourquoi les bêtes ne m'attaquent-elles pas ? » Elle pensa également : « Qu'est-ce qu'elles attendent ? Si je crie, mes amis vont sortir sans savoir ce qui les attend à l'extérieur et ils n'auront aucune chance devant ces bêtes qui sont à présent tout près des tentes ! Je ne peux pas mettre leur vie en danger. » L'adolescente décida donc de s'éloigner du campement en reculant doucement, tout en se dirigeant vers le lac. Dans l'eau, elle aurait probablement plus de chances de sauver ses amis, et de se sauver par le fait même.

Son plan semblait fonctionner : les bêtes la suivaient. Zarya reculait toujours, sans perdre de vue les quatre animaux. Elle était à présent à une centaine de mètres du campement et elle se disait que, si elle plongeait dans le lac, elle pourrait s'éloigner davantage. Mais, après, que se passerait-il ? Elle n'avait pas le choix ; elle devait les affronter. Mais comment ? Elle regarda rapidement autour d'elle et repéra de gros cailloux sur la plage. « Et si je m'en servais comme projectiles ? » songea-t-elle. Elle se concentra sur une pierre de la grosseur d'un ballon de football et la projeta avec force et à une vitesse folle sur la première bête, à sa droite. La pierre vint frapper la tête de l'animal et ce dernier tomba par terre. Il était hors de combat, mais il en restait trois. Cependant, Zarya ne comprenait pas pourquoi les trois bêtes, qui étaient toujours debout, regardaient la quatrième, étendue sur le sol, et ne faisaient rien.

Elles devaient être sous l'emprise de quelqu'un pour agir ainsi. La jeune fille observa les alentours et, stupéfaite, elle vit une silhouette dans les bois.

C'est à ce moment qu'elle entendit un cri provenant du campement. C'était Abbie qui s'était levée après avoir constaté que son amie n'était plus à ses côtés. Alertés par son cri, les garçons sortirent en courant de leur tente, ne sachant pas ce qui se passait, et c'est alors qu'ils aperçurent les trois bêtes noires sur le point d'attaquer Zarya. N'écoutant que leur courage, ils se précipitèrent au secours de leur amie. Jeremy se mit en position de combat, prêt à toute éventualité, et Olivier, qui se trouvait de l'autre côté, en fit autant. Zarya, Olivier et Jeremy formaient un triangle autour des trois bêtes qui étaient toujours dans la même position.

— Zarya ! cria Jeremy qui n'y comprenait rien. Pourquoi elles te font face ? Qu'est-ce qu'elles te veulent ?

— Il y a quelqu'un qui les contrôle, caché dans la forêt, lui répondit Zarya en pointant l'index vers une silhouette noire qui se profilait derrière un gros arbre.

Aussitôt ces paroles prononcées, l'une des bêtes sauta sur Jeremy, qui eut le réflexe de former instantanément un mur invisible contre lequel l'animal buta. Celui-ci s'effondra sur le sol, ébranlée, ne saisissant pas ce qui lui arrivait. L'autre bête se tourna vers Olivier, planta ses longues griffes dans le sable pour avoir un bon appui et bondir sur sa proie... Quelle ne fut pas sa surprise lorsqu'elle se mit à flotter avant d'être propulsée contre un gros arbre, tout près de l'endroit où se tenait le mystérieux inconnu. Olivier était stupéfait, car il n'avait rien fait pour cela. Ne sachant d'où lui venait cette aide, il regarda autour de lui et vit Abbie, Karine et Élodie, derrière lui, en position d'attaque ; c'étaient elles qui lui avaient donné un coup de main. L'animal, projeté contre l'arbre, causa la fuite du mystérieux personnage qui, visiblement, venait de réaliser qu'il avait perdu le contrôle de la situation. Jeremy partit à sa poursuite afin de l'empêcher d'aller chercher du renfort.

Libérée de l'emprise de son maître, la dernière bête, qui faisait toujours face à Zarya, , décida de sauter sur sa proie. L'adolescente la fit aussitôt léviter à cinq mètres au-dessus du sol et l'envoya contre un gros rocher ; la créature mourut sur le coup. Les trois autres filles coururent retrouver Zarya et c'est alors que la bête qui s'était assommée en heurtant le mur invisible se releva et attrapa la jambe d'Abbie. L'animal la traîna aussitôt dans la forêt sans qu'elle puisse utiliser ses pouvoirs. Ses amies la poursuivirent en courant de toutes leurs forces, en vain ; la bête était trop rapide et elles perdirent sa trace.

Pendant ce temps, Jeremy courait toujours après le mystérieux inconnu lorsque ce dernier trébucha sur une racine. Il se releva et vit Jeremy qui le regardait, la bouche entrouverte, n'en croyant pas ses yeux.

— Devon Ekin ! dit ce dernier, ébahi.

— Si ce n'est pas mon bon ami Vernet ! répondit Devon avec agressivité. Je vais me débarrasser de toi une bonne fois pour toutes.

— Tu peux toujours rêver, Ekin !

Sur ces mots, Devon projeta une branche morte sur Jeremy. Celui-ci l'évita en faisant une roulade sur le sol, se releva aussitôt, puis lança à son adversaire une boule de télékinésie qui le frappa en plein estomac. Devon tomba, terrassé par l'incroyable puissance de l'impact. Alors que son rival de toujours essayait de se relever, Jeremy s'approcha alors de lui et lui balança un coup de poing en pleine mâchoire. Devon tomba inconscient sous le formidable direct de Jeremy.

À un demi-kilomètre de là, Abbie était couchée par terre, devant une bête sur le point de la dévorer. Elle était très ébranlée, non seulement à cause de sa blessure à la jambe, mais surtout parce qu'elle s'était fait traîner dans la forêt sur un kilomètre.

Elle n'avait plus la force de se battre ; elle était trop faible. C'est alors que l'animal ancra ses formidables griffes dans le sol et se lança sur sa proie, la gueule grande ouverte... mais, comble de surprise, quelque chose la retint par la queue... C'était Loïk ! Le chahut sur la plage l'avait amené à jeter un coup d'œil à la surface de l'eau et il avait assisté, impuissant, à l'enlèvement d'Abbie. Il s'était alors dépêché de suivre les traces de la bête noire pour venir à la rescousse de sa nouvelle amie.

Loïk possédait une force extraordinaire pour un être de un mètre de haut. Toutefois, la bête noire ne comptait pas s'en laisser imposer par cette petite créature verte qui n'était pas de taille à rivaliser avec un animal aussi gros qu'un veau, pourvu de crocs tranchants comme des lames de rasoir. Elle essaya d'atteindre Loïk avec sa patte arrière, en vain ; le pyracmun était trop rapide. Abbie, retrouvant peu à peu ses esprits, aperçut Loïk qui essayait de la sauver au péril de sa vie. Voyant que son nouvel ami perdait des forces devant cet animal féroce, Abbie décida de se relever malgré une intense douleur à la jambe droite. À cet instant, la bête réussit à frapper Loïk en plein estomac avec sa patte arrière, et le pyracmun fut projeté au sol. L'animal se tourna alors vers Abbie, plus agressif que jamais. La jeune fille regarda son petit ami vert allongé sur le sol et elle sentit une grande colère monter en elle. Elle canalisa toutes ses émotions pour décupler ses forces et propulsa la bête contre un tronc d'arbre cassé ; celle-ci s'empala sur une branche. Au terme de ce dernier effort, Abbie s'écroula, inconsciente, près de son petit héros. À cet instant, Zarya, Élodie et Karine, accompagnées d'Olivier, apparurent et, devant la scène qui s'offrait à leurs yeux, se précipitèrent vers Abbie. Cette dernière était évanouie et avait une plaie ouverte à la jambe, mais elle était sauve, à leur grand soulagement !

Ils ne s'attardèrent pas et entamèrent leur difficile marche de retour à travers les bois pour revenir le plus rapidement possible à leur campement. À demi consciente, Abbie devait être transportée par Olivier. En effet, elle avait perdu beaucoup de sang à cause de sa jambe en piteux état, et l'ultime effort qu'elle avait fourni pour vaincre la bête l'avait exténuée. Lorsque les jeunes gens, accompagnés de Loïk, arrivèrent au campement, Olivier s'empressa de sortir de sa trousse de premiers soins une pierre rouge rosé. Cette pierre, nommée « corail », avait pour vertu de guérir les plaies ouvertes. Le garçon la posa sur la blessure d'Abbie qui gémit et grimaça de douleur. C'est alors qu'une lumière rougeâtre émana de la pierre et pénétra dans la plaie. Celle-ci se referma sous les yeux ébahis de Zarya et d'Abbie, qui avait cessé de souffrir.

— Maintenant, que fait-on de Devon ? demanda Élodie en regardant le jeune homme ficelé comme un saucisson autour d'un tronc d'arbre.

— Olivier et moi, on va l'emmener au Temple des Maîtres Drakar, dit Jeremy, très fier d'avoir capturé son premier malfaiteur avant même d'être un Maître Drakar.

Abbie regarda son petit héros tout vert et lui dit :

— Je ne sais pas si tu me comprends, mais je te remercie beaucoup de m'avoir sauvé la vie.

Loïk lui fit alors un signe de tête pour lui indiquer qu'il avait tout compris et il s'avança vers elle pour la serrer dans ses bras, à la grande joie de la jeune fille.

15 Didier Leny

Paris, 8 h 12

Cette fois en compagnie du lieutenant Costa, Jonathan roulait en direction du manoir qu'il connaissait déjà. Il se dit que, de nuit comme de jour, la route pour se rendre à cet endroit n'avait vraiment rien de plaisant. Christophe ignorait que son jeune partenaire était venu sur les lieux la veille au soir ; il le croyait alors chez lui, impatient de poursuivre l'enquête et maudissant les contraintes administratives. Après avoir capturé les quatre mages noirs, Jonathan avait averti Gabriel Adams qui, comme promis, avait envoyé une équipe de six Maîtres Drakar pour les chercher et effacer toute trace de leur passage.

Nos deux policiers arrivèrent au lugubre manoir du Gourou. Ils étaient accompagnés de deux voitures de police et d'une camionnette remplie de spécialistes en investigation.

— Mince alors ! on se croirait dans un film d'horreur, fit remarquer Christophe en descendant de la voiture. Comment peut-on laisser aller une telle bâtisse à l'abandon ? Je n'en reviens pas !

— Oui, c'est un vrai sacrilège, renchérit Jonathan. Ce devait être un manoir remarquable dans le passé.

Les enquêteurs qui les accompagnaient se tenaient immobiles à côté de leur véhicule et regardaient le manoir avec effroi. Même si on était en plein jour, cette demeure avait quelque chose de macabre avec ses allures de petit château décrépit, perdu en pleine cambrousse. Et comme si cela n'était pas suffisant, une forte odeur excrémentielle emplissait l'air.

Les gendarmes, armés d'un pied-de-biche, enfoncèrent la porte avant. Ils entrèrent les premiers, arme à la main, suivis de Jonathan et de Christophe. La première chose que ce dernier remarqua fut un gigantesque escalier en bois foncé, recouvert de poussière et de toiles d'araignées, pareil à ceux que l'on voit dans les films d'horreur hollywoodiens. Ils pénétrèrent prudemment dans le hall, l'écho de leurs pas se répercutant sur les murs tendus de vieilles tapisseries rouge bordeaux, de style anglais, datant du début du siècle. Les gendarmes investirent rapidement les lieux et s'assurèrent qu'ils étaient seuls et qu'il n'y avait aucun danger. Ce constat établi, ils se dirigèrent vers la pièce du fond, là où se trouvait la cuisine, accompagnés des investigateurs, à la recherche d'indices qui pourraient faire avancer l'enquête. Christophe et Jonathan, quant à eux, suivirent un long couloir sombre qui menait directement à la fameuse pièce... C'était sûrement l'instinct de Christophe qui le guidait dans cette direction. Jonathan savait ce qui se trouvait au bout du couloir, mais il ne pouvait rien dire. Il suivit donc son partenaire sans dire un mot. Celui-ci ouvrit prudemment la porte et reconnut immédiatement la pièce que Marie-Ève Arnoux avait décrite dans la déposition qu'elle avait faite le lendemain de sa sortie de l'hôpital.

Les deux policiers entrèrent dans l'immense pièce qui était plongée dans l'obscurité, malgré la clarté du jour. Les rayons du soleil n'arrivaient pas à percer l'épaisse couche de crasse accumulée sur les carreaux durant de longues années. Le peu de lumière qui réussissait à filtrer était arrêtée par les vieux rideaux miteux et opaques qui masquaient les fenêtres. Christophe remarqua les nombreuses torches fixées aux murs de pierre et il se dit que, dans une pièce comme celle-ci, elles étaient essentielles ! Cependant, c'est l'immense pentacle inversé, au centre de la pièce, qui attira son attention. Tout à coup, un bruit de pas se fit entendre derrière eux :

— Bonjour, monsieur Costa, lança un jeune homme en entrant dans la pièce d'un pas décidé.

— Bonjour, mon cher Didier, fit Christophe en lui souriant. Je vois que tu as trouvé le chemin !

Didier Leny avait vingt-quatre ans. Les cheveux longs, il portait des petites lunettes et d'amples vêtements confortables. Par-dessus tout, c'était un grand amateur de phénomènes paranormaux.

— Oui, votre plan était très détaillé.

— Et comment trouves-tu le manoir ? demanda Christophe.

— Je l'adore ! répondit Didier avec exaltation.

— Didier, je te présente mon nouveau partenaire, Jonathan Thomas... Il est en stage pour quelque temps. Jonathan, je te présente Didier Leny.

Jonathan s'approcha de Didier et lui serra la main en disant :

— Enchanté, monsieur Leny !

— Tu peux m'appeler Didier.

— D'accord, Didier.

— Waouh ! regardez-moi cette pièce magnifique ! s'exclama Didier en contemplant le pentacle inversé sur le sol dallé, le regard enflammé.

— Je t'ai fait venir ici pour que tu me dises ce que tu penses de cette pièce.

— Ce que j'en pense ?... Mais c'est rempli d'ondes parapsychiques ici, je n'en reviens pas ! s'enthousiasma Didier. Je sens la présence d'un vieil homme et d'une vieille dame, sûrement un vieux couple qui habitait ici au début du siècle.

Jonathan regarda autour de lui avec ses yeux de mage, mais il ne vit rien qui ressemblait, de près ou de loin, à un vieux couple.

— Et je peux vous affirmer, reprit Didier, sûr de lui, qu'il y a eu ici des manifestations maléfiques. Je dirai même plus : des manifestations sataniques.

— C'est l'ami de mon fils, précisa avec fierté Christophe à son partenaire. Il est médium !

— Waouh ! fit Jonathan avec un léger sourire.

— Hier, il était chez moi avec mon fils, et je lui ai parlé de cette enquête... une enquête sur des sectes sataniques.

— Eh oui, je suis un fanatique de tout ce qui est paranormal, ajouta Didier, les yeux brillants. Je connais tout sur les sectes sataniques et les messes noires.

— Tu crois que c'est une secte satanique qui enlève les jeunes filles ? lui demanda Jonathan.

— Je ne peux pas être aussi catégorique que ça à ce sujet. Cependant, il y a plusieurs éléments qui portent à le croire. Par exemple, regardez le pentacle au centre de la pièce, dit le jeune médium en le pointant du doigt. Quand on veut évoquer de bons esprits ou capter de l'énergie astrale, on doit utiliser un pentacle avec la pointe vers le haut. Ici, la pointe est orientée vers le bas, c'est donc un pentacle inversé. C'est une antenne qui est directement reliée à l'enfer.

— Je suis très impressionné par tes connaissances, mais pourquoi n'es-tu pas sûr à propos de la messe noire ? Tous les éléments sont réunis, déclara Jonathan, qui, d'abord sceptique, était maintenant tout à fait sérieux.

— Comme tu peux le constater, poursuivit Didier, au centre du pentacle, il devait y avoir un objet sacré sur ce piédestal. Les rituels sataniques, ou les messes noires, varient incroyablement, mais le caractère et les ingrédients, ou les objets, sont toujours les mêmes : un mélange de sexe et de sacré. Tout comme pour une cérémonie religieuse, les objets rituels sont indispensables pour procéder à la célébration. Par exemple, l'officiant doit avoir un calice et la salle, les ornements requis... Mais tout est inversé : la croix est à l'envers, les cierges sont noirs, les formules envoyées à Dieu sont détournées vers les démons de l'enfer. Mais la chose la plus incroyable qu'on puisse voir ici, je dirai même la plus inaccoutumée, c'est que l'objet rituel, qui est manquant, semble avoir été placé au centre du pentacle, ce qui ne se fait jamais ! Habituellement, il y a un autel pour officier, mais ici, il n'y a aucune trace de cierge ni de croix, seulement des torches aux murs et un socle vide ! Et, en plus, Christophe m'a dit qu'il n'y avait pas eu de sacrifice. Alors, je ne crois pas qu'il s'agissait d'une messe noire.

— Mais si ce n'était pas une messe noire, qu'est-ce que tu crois que c'était ? demanda Christophe.

— Très bonne question !

Didier marchait de long en large dans la pièce en réfléchissant lorsque les enquêteurs firent leur entrée, suivis des gendarmes. Tandis que le jeune médium examinait chaque recoin en prenant bien soin de ne rien toucher pour ne pas laisser ses empreintes, les investigateurs commencèrent leur enquête.

Jonathan leva les yeux au plafond et vit des Erliks pénétrer dans les lieux. Ces entités, qui n'avaient ni yeux ni bouche, se dirigèrent vers les coins. Il y en avait quatre au total. Elles restaient immobiles et semblaient attentives à la scène qui se déroulait en dessous d'elles. Tout à coup, une odeur de soufre se fit sentir.

— Beurk ! mais qu'est-ce qui sent si mauvais, pour l'amour du ciel ? s'exclama Christophe en se bouchant le nez.

— Une présence démoniaque vient de s'introduire dans cette pièce, dit Didier en scrutant le plafond.

— Ne dis pas de conneries, Didier, le rabroua Christophe en regardant partout, je ne vois rien.

— Mais je suis très sérieux, monsieur Costa.

Jonathan était de plus en plus impressionné par ce Didier. Les Erliks retraversèrent les murs et l'odeur, par le fait même, s'estompa jusqu'à disparaître.

— OK ! ça va, ils sont partis, affirma Didier en continuant ses recherches, comme si tout était normal.

— Tout à l'heure, tu as dit que tu n'étais pas certain qu'une messe noire avait été célébrée ici..., commenta Jonathan qui prenait au sérieux les propos de Didier.

— Je crois que c'était plus que ça, révéla Didier en se frottant le menton. Monsieur Costa, vous m'avez bien dit que ce Gourou avait enlevé les jeunes filles pour se ressourcer et s'approprier leurs pouvoirs, n'est-ce pas ?

— Exact !

— Je peux donc présumer que les jeunes filles, tout comme moi, sont des médiums et que ce Gourou s'est vraiment ressourcé à l'aide de leurs pouvoirs médiumniques.

— Mais c'est impossible ! s'exclama Jonathan qui essayait de comprendre. Aucune personne ordinaire, pas même un médium, ne peut avoir les facultés nécessaires pour soutirer les pouvoirs d'une autre personne... enfin, j'imagine !

— Mais je n'ai jamais dit que c'est une personne ordinaire ! répondit Didier qui s'était posté à l'endroit où les jeunes filles séquestrées avaient vu le Gourou, c'est-à-dire au centre du pentacle, les deux mains sur le piédestal, ce qui lui permit de pressentir une force maléfique extraordinaire.

Il enleva alors ses lunettes et, regardant Jonathan au fond des yeux, il comprit que ce dernier n'était pas une personne comme les autres.

— Ce Gourou est possédé par un démon, lâcha-t-il.

Jonathan fixa Didier, le teint livide, les yeux écarquillés, et se dit : « Malphas. »

Pendant que les enquêteurs prélevaient des cheveux et des fibres sur le sol ainsi que des empreintes digitales sur les poignées de portes, Jonathan se promenait dans le manoir, très préoccupé par les propos de Didier. Celui-ci avait des dons psychiques, cela ne faisait aucun doute. En arpentant le premier étage, le jeune policier ressentit une présence derrière lui. Se retournant, il vit avec stupéfaction deux personnes translucides, un homme et une femme très âgés, qui franchissaient le passage et traversaient le mur. Didier avait vu juste, une fois de plus. Il y avait bel et bien des fantômes qui se baladaient dans le manoir. Jonathan ne savait plus quoi penser. Si la théorie de Didier à propos du Gourou était exacte, alors ce dernier ne pouvait être que Malphas, car lui seul avait de tels pouvoirs. Mais comment Malphas pouvait-il être revenu ? Gabriel Adams lui-même lui avait retiré ses pouvoirs. Cependant, la question qui intriguait le plus Jonathan était de savoir quel instrument maléfique pouvait permettre de prendre aux médiums leurs pouvoirs et de se les approprier du même coup. À sa connaissance, aucun instrument ou objet n'était assez puissant dans cette dimension pour commettre une telle horreur. Les lois attiliennes interdisaient de retirer à quelqu'un ses pouvoirs, à moins que ce ne fût pour une raison de sécurité. Et seule une personne qui avait un permis spécial, comme les Maîtres Drakar, pouvait imposer ce châtiment à des malfaiteurs. Dans ce cas-ci, cette personne, qui pouvait être Malphas lui-même, utilisait ce pouvoir contre de jeunes innocentes ; c'était affreux ! C'était comme leur voler une partie d'elles, comme commettre un viol.

Jonathan se demanda s'il devait avertir Gabriel Adams du retour éventuel de Malphas ou s'il devait attendre des preuves plus concrètes. Il lui était très difficile de répondre à cette question. « Si je dis à Gabriel que Malphas est de retour, cela risque de semer la panique à Attilia. Par contre, si je ne dis rien, il va être plus facile pour Malphas de nous surprendre », pensait le jeune Maître Drakar.

— Jonathan !

Le policier se retourna et vit Didier qui venait vers lui.

— Je ne veux pas te déranger dans ton enquête, mais j'aimerais te poser une question…

— Oui, vas-y.

— Pourquoi, tout à l'heure, quand je t'ai dit que le Gourou était possédé par un démon, chuchota Didier en regardant derrière lui pour être sûr que personne ne les entendait, tu es devenu tout pâle ?

— Sûrement parce que j'ai peur des démons, mentit Jonathan sans conviction, ne sachant quoi répondre d'autre.

— À d'autres que moi, mon ami ! fit Didier avec un sourire plein d'ironie. Je sais que tu es médium comme moi, et peut-être même plus puissant que moi, je le sens.

Jonathan ne savait trop quoi faire. Devait-il lui révéler la vérité à son sujet ? S'il le faisait et que Didier acceptait de l'aider, il avancerait probablement plus vite dans son enquête. Il se disait que ce garçon était vraiment fort dans ce domaine et que, s'ils unissaient leurs forces, ils pourraient trouver plus facilement quelque chose de concret sur Malphas, ce qui lui permettrait d'avertir Gabriel Adams de son retour. Jonathan pourrait, à tout le moins, dire une partie de la vérité à Didier, sans lui révéler qu'il venait d'une autre dimension. De toute façon, les coïncidences n'existent pas : si Didier était apparu sur son chemin, c'était pour lui venir en aide, l'aider à poursuivre son enquête. Jonathan suivit donc son intuition.

— Disons que j'ai des petits dons, dit-il timidement en jetant un coup d'œil autour de lui. Mais si tu as l'intention de le dire à Christophe, je vais être obligé de te tuer, ajouta-t-il avec humour.

— Ne t'en fais pas, mon cher ami, je respecte ta prudence. Je suis passé par là et je peux t'avouer que ça n'a pas été facile les premiers temps. Les gens peuvent être cruels parfois avec ceux qui sont différents. Je te le promets, ton secret sera bien gardé.

Jonathan lui faisait confiance ; son aura étant d'un blanc pur, signe qu'il était d'une honnêteté sans pareille.

— Quand tu as dit que le Gourou était possédé par un démon..., commença Jonathan.

— J'ai l'impression que tu connais ce Gourou ! l'interrompit Didier, curieux.

— Pour te dire la vérité, je crois que oui. Disons que je ne le connais pas personnellement, j'étais trop jeune à ce moment-là, mais je connais son dossier par cœur. Quand j'ai suivi mes cours de... police, déclara Jonathan en déguisant un peu la vérité, on m'a souvent parlé de lui et des horribles choses qu'il avait commises.

— C'est bizarre que je n'aie jamais entendu parler de ce Gourou avant !

— Mais son nom réel, à ce moment-là, était Malphas.

— Malphas ! répéta Didier, les yeux écarquillés, mais ce Malphas est un démon de l'enfer mentionné dans les listes de démons établies par l'Église elle-même ! Il est le grand chef des enfers et il apparaît sous la forme d'un corbeau. Par-dessus tout, il est le chef de quarante légions de démons qui lui obéissent au doigt et à l'œil. Disons que je n'aimerais pas me retrouver en face de ce Malphas un jour où il serait de mauvaise humeur.

— Je vois que tu connais tout sur les démons, dit Jonathan, très surpris et de plus en plus impressionné par les connaissances de Didier.

— Oui, c'est inné chez moi, répondit ce dernier avec ironie, j'ai une grande facilité à retenir toutes les choses qui ont un rapport avec les démons ou celles qui sont très bizarres.

— J'aurais quelques petites questions à te poser, lança subitement Jonathan.

— D'accord !

— Habites-tu chez tes parents ?

— Non.

— As-tu des attaches personnelles ?

— Non.

— Aimerais-tu travailler pour une société qui aurait besoin de tes talents ?

— Oh oui ! les yeux fermés, affirma Didier avec ardeur.

— D'accord, laisse-moi parler avec mon supérieur, mais je ne te promets rien... Je vais essayer de te trouver un emploi dans le domaine où tu excelles.

— Cool !

— Mais il te faudra déménager très loin d'ici.

— Aucun problème, assura Didier qui n'avait pas peur des nouveaux défis.

— Et on pourra faire évoluer tes pouvoirs de médium. Mais tout cela, naturellement, reste un secret entre toi et moi !

— Naturellement ! fit Didier, tout excité. Et je commence quand ?

— Je dois en parler à mon supérieur d'abord, mais s'il dit oui, on part ce soir !

— « On part ce soir » ? Tu m'accompagneras donc ?

— Oui, je dois retourner dans mon pays afin de clarifier certains points avec mon patron.

Jonathan et Didier redescendirent afin de retrouver Christophe, qui était en train de s'entretenir avec un gendarme.

— Christophe, l'appela Jonathan avec courtoisie, j'ai eu un appel de mon père et je dois retourner chez moi pour une petite semaine... Des problèmes familiaux.

— Rien de grave, j'espère ? s'inquiéta Christophe.

— Non, je ne crois pas.

— Si jamais tu as besoin d'aide pour quoi que ce soit, ne te gêne pas, partenaire !

— Merci.

— Ne t'en fais pas pour moi, ajouta Christophe, nos recherches avancent plutôt bien ici. On a relevé des tas d'empreintes et on va sûrement identifier des suspects avant la fin de la semaine. Je vais te tenir au courant des nouveaux événements sur la boîte vocale de ton cellulaire. Tu n'auras qu'à prendre tes messages.

— C'est gentil, partenaire, répondit Jonathan avec un sourire.

Jonathan s'isola discrètement dans un coin reculé du manoir pour être bien sûr de ne pas être dérangé. Dans une pièce sombre, à peine éclairée par une petite fenêtre, il se concentra pour entrer en contact avec Gabriel Adams. L'éloignement de ce dernier rendait la tâche plus difficile, même pour un mage du calibre de Jonathan. Tout à coup, un Gabriel translucide apparut.

— *Bonjour, Maître,* lui dit le jeune homme par télépathie.

— *Bonjour, Jonathan. Y a-t-il du nouveau ?*

— *Oui, Maître,* répondit Jonathan, soucieux de lui faire part de ces nouvelles sans véritable fondement. *Il y a une personne ici qui a des dons de médium avancés et qui affirme qu'un dénommé « Gourou » est possédé par un démon.*

— *J'ai peur de comprendre... Vous pensez, tout comme moi, qu'il pourrait être Malphas qui essaierait de canaliser les pouvoirs de jeunes médiums, comme tu me l'as mentionné plus tôt, et tenterait de revenir dans notre monde...*

— *Oui, je crois !*

— *Alors, les plans ont changé, tu dois revenir à Attilia.*

— *D'accord, je l'avais pressenti. Mais je dois d'abord vous demander quelque chose, Maître.*

— *Oui, vas-y, mon cher ami !*

— *J'aimerais emmener un ami avec moi, le médium dont je viens de vous parler.*

— *Je fais confiance à ton bon jugement, Jonathan,* approuva Gabriel.

— *Merci, Maître.*

— *À bientôt !*

Sur ces mots, Gabriel disparut.

Une fois informé que le patron de Jonathan avait accepté sa proposition, Didier retourna chez lui pour préparer ses valises. Il était très excité à l'idée de découvrir un nouveau pays, même s'il ne connaissait pas encore sa destination. Mais, sans aucun doute, il aimerait beaucoup son nouvel environnement.

◊ ◊ ◊

Le soir venu, Didier se tenait sur le seuil de la porte de son modeste appartement et attendait patiemment l'arrivée de Jonathan. Un coupé noir s'arrêta et son nouvel ami en sortit, lui faisant signe de venir le rejoindre.

— Bonsoir, Jonathan. Waouh ! la bagnole !

— Bonsoir, Didier, je présume que tu es prêt, dit Jonathan en ouvrant le coffre arrière afin que Didier puisse y déposer ses valises.

— Oh oui, je suis fin prêt !

Jonathan et Didier partirent en direction du manoir de Gabriel. De là, ils franchiraient la frontière entre les deux dimensions, ce qui les mènerait à Attilia…

Les boules du Savoir

Le matin venu, un magnifique soleil se leva ; une belle journée s'annonçait. Durant toute la nuit, à tour de rôle, les adolescents avaient monté la garde afin de s'assurer que leur campement était en sécurité et de surveiller leur prisonnier qui n'avait pas fermé l'œil. En effet, pendant des heures, Devon Ekin avait déversé sur les adolescents un déluge de menaces que ceux-ci n'avaient pas prises au sérieux. Finalement, pour avoir un peu de tranquillité, Jeremy l'avait bâillonné avec sa chaussette. Il la lui avait enfoncée dans la bouche en prenant soin toutefois de ne pas l'étouffer. Cela ne lui avait pourtant pas cloué le bec et il avait continué sa litanie en marmottant des paroles inintelligibles.

Les jeunes gens étaient maintenant tous assis en rond et prenaient leur déjeuner en discutant du châtiment que pourrait mériter Devon et des raisons qui pouvaient expliquer une telle rancune et tant de méchanceté. Zarya se demandait si tout cela n'était pas sa faute, si le fait d'avoir battu Devon Ekin à la psychiforce ne l'avait pas incité à vouloir se venger.

Était-ce une erreur de sa part ? L'humiliation que Devon avait pu ressentir pouvait-elle justifier un tel acte sanguinaire ? Selon Élodie, qui n'en croyait rien, le comportement du jeune homme ne pouvait se résumer à cela ; Devon avait forcément une motivation plus profonde. Jeremy partageait l'opinion de sa sœur : il y avait sûrement une autre raison. Pourtant, une chose était certaine : Zarya était directement visée. Sur ce point, tous étaient d'accord. Les bêtes noires, sous l'emprise de Devon, avaient voulu la capturer vivante... mais pourquoi ?

Ne connaissant point les lois d'Attilia, Abbie, curieuse comme toujours, demanda :

— Qu'est-ce qu'il va arriver exactement à Devon ?

— On va l'emmener au Temple des Maîtres Drakar, répondit Olivier en regardant Jeremy qui acquiesçait, et, là, la première chose qu'ils vont faire, du moins je l'espère, c'est lui retirer ses pouvoirs afin qu'il ne puisse plus les utiliser pour faire le mal.

— Comment font-ils pour les enlever ? l'interrogea Zarya.

— Ils utilisent la pierre malachite, qui est un puissant dépuratif de l'âme et du corps. Ils vont diminuer la densité de ses chakras jusqu'au stade primaire.

— Et ça fait mal ? lança Abbie.

— Pour son égo, oui ! dit Jeremy en regardant Devon avec un grand sourire.

Après une discussion qui dura près d'une heure, ils levèrent le camp pour regagner Attilia. Même si leur aventure avait failli mal tourner, Zarya et Abbie avaient adoré leur expédition au lac Stella Matutina.

Les tentes étaient rangées dans les sacs à dos et ils étaient sur le point de partir lorsque Abbie demanda à Jeremy :

— Mais où est Loïk ce matin ?

— Il doit dormir, car les pyracmuns des eaux chassent toute la nuit et dorment durant la matinée.

— J'aurais bien aimé lui dire au revoir avant de partir, fit tristement Abbie.

À cet instant, un bruit se fit entendre au bord de l'eau. Ils se retournèrent et virent Loïk courir vers eux. Celui-ci s'approcha d'Abbie, un sourire timide sur les lèvres, et ouvrit sa petite main palmée : une perle dorée brillait au creux de sa paume. Il la donna à son amie. Abbie prit ce précieux cadeau, mit un genou à terre pour être à son niveau et lui donna un baiser sur la joue en lui disant :

— Merci de tout cœur.

Sur ce geste amical, Loïk repartit vers le lac avec un sourire épanoui, heureux d'avoir une nouvelle amie humaine.

◊ ◊ ◊

Une heure plus tard, nos amis étaient arrivés au ravin d'Hadès et avaient franchi le pont suspendu. Abbie était soulagée d'avoir réussi à traverser le pont et surmonté tant de difficultés, mais tout cela était maintenant terminé, pour cette année.

Ils étaient tout près du transmoléculaire. Les passants regardaient Devon Ekin, toujours ligoté, et croyaient à une farce de ses compagnons. Il était attaché d'une façon particulière, car on ne pouvait ligoter un mage de la même manière qu'une personne dépourvue de pouvoirs. En effet, si Jeremy avait attaché Devon avec les mains devant lui, celui-ci aurait pu brûler ses liens très facilement. La seule façon de le faire était de croiser ses bras sur le torse, les paumes des mains vers le cœur et les deux pouces liés ensemble. De cette façon, si Devon tentait d'utiliser ses pouvoirs, ils se retourneraient contre lui.

— Bon ! ç'a été très agréable de partager du bon temps avec vous, dit Zarya. Je ne connais pas encore beaucoup Attilia, mais on devrait faire d'autres activités ensemble… Mais sans les bêtes noires, la prochaine fois !

— Oui, c'est une bonne idée. Mais il y a le camp des Maîtres Drakar qui commence demain, rappela Jeremy qui avait très hâte d'y être.

— On pourrait tous s'y inscrire, suggéra spontanément Élodie.

— Mais il doit y avoir beaucoup de jeunes qui s'inscrivent à ce camp, fit remarquer Zarya.

— Non, pas beaucoup, la rassura Olivier. Beaucoup d'adolescents sont partis en vacances. Et je peux vous dire que la plupart d'entre eux trouvent que le camp d'entraînement est beaucoup trop difficile. Et c'est vrai que ce n'est pas une partie de plaisir.

— Ce doit être très profitable en tout cas, commenta Zarya.

— Oh oui, répondit Olivier, et je peux vous affirmer que certaines personnes ressortent de ce camp plus fortes et plus confiantes, même si elles n'avaient pas forcément l'intention de devenir des Maîtres Drakar. De plus, on apprend beaucoup et on découvre des pouvoirs dont on ignorait jusque-là l'existence.

— Moi, j'ai vraiment envie de faire progresser mes pouvoirs, déclara Zarya. Surtout si je dois me frotter encore à d'autres bêtes noires !

— Moi aussi, je suis d'accord avec Zarya, approuva Abbie.

— Eh bien, je crois que tout le monde est d'accord pour s'inscrire au camp alors ! s'exclama Jeremy avec enthousiasme.

— Vas-tu parler à ton grand-père de l'aventure de cette nuit ? demanda Karine à Zarya.

— Je crois que je n'aurai pas le choix, répondit cette dernière, si les gars emmènent Devon au Temple. De toute façon, il le saura tôt ou tard étant donné qu'il en est le directeur.

— Parfait, je crois que nous devrions tous nous rendre là-bas demain matin, dit Abbie. Mais quelle est l'adresse du Temple et à quelle heure doit-on s'y présenter exactement ?

— L'inscription est à 7 h, demain matin, fit Jeremy qui connaissait l'horaire par cœur, et le numéro de la cabine est 555.

— D'accord, on sera là, confirma Zarya.

Abbie s'approcha discrètement d'Olivier et lui demanda, pendant que les autres continuaient de parler :

— Tu m'as parlé d'une bibliothèque à Attilia. J'adore la littérature et j'aimerais voir quel genre de livres on y trouve. Alors, si tu es d'accord, on pourrait y aller Zarya, toi et moi, cet après-midi.

Zarya, qui était juste à côté d'Abbie, avait tout entendu.

— Moi, je ne pourrai pas, dit-elle en faisant un clin d'œil complice à son amie. J'ai des choses à faire à la maison avec madame Phidias. Allez-y sans moi.

— Je serai ravi de te montrer ce chef-d'œuvre architectural, affirma Olivier, très heureux de cette demande. Je viendrai te chercher chez monsieur Adams vers 13 h 30… d'accord ?

— Ça me va.

— D'accord, bon, allons-y ! lança Jeremy à Olivier qui tenait par le bras son prisonnier toujours bâillonné. On a une mission à terminer.

Ils prirent le transmoléculaire chacun son tour et quittèrent le ravin d'Hadès.

Quelques secondes plus tard, Zarya et Abbie arrivaient près de la rue Adams. Soudain, de gros nuages gris menaçants vinrent couvrir le ciel en entier, cachant d'un seul coup le soleil. Pourtant, le matin, le ciel était d'un bleu pur, sans nuages. À présent, un vent impétueux soufflait avec une force incroyable. Les deux adolescentes pressèrent le pas. Elles étaient à quelques mètres de la porte d'entrée quand la pluie se mit à tomber. Elles coururent en riant aux éclats.

À peine avaient-elles franchi le pas de la porte que madame Phidias les accueillit avec une serviette pour qu'elles puissent se sécher. Il était tombé assez de pluie pour qu'elles aient les cheveux trempés. Elles déposèrent leurs sacs à dos et se dirigèrent vers le salon, accompagnées de madame Phidias qui avait hâte de savoir comment s'était passée leur première excursion dans la forêt.

— Et puis, mesdemoiselles, j'espère que vous avez eu du plaisir...

— Ah, ça, oui, dit Abbie, on en a eu !

— Et beaucoup d'émotions également, lança Zarya, plus terre à terre.

— Ah oui ? demanda Mitiva, des émotions ?

— D'abord, répondit Abbie qui, pour l'instant, préférait taire l'épilogue et les mauvaises nouvelles, je me suis fait un copain.

— Très bien, et comment s'appelle ce jeune homme ?

— Loïk, fit Abbie qui regardait Zarya en faisant de gros efforts pour ne pas rire.

— Loïk, c'est un joli prénom, affirma Mitiva, et il a sûrement un nom de famille, ce Loïk ?

— Non, je ne crois pas... C'est un pyracmun des eaux.

— Ah, je vois ! s'exclama Mitiva en riant de bon cœur. Et tu l'as connu de quelle façon, ce Loïk ?

— Disons que notre rencontre a été surprenante, mais après on s'est bien amusés.

— C'est très bien.

— Et il l'a sauvée d'une mort certaine, poursuivit Zarya qui voulait mettre tout de suite les choses au clair.

— Pardon ? Une mort certaine ? s'écria Mitiva, les yeux écarquillés.

— Tu as été plutôt rapide, dit Abbie à son amie sur un ton de reproche.

— J'en ai bien l'impression, répliqua Zarya en haussant les épaules. Mais je devais le dire, c'était plus fort que moi.

— Mais... mais que s'est-il passé ? balbutia Mitiva.

Les deux jeunes filles prirent leur temps afin de choisir les bons mots pour essayer de la rassurer.

— On s'est fait attaquer par une meute de bêtes noires..., expliqua Zarya en fixant Abbie, qui lui faisait les gros yeux.

— Mais il ne faut pas vous inquiéter, s'empressa d'ajouter cette dernière, on va bien, comme vous pouvez le constater... et, en plus, on a arrêté le responsable de...

— Le responsable ! l'interrompit Mitiva, qui avait peine à reprendre son souffle.

— Oui, les garçons l'ont emmené au Temple des Maîtres Drakar, continua Zarya.

Mitiva se leva pour faire le tour de la petite table de salon en réfléchissant et en essayant de recouvrer son calme. Pour une femme comme elle, qui se préoccupait plus des autres que d'elle-même, ce n'était pas facile.

— Alors, si je comprends bien, dit-elle en prenant une grande inspiration, quelqu'un a essayé de faire du mal à Abbie.

— Non, pas tout à fait, rectifia Abbie. On croit qu'il en avait plutôt après Zarya...

— Il a essayé de faire du mal à Zarya aussi ! s'alarma Mitiva, plus confuse que jamais.

— À vrai dire, déclara Zarya en s'approchant d'elle, celui qui a fait ça est le type dont je vous ai parlé avant-hier soir, celui que j'ai battu à la psychiforce.

— Mais on n'attaque pas quelqu'un avec une meute de bêtes noires pour un simple jeu ! s'exclama Mitiva, debout près de Zarya et la regardant droit dans les yeux. À quoi ressemblaient ces « bêtes noires », comme vous dites ?

— C'est comme un mélange de chien et de loup, avec une grande queue et de grandes dents...

— Elles ont la grosseur d'un veau, renchérit Abbie. On les appelle « les bêtes du Gévaudan ».

Mitiva se laissa tomber sur le canapé juste derrière elle en disant :

— Ce ne sont pas des bêtes du Gévaudan, ce sont des balnareks. Ils viennent de la vallée de Balaam. Ce sont des créatures du diable, si vous voulez mon avis.

Les jeunes filles écoutèrent avec attention madame Phidias. C'était une érudite, autrefois enseignante d'histoire à l'Université d'Attilia. Elle avait aussi enseigné à l'Université Rockwhule pendant vingt-quatre ans avant de travailler pour le compte du gouvernement, plus précisément pour le ministre des Relations interdimensionnelles, Gabriel Adams. Elle avait eu beaucoup de plaisir à enseigner, mais elle adorait travailler pour Gabriel Adams. Elle avait une grande affection pour lui et c'était réciproque.

— Vous avez en partie raison quand vous parlez de la bête du Gévaudan, expliqua Mitiva, parfaitement au courant du drame qui s'était déroulé à Gévaudan, en France, très longtemps auparavant. Il y avait bien une bête noire, ou plutôt un balnarek, qui sévissait sous l'emprise d'un individu qui voulait dominer la province de Gévaudan en l'an 1764. Encore aujourd'hui, son identité reste inconnue des autorités attiliennes. Après trois ans de massacre et plusieurs échecs, le gouvernement de l'époque se résolut à contacter notre ministre des Relations interdimensionnelles. Le 15 juin 1767, notre ministre de la Sécurité publique, qui était alors Mirabus Kazantzeff, envoya un Maître Drakar incognito dans le diocèse de Gévaudan. Celui-ci captura le balnarek quatre jours plus tard.

— Waouh ! vous en connaissez des choses, madame Phidias, dit Abbie, très impressionnée par son savoir.

— N'oubliez pas que j'étais enseignante d'histoire avant de travailler pour monsieur Adams.

— Cet inconnu a-t-il fait traverser le balnarek par le lac qui se rend au manoir ? demanda Zarya.

— C'est une chose pratiquement impossible, répondit Mitiva avec certitude, il y a là une garde à toute épreuve depuis des siècles et, en plus, de nombreux Rodz surveillent les alentours du manoir.

— Les Rodz, ce sont les sentinelles ? l'interrogea Abbie.

— C'est ça.

— Y a-t-il plusieurs portes dimensionnelles ? fit à son tour Zarya.

— Oui ! Mais on ne les connaît pas toutes, elles sont très difficiles à détecter.

— Si je vous demande ça, ajouta Zarya, c'est parce que… je me suis fait attaquer par un balnarek, chez moi, au Québec…

— Quoi ? Au Québec ! lança Mitiva qui avait eu sa dose d'émotions pour la journée. Mais êtes-vous sûre que c'était bien un balnarek !

— Oh oui ! je suis catégorique, confirma Zarya sans l'ombre d'un doute.

— La seule explication, selon moi, dit Mitiva après quelques secondes de réflexion, c'est qu'il existe une faille dimensionnelle dans votre région du Québec.

— Mais les balnareks, demanda Zarya, que me veulent-ils ?

— Je ne peux vraiment pas vous répondre, avoua sincèrement Mitiva. Mais il est probable que votre grand-père connaît la réponse. Pour l'instant, mesdemoiselles, soyez vigilantes.

— Entendu, acquiescèrent les jeunes filles.

— Bon, maintenant, suggéra Mitiva en se levant, si on mettait la table ?

— Parfait ! Je ne sais pas vous, mais, moi, j'ai une faim de loup, ou plutôt une faim de balnarek ! lança Abbie avec humour.

Pour la première fois, elles mangèrent sans Gabriel à leurs côtés. Il devait être très occupé par les mages noirs capturés par Jonathan et détenus au Temple, sans oublier Devon Ekin dont la présence avait surpris tout le monde.

Le repas était terminé et les adolescentes étaient montées dans leur chambre. L'orage s'était éloigné, mais la maison demeurait sombre en raison d'épais nuages gris étain qui semblaient immobiles. La pluie torrentielle avait également cessé, au grand bonheur d'Abbie qui ne voulait pas avoir les cheveux mouillés pour son premier rendez-vous avec Olivier Dumas. En effet, ses cheveux bouclés frisottaient en tous sens au contact de l'eau. Et ce qu'elle voulait avant tout, c'était être jolie, surtout pas avoir l'air d'un mouton. Mais le plus gros problème restait à venir : comment s'habillerait-elle ?

— Regarde cette belle robe, fit Zarya en jetant un coup d'œil dans la penderie. Toi qui aimes porter du vert...

— Oui, c'est vrai qu'elle est jolie. Je vais l'essayer et tu me diras si elle me va.

— D'accord.

Après avoir essayé deux ou trois autres robes, Abbie revint à cette robe verte qui lui allait à merveille.

— Tu es très jolie, lança Zarya qui était toujours sincère avec sa meilleure amie. Je crois qu'il va arriver d'une seconde à l'autre, c'est l'heure.

C'est alors qu'on frappa à la porte.

Mitiva alla ouvrir et elle vit Olivier vêtu d'un pantalon bleu marine, d'un veston de la même couleur et d'un chandail blanc qui complétait sa tenue à merveille.

— Bonjour, Olivier, dit Mitiva qui connaissait bien ce gentil garçon. Je crois que mademoiselle Abbie a fini de se préparer. Elle ne devrait pas tarder.

Un bruit de pas la fit se retourner. Elle vit alors une Abbie rayonnante suscitant le regard admiratif d'Olivier qui restait bouche bée devant tant de beauté. Abbie s'approcha, suivie de Zarya, qui se plaça volontairement derrière elle pour faire un petit signe complice à madame Phidias.

— Bonjour, Olivier.

— Bonjour, Abbie, bonjour, Zarya, répondit le jeune homme en leur adressant un sourire chaleureux.

— Bon, je crois qu'on va y aller, déclara Abbie en regardant Olivier, et toi, Zarya, tâche de ne pas t'ennuyer.

— Ne t'en fais pas pour moi et amusez-vous bien. Madame Phidias et moi avons beaucoup de choses à faire, affirma Zarya en fixant Mitiva, qui lui fit un signe de tête approbateur.

Abbie sortit donc la première, suivie d'Olivier qui lui avait ouvert la porte, comme seul un gentleman sait le faire. Quelques instants plus tard, ils traversèrent le rideau de lumière du transmoléculaire, main dans la main.

Ils réapparurent devant la bibliothèque d'Attilia, un bâtiment gigantesque qui s'imposa au regard abasourdi et fasciné d'Abbie. Elle n'avait jamais vu une bibliothèque de la sorte. Même dans les revues qu'elle feuilletait parfois, jamais elle n'avait eu la chance d'admirer une œuvre architecturale de la dimension d'une cathédrale. La façade de la bibliothèque avait un aspect svelte et élancé, et elle était surmontée par trois immenses dômes sis sur un toit de tuiles orangées. Les fenêtres tout en hauteur de l'édifice étaient ornées de magnifiques vitraux étincelant de fines couleurs éclatantes, œuvre des plus grands artistes d'Attilia. Les jeunes gens s'approchèrent de la bibliothèque en contournant une fontaine en bronze qui représentait un lion monstrueux et fier, déployant des ailes de dragon, et dont le corps se terminait par une queue de serpent de cinq mètres de long. De la gueule du fauve aux crocs acérés sortait un long jet d'eau.

Olivier et Abbie pénétrèrent dans la bibliothèque et se rendirent immédiatement dans la salle principale en forme de rotonde, dotée d'un plafond cathédrale auquel pendait un magnifique lustre à pendeloques de cristal, brillant de mille éclats. Ce plafond, où l'on pouvait admirer une multitude de peintures historiques, était soutenu par douze colonnes de marbre blanc, doux et tendre à l'œil, ce qui donnait au visiteur l'impression d'être dans un palais royal. Au centre de la pièce s'alignaient dix immenses tables. Une petite lampe était posée sur chacune d'elles afin de faciliter la lecture.

Normalement, dans une bibliothèque munie d'étagères pouvant atteindre neuf mètres de haut, on trouvait plusieurs échelles permettant aux gens d'accéder aux livres qui étaient hors de leur portée. Mais les Attiliens, eux, n'avaient pas besoin d'échelle. En effet, Abbie constata qu'ils pouvaient prendre les livres, aussi hauts soient-ils, au moyen de la télékinésie.

La jeune fille fut surprise de voir Olivier traverser la grande salle pour se rendre dans une pièce magnifique et moins imposante, faite tout en longueur et où les boiseries dominaient. Une longue table en bois foncé meublait l'espace et une trentaine de personnes étaient assises autour. Aux yeux d'Abbie, ces gens étaient occupés à une activité plutôt curieuse...

— Mais que font-ils ? chuchota-t-elle.

Chacun d'entre eux entourait en effet de ses mains une boule de cristal posée sur la table.

— Ce sont des boules du Savoir ! l'informa Olivier. C'est l'équivalent de vos ordinateurs.

— Mais ils ont tous les yeux fermés, continua Abbie tout bas. Comment font-ils pour voir dans la boule ?

— Ils ne la regardent pas, répondit le garçon en lui prenant la main pour l'amener vers une boule de Savoir.

Ils s'installèrent à l'autre bout de la table, là où il n'y avait personne pour les déranger.

— Bon, laisse-moi t'expliquer, fit Olivier en s'asseyant tout près d'elle. D'abord, tu vas placer tes deux mains sur la boule et tu vas fermer les yeux en pensant à une chose ou à un animal que tu as vu ici, à Attilia.

Abbie eut l'impression que le pied d'Olivier avait légèrement touché le sien. Elle le regarda dans les yeux et le frôlement recommença… Son cœur s'emballa aussitôt et elle s'empressa de baisser les yeux pour qu'il ne s'aperçoive pas de la rougeur qui lui montait aux joues. Pour se donner une contenance, elle dit :

— D'accord, je vais penser à Loïk ou plutôt au pyracmun des eaux.

— Excellente idée. Maintenant, pense au pyracmun des eaux très fort en gardant toujours les yeux fermés et, surtout, ne lâche pas la boule.

Elle fit ce qu'Olivier avait dit et celui-ci eut tout le loisir de l'observer. Quelques secondes passèrent et une chose étrange se produisit. Abbie sentit son esprit se dédoubler et… elle se retrouva sur une plage. Mais elle remarqua que le paysage au loin était flou. Elle reconnut l'endroit ; c'était le lac Stella Matutina. Et tout à coup, elle vit un pyracmun des eaux sortir du lac ; elle eut le réflexe de chercher une tache en forme de cœur sur son oreille droite, mais en vain ; ce n'était pas Loïk. Le pyracmun s'avançait vers l'adolescente et s'arrêta à deux mètres d'elle. À son tour, Abbie s'approcha de la créature verte, se pencha pour lui parler et lui serrer la main. Elle avança sa main, mais elle passa au travers du pyracmun, comme si elle avait essayé de toucher un revenant. Abasourdie, elle refit le même geste, mais elle obtint de nouveau le même résultat… Le pyracmun était là, immobile ; il n'avançait plus, comme si on le lui avait ordonné ; il se contentait de la fixer. À la gauche d'Abbie, une manifestation étrange la déconcerta : une personne apparut, comme par magie ! C'était une très belle jeune femme qui portait des vêtements très classiques. Elle avait les cheveux noirs noués avec un ruban bleu, les yeux du même bleu, et elle portait un chemisier blanc sur une jupe marine qui descendait au genou. Elle sourit à Abbie en lui disant :

— Bonjour ! Mon nom est Lyvia Meriddie… Je suis votre hôte pour votre apprentissage personnel. Je vais maintenant vous énumérer les différents thèmes que nous avons sur le pyracmun des eaux. À tout moment, vous pouvez choisir l'option qui vous intéresse : histoire, anatomie, race et morphologie, caractéristiques physiques, habitat, nourriture...

— Nourriture.

— Les pyracmuns des eaux sont principalement omnivores, bien que certains aient un régime plus spécifique, comme les pyracmuns blancs du Nord. Ces derniers se nourrissent de lichens, de racines, de noix et de plantes nordiques diverses. Pour ce qui est des pyracmuns du Sud, leur nourriture favorite reste le poisson. Ils chassent habituellement la nuit et...

Abbie lâcha la boule, bouche bée. Elle venait de vivre une expérience extraordinaire et inoubliable.

— C'était vraiment incroyable ! lança-t-elle, emballée par la boule du Savoir. C'est comme si j'y étais... Je pouvais presque le toucher.

— Malheureusement, on ne peut rien toucher, répondit Olivier avec le sourire. Tu m'as dit que tu aimais beaucoup les livres.

— Oh oui !

— D'accord, dit le jeune homme en se levant, maintenant, tu vas me suivre. Je vais te montrer quelque chose qui pourrait t'intéresser.

Il l'amena dans une autre pièce, située à l'autre bout de la grande salle. C'était une pièce carrée, beaucoup plus petite que les précédentes. Très sombre et dépourvue de fenêtres, elle était éclairée seulement par une petite lumière posée sur une table, au centre. Dès qu'elle y entra, Abbie sentit une odeur de vieux papiers. Elle devina immédiatement que de vieux livres et des manuscrits y étaient conservés. Elle s'approcha d'un rayon et, cédant à sa curiosité, prit un livre au hasard. Il s'agissait d'un petit livre d'une centaine de pages qu'elle tourna en tous sens et dont elle finit par lire le titre : *Tout sur les secrets de la pierre grenat demantoïde.*

— C'est un excellent livre, lui assura Olivier.

— Tu l'as lu ?

— Oui, et j'ai passé la plus grande partie de mon enfance ici, à lire ces livres anciens.

Après avoir remis le livre à sa place, Abbie regarda autour d'elle et constata qu'il y avait une pléiade de livres qui paraissaient tous plus vieux les uns que les autres.

— Attends, il y a un ouvrage qui peut t'intéresser, poursuivit Olivier en marchant vers le fond de la pièce.

Il prit un grand livre qui semblait très vieux, l'apporta sur la table et l'ouvrit.

— C'est un bon livre ? demanda Abbie en s'approchant.

— Très bon ! Ce livre parle de nos ancêtres de l'Atlantide. Il a près de deux mille huit cents ans.

C'était un livre immense, avec une reluire en cuir gravée de motifs dorés et contenant près de huit cents pages.

— Mais c'est impossible ! dit Abbie qui n'en revenait pas de voir un livre si ancien en si bon état. Ce livre ne semble pas avoir plus de cent ans.

— C'est vrai, tu as raison, approuva Olivier avec une certaine fierté, nos livres se conservent beaucoup mieux que les vôtres. Vois-tu, vos livres sont faits en papier. La matière première est constituée de fibres cellulosiques végétales ou, si tu préfères, du bois ordinaire que l'on trouve dans vos forêts. Ici, notre matière première est très différente de la vôtre… C'est aussi du bois, mais le choix de ce bois est très particulier. Nous prenons du karbinos.

— C'est une sorte d'arbre ?

— Oui, exactement, c'est un arbre qui vient du nord, près de la ville de Sarthèse. Les Sarthésois sont les plus grands fournisseurs de papier du pays de Dagmar, et ce, depuis des milliers d'années. Le karbinos est un arbre qui pousse très vite et, de plus, il a une durée de vie incroyable. Dans la ville de Sarthèse se trouve un arbre âgé de plus de quatre mille ans.

— Waouh ! quatre mille ans ! s'extasia Abbie qui allait de surprise en surprise.

— C'est pour cette raison que les fibres de notre papier ont une durée de vie très longue.

Abbie se replongea dans le livre qui était toujours ouvert devant elle.

— Et de quoi parle ce livre ? demanda-t-elle, très intriguée.

Olivier tourna délicatement les pages et s'arrêta à la page 17. Il expliqua alors à sa compagne, dans ses propres mots, ce qui s'y trouvait.

— D'abord, le titre de ce livre est *La bonne voie*. En gros, l'auteur explique que, dans un passé lointain, l'Atlantide était au centre de la dimension que tu connais bien. Tout le monde possédait les pouvoirs que nous avons ici, à Attilia. Mais un jour, un groupe de personnes décidèrent de quitter l'Atlantide en bateau pour traverser l'Atlantique afin de se rendre en Europe, continent habité par des sauvages. Arrivés là, ils décidèrent de s'y établir.

— Et qu'est-il arrivé à ces gens ? demanda Abbie, fascinée par cette histoire.

— Disons que, durant les siècles qui ont suivi, ils ont perdu peu à peu leur force intérieure au profit du pouvoir matériel et de l'argent. Ils ont pris la mauvaise voie, celle de la cupidité et de la convoitise.

— Et ça n'a pas changé depuis ce temps, conclut la jeune fille.

Après avoir feuilleté *Les créatures fantastiques de la vallée d'Edmos*, *La dimension maudite*, *Les prémonitions de Rika Kazantzeff* et quelques autres ouvrages, les deux adolescents quittèrent la bibliothèque. Olivier décida d'emmener Abbie dans un lieu appelé *La Banquise*. C'était l'endroit rêvé pour les adolescents qui avaient envie de déguster des glaces de différents parfums, puisqu'il y en avait deux cents. Mais avant tout, c'était un lieu de rencontre privilégié qui leur permettait de discuter tranquillement, tout en écoutant de la musique populaire.

L'opale de feu

Temple Drakar ; plus tôt, le même jour, 7 h 27

Didier regardait par la fenêtre de la chambre où il logeait en attendant qu'on lui octroie un appartement où il habiterait pour la durée des cours, soit durant les trois prochaines années. Il avait le regard fixe, la bouche grande ouverte devant la pyramide d'Hélios, au loin, et il se disait : « Je le savais... Je le savais... Oh oui ! je l'ai toujours su ! »

En effet, depuis son arrivée dans la ville d'Attilia avec Jonathan, la veille au soir, Didier se répétait cette phrase sans cesse.

Il regagna son lit pour s'étendre un peu et, en fixant le plafond, repensa à la soirée précédente. Un film se déroulait au ralenti dans sa tête. Il se rappela son arrivée avec Jonathan au manoir de Gabriel Adams, puis l'embarquement dans la chaloupe. Jonathan lui avait expliqué qu'ils se dirigeaient vers un brouillard à peine visible à cause de l'obscurité de la nuit et que, en le franchissant, ils pénétreraient dans une dimension parallèle. À ce moment, son compagnon lui avait dit une chose qu'il avait trouvée très étrange :

— Didier, quand on va franchir le brouillard, tu vas me tenir le pied et, surtout, ne le lâche pas. Tu vas sûrement avoir des nausées et tu seras tenté de me lâcher, mais il ne faudra surtout pas que tu le fasses.

— Mais pourquoi ? avait demandé Didier qui ne voyait pas la nécessité de tenir son pied.

— Tu es un médium avec certains dons. Je le conçois parfaitement, avait répondu Jonathan en continuant de ramer. Mais tu n'es pas assez puissant pour pouvoir franchir cette dimension.

— Mais c'est quoi, le rapport avec ton pied ?

— C'est tout simplement, avait dit Jonathan en riant, que tu ne peux pas me tenir la main étant donné que je suis occupé à ramer.

Effectivement, quand Didier était entré dans le brouillard, une forte nausée s'était emparée de lui. Mais comme Jonathan le lui avait ordonné, il n'avait pas lâché son pied. Heureusement, cette sensation désagréable n'avait duré que deux minutes et elle avait disparu aussi vite qu'elle était apparue, au grand soulagement de Didier. Il avait été très surpris de voir une ville apparaître de l'autre côté du brouillard, mais ce qui l'avait le plus enchanté, lorsqu'il avait mis le pied à terre, c'était cette petite cabine argentée, communément appelée ici, à Attilia, « transmoléculaire ».

Didier entendit quelqu'un frapper à la porte. Cette dernière s'entrouvrit doucement.

— Je peux entrer ? demanda timidement Jonathan en passant sa tête dans l'embrasure.

— Oui, bien sûr.

— Il est l'heure...

— L'heure de quoi ? fit Didier en se levant.

— L'heure de te présenter à mon patron.

— Oh ! bien sûr.

Ils sortirent et prirent la direction du bureau de Gabriel. Une fois arrivé, Jonathan frappa.

— Entre, Jonathan.

Les deux hommes pénétrèrent dans une vaste pièce ensoleillée grâce à une grande fenêtre orientée plein sud. L'éclairage était complété par un lustre suspendu au-dessus du bureau de Gabriel, de style victorien et en bois foncé. À droite du bureau, il y avait une bibliothèque qui contenait des centaines de livres et était ornée de belles statuettes égyptiennes. Deux immenses toiles accrochées de chaque côté de la fenêtre représentaient des Maîtres Drakar en position de combat.

— Mais assoyez-vous, messieurs, dit Gabriel sur un ton courtois.

— Merci, Maître, répondit Jonathan.

Didier était impressionné par le calme qui émanait de Gabriel.

— Bonjour, monsieur Leny, lança le vieil homme avec un petit sourire amical. J'espère que votre voyage d'une dimension à l'autre n'a pas été trop pénible ?

— Un peu, mais ça en valait la peine, affirma Didier, intimidé. Et je suis très impressionné par tout ce que j'ai vu dans votre dimension jusqu'à maintenant, monsieur !

— Jonathan m'a parlé de vos facultés extraordinaires pour un médium de l'autre monde, déclara Gabriel avec sincérité. Et grâce à vos dons de divination, notre enquête a avancé à pas de géant. C'est pour cette raison que j'ai accepté de vous rencontrer. Comme Jonathan vous l'a proposé, nous aurions besoin de vos talents ici, au Temple des Maîtres Drakar.

— Je suis à votre entière disposition, monsieur !

— Parfait, nous sommes très heureux de vous compter dans notre équipe.

Gabriel se leva pour lui serrer la main.

— Maintenant, conclut-il, Jonathan va vous emmener dîner, puis il vous accompagnera dans un endroit où vous pourrez accroître vos facultés. Ne vous en faites pas, c'est sans danger.

Les deux jeunes hommes quittèrent le bureau du ministre pour se diriger vers la salle à manger du Temple.

— Il a l'air très sage.

— Oui, énormément, confirma Jonathan. Il a beaucoup d'expérience et il est le meilleur dans son domaine.

Dans la salle à manger, Didier vit une quinzaine d'hommes vêtus de noir, parlant tout en mangeant. Ils se tournèrent vers Jonathan.

— Bonjour, Jonathan ! dit l'un des Maîtres Drakar. De retour dans la région ?

— Bonjour à tous ! les salua Jonathan en leur souriant. Oui, mais pas pour longtemps...

— J'espère qu'on va avoir le temps de prendre une petite bière.

— Bien sûr !

— Vous avez de la bière ? demanda Didier, étonné.

— Eh oui, et de la très bonne.

— Cool ! lança Didier. Je sens que je vais me plaire ici.

◊ ◊ ◊

Après avoir pris un bon repas, Didier, rassasié, suivit Jonathan le long d'un couloir qui conduisait à une pièce nommée « la Chambre de l'opale de feu », située en dessous du Temple ; une chambre fortifiée qui était bien gardée.

Après avoir descendu plusieurs escaliers, les deux hommes arrivèrent enfin au troisième sous-sol. Il y avait là deux Maîtres Drakar qui montaient la garde en permanence, bien qu'un champ magnétique entourât la chambre.

— Nous sommes arrivés, déclara Jonathan en mettant sa main sur l'épaule de son compagnon.

— Que dois-je faire maintenant ? demanda Didier qui commençait à se sentir nerveux.

— Attends, il devrait arriver d'une minute à l'autre...

— Qui ?

— Le voilà !

Un homme dans la soixantaine, avec une couronne de cheveux frisottés poivre et sel et de petites lunettes rondes, s'approcha d'eux.

— Bonjour, mon cher Jonathan, dit l'homme. Il y a déjà un bon moment que nous nous sommes vus.

— Eh oui ! travail oblige. J'aimerais vous présenter Didier Leny... Didier, je te présente le professeur Trevor Razny.

— Bonjour, professeur Razny, fit Didier en lui serrant la main.

— Bonjour, jeune homme. Alors, c'est vous, le chanceux qui allez recevoir un peu de don divin !

— Oui, c'est moi, répondit Didier en tournant son regard vers Jonathan que l'expression utilisée par le professeur faisait rire.

— Le directeur Adams m'a parlé un peu de vous, Didier, déclara le professeur Razny en pivotant sur ses talons pour ouvrir la porte, sous le regard attentif des deux Maîtres Drakar qui avaient momentanément coupé le champ magnétique. Il m'a dit que vous êtes très doué pour quelqu'un venant de l'autre dimension.

— Oui, enfin... je crois, dit humblement Didier.

Le professeur Razny entra dans la salle le premier, suivi de près par Didier et Jonathan. C'était une petite pièce toute blanche avec un pentacle argenté sur le sol et un piédestal en son centre. Sur le piédestal, il y avait une petite pierre orangée : une opale de feu. Mais ce qui attira le plus l'attention de Didier, c'était une chaise en face du piédestal. Vissée au plancher, elle était dotée d'une ceinture de cuir fixée au dossier... En voyant cette installation, on pouvait davantage penser à une exécution qu'à un cadeau divin !

— Euh... excusez-moi, fit Didier, troublé. Pourquoi cette ceinture fixée à la chaise ?

— Ça ?... C'est pour que vous ne vous sauviez pas avant de m'avoir payé, répliqua le professeur Razny avec humour. Pour vous dire la vérité, reprit ce dernier en retrouvant son sérieux, quand je vais vous envoyer le rayon pour accroître la force de vos chakras, vous allez ressentir une sensation un peu désagréable.

— Désagréable ! répéta Didier, hésitant.

— Un brûlement intense au niveau de l'estomac qui dure environ quarante secondes, c'est ce que j'appelle une sensation désagréable, expliqua le professeur en le regardant droit dans les yeux. La ceinture vous retient sur la chaise pour que vous ne puissiez pas bouger.

— Et si je ne suis pas attaché et que je bouge, que va-t-il se passer ?

— Alors, il faudra tout reprendre.

— D'accord ! Alors, attachez-moi, lança Didier qui avait compris le principe.

— D'accord, maintenant, si vous voulez bien vous asseoir, on va commencer.

Didier alla s'asseoir en regardant Jonathan du coin de l'œil.

— Courage, mon ami, lui dit ce dernier en fixant la ceinture autour de sa taille.

Le professeur Razny se mit à côté du piédestal, à l'emplacement de l'opale de feu, et s'assura que Didier était bien assis, fixé à la chaise et prêt à recevoir le traitement. Alors, il ferma les yeux, posa ses deux mains sur la pierre grosse comme un pamplemousse, et se concentra. Jonathan, qui se trouvait derrière le professeur, observa la transformation chakramatique avec attention. Quelques secondes passèrent, puis, soudain, une lueur blanche, teintée d'orangé, sortit de la pierre et alla frapper Didier de plein fouet sur son plexus solaire. Il lâcha un cri de douleur en serrant les dents et les poings ; une brûlure intense se fit sentir au niveau de l'estomac, comme le professeur le lui avait mentionné plus tôt. Maintenant, la douleur s'intensifiait. Le jeune homme serra les dents de plus belle et des larmes coulèrent sur ses joues devenues cramoisies. Il lui semblait que la transformation chakramatique durait depuis deux longues minutes, mais, en réalité, à peine trente-cinq secondes s'étaient écoulées. Et soudain, la douleur disparut aussi subitement qu'elle était apparue, à son grand soulagement. Le professeur enleva les mains de la pierre, ouvrit les yeux et observa un Didier tout en sueur, comme s'il venait de faire une heure d'exercices intenses. Jonathan s'approcha de son nouvel ami et le détacha. Sous les ordres du professeur, Didier resta assis quelques minutes, le temps qu'il reprenne ses esprits.

— Ce n'était pas si terrible ! dit Didier, la langue sortie en signe de soulagement.

— Bon, maintenant, si on vérifiait si cela a bien fonctionné ! lança le professeur Razny en se dirigeant vers la porte.

— Et si ça n'a pas fonctionné, déclara Jonathan en riant dans sa barbe, il va falloir recommencer !

— Quoi ? s'écria Didier.

— C'est une blague ! se moqua Jonathan en lui donnant une tape sur l'épaule.

— Ah bon !... Mais... qu'est-ce qui doit fonctionner, au fait ?

— Tes nouveaux pouvoirs, répondit Jonathan.

— J'ai de nouveaux pouvoirs ? s'étonna Didier. Mais je croyais que c'était pour accroître ceux que j'avais déjà.

— Oui, mais nous avons également activé les pouvoirs qui étaient latents en vous, rétorqua le professeur Razny.

Didier se leva enfin et suivit Jonathan et le professeur Razny sans trop comprendre. Ils longèrent le couloir et entrèrent dans une salle beaucoup plus grande que la Chambre de l'opale de feu. Il y avait là des poids de différentes grosseurs et densités.

— Didier, dit le professeur Razny en se tournant vers lui, vous allez vous placer devant l'un des poids que vous voyez ici et vous allez le soulever par la force de votre pensée.

— Je peux ?

— Maintenant oui, répondit le professeur. Vous devez utiliser votre force mentale, et si ça peut vous aider… fâchez-vous !

— D'accord, professeur.

Didier, soucieux de savoir si ses pouvoirs étaient bien réels, se plaça devant le plus petit poids qu'il repéra. Il le fixa du regard, leva naturellement ses mains devant lui et se concentra. Il sentit un picotement parcourir ses avant-bras et vit, avec une exaltation incroyable, le poids bouger. Un sourire apparut sur le visage de Jonathan qui était un peu responsable de ce qu'expérimentait Didier à ce moment. Le poids se trouvait à deux mètres du sol lorsque le nouveau mage décida de le ramener à sa place initiale. Il baissa les bras, et le poids redescendit tout doucement. Didier resta muet quelques secondes, puis il regarda Jonathan et lui demanda :

— Y a-t-il autre chose que je puisse faire ?

— Oh oui, beaucoup d'autres, mon ami, affirma Jonathan avec un sourire confiant. Mais pour ça, il faudra suivre le cours de Maître Drakar…

— D'accord, dit Didier qui comprenait à moitié. Et ce cours, combien de temps dure-t-il ?

— Trois ans, fit le professeur.

— Durant tes trois années d'apprentissage, tu auras l'occasion de m'accompagner durant mes missions, expliqua

Jonathan. Tu seras mon apprenti... C'est Maître Gabriel qui me l'a conseillé, et j'ai accepté !

— Merci ! lança Didier, très heureux de l'avenir qui se profilait devant lui.

L'évaluation

Abbie était revenue à la maison très heureuse d'avoir passé un superbe après-midi à la bibliothèque et de l'avoir terminé à *La Banquise*, avec Olivier. Les deux adolescentes, de nouveau réunies, avaient pris leur souper avec madame Phidias, Gabriel étant toujours retenu au Temple.

Mitiva les avait en effet informées que monsieur Adams devait faire des heures supplémentaires et même qu'il devrait coucher au Temple ; il avait des choses importantes à régler et un camp d'entraînement à préparer. Pour lui, le camp d'été était un événement très important. Il profitait toujours de cette occasion pour recruter de nouveaux membres au sein de l'Académie des Maîtres Drakar.

Lorsqu'elles se retrouvèrent dans leur chambre, les filles s'assirent sur leurs lits respectifs et discutèrent de leur journée.

— Dis-moi, Abbie, demanda Zarya, comment c'était avec Olivier, comment s'est-il comporté avec toi ?

— C'était fantastique ! Il a été très gentil, avenant et d'une grande délicatesse, répondit Abbie, entichée. Il m'a pris la main à quelques reprises et on a même partagé une glace dans un endroit magnifique.

— Tu es vraiment chanceuse, je t'envie, dit Zarya, très heureuse pour elle.

— Tu auras ta chance, assura Abbie, qui souhaitait le bonheur de sa meilleure amie.

Abbie raconta tout ce qu'elle savait sur la boule du Savoir et sur ses propriétés magiques. Elle n'omit pas de parler de la magnificence de la bibliothèque ainsi que de ses livres millénaires.

C'est alors que madame Phidias frappa à la porte et entra timidement dans leur chambre.

— Maintenant, mesdemoiselles, déclara-t-elle d'une voix calme, il faudrait vous préparer pour votre camp des Maîtres Drakar.

— Mais nous sommes prêtes ! fit Zarya, surprise.

— Ah oui ? Et où sont vos bagages ? poursuivit Mitiva.

— Nos bagages ? s'écria Abbie.

— Bien sûr que oui, vous allez passer deux nuits au Temple.

— Ah ! on ignorait ce détail, s'étonna Zarya.

— Ne vous en faites pas, les rassura Mitiva, le camp des Maîtres Drakar est très bien organisé. Il y a suffisamment de dortoirs pour recevoir des centaines de personnes. Et la nourriture y est très bonne.

— Y a-t-il des douches ? demanda Abbie.

— Mais bien sûr, répondit Mitiva. Le Temple est une ville intérieure en soi. C'est l'un des complexes immobiliers les plus importants du pays de Dagmar.

◊ ◊ ◊

Le lendemain matin, Abbie s'assit à côté de Zarya, qui dormait encore. Une fois de plus, le sommeil de cette dernière était très agité et son amie la secoua avec délicatesse pour la sortir de son cauchemar. Zarya se réveilla en nage.

— Tu as fait un autre cauchemar ?

— Oui, toujours le même, dit Zarya, un peu découragée. C'est mon grand-père qui te fait du mal en se servant de sa canne pour te lancer un faisceau de lumière.

— Lui en as-tu parlé ?

— Non, pas encore.

Tandis que le vent et la pluie frappaient inlassablement contre la fenêtre de leur chambre, les deux adolescentes firent leurs derniers préparatifs sans se soucier du temps qu'il faisait. Une fois habillées, elles se rendirent dans la cuisine où madame Phidias préparait le déjeuner. Pendant qu'elles mangeaient, celle-ci leur expliqua comment se rendre au Temple.

Puis chacune mit l'imperméable que madame Phidias lui avait remis.

— Je vous souhaite un agréable séjour au Temple, mes belles filles, leur dit Mitiva gentiment.

— On vous remercie beaucoup, madame Phidias, répondirent en chœur les jeunes filles. Et n'ayez crainte, on va sûrement bien s'amuser.

Quelques minutes plus tard, aussitôt sorties du transmoléculaire, elles suivirent les instructions de madame Phidias. Elles marchèrent sur un étroit chemin pavé, bordé par une haie très haute, taillée à la cisaille avec une précision artisanale. Après deux minutes de marche sous une pluie persistante, elles arrivèrent au bout du chemin. C'est alors qu'elles aperçurent à leur droite le fameux Temple des Maîtres Drakar. Elles se regardèrent et demeurèrent muettes d'étonnement pendant quelques secondes en le voyant se dresser fièrement devant elles. Il était entouré d'une forêt dense et verdoyante, avec ses tourelles grises qui surplombaient les plus hauts sapins. Il était embelli de tous les ornements architecturaux qui lui donnaient l'aspect d'une forteresse médiévale.

Pour s'y rendre, Zarya et Abbie devaient franchir un pont légèrement arqué qui enjambait la rivière Argolide. Elles arrivèrent devant la porte principale. Il y avait là une dizaine de gardiens, tous vêtus de noir, qui montaient la garde en permanence. L'un d'entre eux leur ouvrit la porte avec un sourire discret. Elles pénétrèrent dans un hall bien éclairé et, là, une voix familière se fit entendre.

— Salut Zarya, salut Abbie ! lança Élodie.

— Salut ! répondirent Zarya et Abbie en s'approchant de leur amie.

— Mais où sont les autres ? demanda Zarya.

— Ils sont en train de s'inscrire, dit Élodie en pointant du doigt le groupe qui se trouvait au fond de la salle. Venez, ils nous attendent.

Les deux Québécoises suivirent Élodie tout en jetant un regard sur les armes blanches et les armures antiques qui décoraient le hall d'entrée. En arrivant devant le groupe, Abbie fut très contente de voir qu'Olivier était déjà arrivé ; ils échangèrent un petit sourire complice. Soudain, une nuée d'adolescents afflua ; on entendait le martèlement de leurs pas près de la porte d'entrée. Il devait y en avoir une centaine à faire la queue pour s'inscrire. La séance d'inscription dura près d'une heure.

Guidés par l'un des Maîtres Drakar, les adolescents traversèrent le hall pour se rendre dans une salle où l'on allait leur donner les informations concernant leur séjour au camp d'été.

— Bienvenue au Temple des Maîtres Drakar, dit un jeune Maître venu les accueillir. Notre directeur, monsieur Gabriel Adams, viendra vous informer des procédures et des règlements à suivre durant votre séjour au Temple. Et je vous conseille fortement de garder le silence durant la séance d'information, car tout ce que le directeur dira sera très important.

Zarya observa la salle avec attention : elle était aussi grande que l'auditorium de son école secondaire et dotée d'un plafond cathédrale. Postée au beau milieu avec ses amis, elle pouvait voir un lutrin installé sur une scène surélevée. Elle leva les yeux au-dessus du lutrin en marbre sculpté et aperçut une toile démesurée, éclairée par un faisceau directionnel. Selon elle, la toile évoquait un grand guerrier qui avait âprement défendu sa terre, comme l'attestaient ses multiples plaies au bras, au dos et au visage, ainsi que son corps couvert de son propre sang. Il semblait sur le point de chuter dans un ravin sans fond. En effet, le guerrier à la carrure athlétique avait le pied droit à demi dans le vide. Mais le plus ahurissant, c'était ce démon de deux mètres et demi qui lui faisait face ; il avait la peau rouge vif et était d'une hideur sans égale. Outre sa taille extraordinaire, il avait deux immenses cornes, des griffes qui semblaient aussi tranchantes que des sabres, et ses pieds étaient munis de sabots. Le guerrier, pour ne pas basculer dans l'abîme, se retenait au démon d'une main tout en l'attaquant avec sa dague en or pur de l'autre.

Hypnotisée par la toile, Zarya fut tirée de ses pensées par un homme vêtu d'un bel habit blanc crème qui s'avançait jusqu'au lutrin. C'était son grand-père Gabriel.

— Bienvenue au Temple des Maîtres Drakar ! lança-t-il d'une voix très détendue. Une nouvelle fois cette année, nous donnons l'occasion aux adolescents d'Attilia de venir s'entraîner pendant trois jours parmi les Maîtres Drakar. Ces trois journées donnent un infime aperçu du genre d'entraînement auquel un Maître Drakar doit s'astreindre durant trois années entières. Mais, par expérience, je peux vous affirmer que tous les efforts fournis valent le prix de tels sacrifices. Nous allons vous faire découvrir des trésors enfouis en vous et dont vous ignorez l'existence, des facultés ou des pouvoirs qui sommeillent profondément en vous. Mais avant de vous énoncer les procédures et les règlements ennuyeux dont je suis dans l'obligation de vous faire part, je vais vous raconter une petite histoire.

Sur ces mots, Gabriel fixa sa petite-fille et lui adressa un sourire radieux.

— Il y a près de trois mille cinq cents ans, un fils de fermier qui habitait près de la rivière Argolide, à huit cents mètres d'ici, était en train de travailler dans les champs lorsqu'il entendit une jeune fille crier : « À l'aide ! » Joshua Drakar, n'écoutant que son courage, courut à la rescousse de cette demoiselle en détresse. À sa grande stupeur, il la trouva allongée, inconsciente, sur le sol, avec de multiples blessures. Joshua s'approcha, se pencha sur la jeune fille en posant un genou au sol et examina sommairement son corps pour l'aider du mieux qu'il pouvait. C'est alors qu'un son se fit entendre juste en face de lui. Levant les yeux, le garçon aperçut, à dix mètres devant lui, deux horribles démons sortant d'une faille dimensionnelle. Petit-fils d'un grand guerrier, Joshua Drakar livra un combat sans merci à ces monstres qui n'avaient aucune pitié pour la race humaine. Après une longue et âpre lutte, il réussit à détruire les deux guerriers de Lucifer. Pour une raison inconnue de tous, une faille s'était créée et des démons s'en échappaient périodiquement. Les gens d'Attilia étaient très effrayés, et avec raison. Seul Joshua Drakar osait faire face à ces créatures et se battait férocement pour défendre sa ville. Mais les luttes répétitives affaiblissaient notre jeune héros et, un jour, l'un des chefs des démons sortit de cette faille dimensionnelle qui était directement reliée aux enfers. Et comme le montre cette toile derrière moi, dit Gabriel en se tournant pour regarder la scène légendaire, Joshua livra un combat ultime et bénéfique pour tous les gens d'Attilia. Il remporta la victoire sur nul autre que Méphistophélès, le bras droit de Satan lui-même !

Un silence absolu suivit ses dernières paroles. Tous les adolescents étaient suspendus aux lèvres de Gabriel.

— Mes chers amis, poursuivit le vieil homme de sa voix douce, vous êtes actuellement sur le lieu même où Joshua Drakar sauva la femme de sa vie.

— Et la faille, monsieur le directeur, a-t-elle disparu ? demanda un adolescent assis en avant.

— Non, mon cher ami, répondit Gabriel en s'avançant vers lui. La faille est toujours présente dans ces murs.

— Le danger que des démons s'en échappent existe-t-il toujours ? l'interrogea une jeune femme.

— Malheureusement, je ne peux vous garantir qu'il n'y ait aucun danger, fit Gabriel en retournant derrière le lutrin. Pour contrer les invasions, les gens de l'époque de Joshua Drakar avaient construit une forteresse inversée entourant la faille. Une forteresse habituelle est conçue pour que les personnes se trouvant à l'intérieur soient protégées du danger extérieur. Mais celle-ci, c'était tout le contraire, elle était construite à l'envers...

— Mais vue de l'extérieur, la forteresse dans laquelle nous nous trouvons semble normale, s'exclama le même jeune homme.

— Tout à fait ! Excellente observation, répondit Gabriel avec un sourire approbateur. Depuis des centaines d'années, des personnes peu convenables ou, si vous aimez mieux, des adorateurs de Satan, ont essayé de libérer leur dieu du mal. C'est pourquoi nos ancêtres ont construit une forteresse normale par-dessus la forteresse inversée ; c'est une double protection. Et cette forteresse a été baptisée « le Temple des Maîtres Drakar », en l'honneur de Joshua Drakar.

Un tonnerre d'applaudissements accueillit la conclusion de l'histoire du fondateur des Maîtres Drakar.

— Bon ! maintenant, venons-en aux choses sérieuses, reprit Gabriel afin de rappeler les jeunes à l'ordre. Je vais vous parler des règlements et des procédures que vous devrez suivre à la lettre. Votre séjour parmi nous sera de courte durée et c'est pourquoi il est très important que vous vous sentiez comme chez vous. S'il y a quoi que ce soit qui ne va pas, vous devrez nous en aviser sans délai. Pour que tout se déroule pour le mieux, vous devrez agir envers vos compagnons avec le plus grand respect. « Respect » est un petit mot de sept lettres, mais c'est le plus grand et sûrement le plus beau cadeau que vous pouvez offrir à quelqu'un. Et je vous rappelle que c'est une qualité essentielle pour devenir un bon Maître Drakar. Nous avons aménagé des dortoirs temporaires pour le camp d'été. Pour des raisons évidentes, les dortoirs sont séparés, c'est-à-dire qu'il y a un dortoir pour les filles et un autre pour les garçons. Si notre compte se révèle exact, cette année, le nombre d'inscriptions est de cent dix-sept personnes. Et j'aimerais ajouter, non sans une certaine fierté, qu'il y a presque autant de filles que de garçons, et ça, si vous voulez mon avis, c'est extraordinaire ! Vous allez tous passer un test d'évaluation qui nous permettra de vous répartir dans divers groupes pour suivre les cours qui se dérouleront de 7 h à midi et de 13 h à 17 h. Ne vous inquiétez pas, une cloche sonnera deux minutes avant le début de chaque cours et les repas seront servis au réfectoire à 6 h, midi et 17 h. Vos soirées seront libres et vous pourrez donc en profiter pour faire de nouvelles connaissances, aller visiter notre belle bibliothèque ou tout simplement vous reposer. Je tiens également à vous rappeler que vous êtes venus ici de votre plein gré et qu'un manquement aux règlements sera sévèrement puni. Maintenant que j'ai terminé de vous ennuyer avec toutes ces directives, vous devez choisir vos compagnons de chambre, chaque chambre comportant six lits. Par la suite, vous devrez vous rendre dans le hall d'entrée où des Maîtres Drakar vous attendront pour vous accompagner jusqu'à vos dortoirs respectifs. Ah oui ! un dernier point important : durant la matinée, on viendra vous chercher par groupes de vingt pour le test d'évaluation dont je vous ai déjà parlé. En conclusion, j'aimerais vous souhaiter à tous et à chacun bonne chance !

Et Gabriel sortit par là où il était entré.

Les adolescents quittèrent la salle avec un calme exemplaire. Ils se retrouvèrent dans le hall d'entrée, là où des Maîtres Drakar les attendaient pour les conduire à leurs chambres. Zarya, Abbie, Karine et Élodie suivirent une Maître Drakar. C'était une belle femme vêtue d'un pantalon et d'un veston noirs ; elle portait sensiblement le même uniforme que les hommes. Au même instant, Jeremy et Olivier marchaient côte à côte vers le dortoir des garçons ; Olivier connaissait bien l'endroit, puisqu'il y travaillait depuis trois ans pour le compte de Gabriel.

Zarya et ses trois copines arrivèrent en face de la chambre qui leur avait été assignée. La Maître Drakar ouvrit la porte et les invita à entrer dans la modeste chambre comportant six lits placés en rang d'oignons et deux commodes pourvues de trois tiroirs chacune. L'unique fenêtre à barreaux offrait une magnifique vue sur la rivière Argolide. C'est alors que deux autres jeunes filles entrèrent timidement dans la chambre, précédées d'une Maître Drakar, et que l'une d'entre elles demanda :

— Excusez-nous ! Est-ce qu'on peut se joindre à vous ?

— Mais bien sûr, répondit Zarya en regardant ses amies qui firent un sourire aux deux nouvelles venues en signe d'assentiment.

Ces dernières s'approchèrent pour se présenter et les deux Maîtres Drakar sortirent en les saluant poliment.

— Je m'appelle Danika Salse, dit l'une des jeunes filles qui était très grande, avec de longs cheveux bruns qui lui descendaient jusqu'au bas du dos.

— Et moi, je suis sa sœur, Maelie Salse, fit la deuxième, une adolescente quelque peu replète et à la belle chevelure blonde.

Après que les quatre copines se furent présentées à leur tour, elles s'installèrent sur leurs lits respectifs et discutèrent ensemble.

◊◊◊

Une heure s'était écoulée lorsqu'on frappa à la porte.

— Bonjour à vous ! lança une grande mage aux cheveux noirs et vêtue d'une robe bleu céleste. Je suis la professeure Matéa Rissac. Si vous êtes prêtes, mesdemoiselles, je vous demanderai de bien vouloir me suivre afin que nous puissions procéder à votre évaluation.

Les jeunes filles lui emboitèrent le pas sans discuter.

Tout en marchant, Zarya se demanda quel genre d'évaluation pouvait bien subir un mage. À part faire lever des objets ou faire sortir du feu du bout des doigts, que pouvait-on demander de plus ? Elle se demandait également qui serait présent. « Si mon grand-père est là et que je rate mon évaluation, que dira-t-il de sa petite-fille ? » Cette pensée la préoccupait plus que toute autre. Elle voulait faire honneur à son grand-père, être à la hauteur.

Lorsque la professeure Rissac ouvrit la porte de la salle où allait avoir lieu la fameuse évaluation, Zarya fut étonnée de voir autant de personnes rassemblées. Comme Gabriel l'avait annoncé plus tôt, il y avait vingt adolescents. Abbie, à sa grande satisfaction, vit Olivier debout, dans un coin de la pièce, près de Jeremy. La salle était grande et sombre, à peine éclairée par des torches accrochées aux murs. Au centre, il y avait un piédestal en forme de dragon tenant, entre ses pattes avant, au-dessus de sa tête, un cristal bleu lapis de la grosseur d'un ballon de football. De l'autre côté, en face des adolescents, on pouvait voir une table en demi-lune où étaient assis les responsables du camp d'entraînement. Zarya en compta sept, dont son grand-père qui était assis au centre. D'autres Maîtres Drakar se tenaient en retrait, derrière la table. Alors que Zarya les observait, son regard s'arrêta sur un beau jeune homme dans le début de la vingtaine, de grandeur moyenne, aux cheveux bruns et aux yeux bleus, debout dans un coin de la pièce ; c'était Jonathan... Elle sentit ses jambes mollir et dut s'adosser au mur derrière elle pour ne pas tomber ; son cœur battait la chamade ! Jamais auparavant elle n'avait éprouvé une telle sensation. Elle dut faire un effort surhumain pour reporter son attention sur les gens assis à la table en demi-lune, son regard étant toujours attiré par le beau Maître Drakar. Elle avait l'impression d'être dans un brouillard... Mais, soudain, Gabriel se leva. Zarya sortit de son nuage et se concentra sur son grand-père.

— Bienvenue au test d'évaluation ! dit ce dernier. Avant de demander au premier candidat de bien vouloir s'avancer, je dois vous expliquer comment les choses vont se passer. La personne appelée doit s'avancer à deux mètres du piédestal que vous voyez devant vous. Vous vous demandez sûrement comment s'appelle le cristal posé dessus et quelle est sa vertu. Son nom est « alexandrite » et il a le pouvoir de déterminer la force de vos chakras, ainsi que leur évolution. L'utilisation de ce cristal est simple : vous devez lui envoyer toute votre énergie chakramatique. Selon l'évolution de vos chakras, la couleur diffère. Il y a cinq couleurs différentes. Le rouge représente le plus faible niveau. La force augmente graduellement, passant d'abord par le bleu, puis le vert, le jaune et, finalement, le blanc. Le blanc montre la puissance incroyable de vos chakras. Rares sont les personnes qui ont atteint le blanc dans l'histoire d'Attilia. Pour vous donner une référence, un bon Maître Drakar atteint le jaune. Maintenant, je vous laisse aux bons soins du professeur des pierres magiques... le professeur Trevor Razny.

Le professeur Razny s'avança près du groupe avec la liste des noms en main.

— Quand vous entendrez votre nom, vous vous approcherez du piédestal, et en silence, je vous prie… Je commence : Miliotiste, Hugo !

Hugo Miliotiste s'avança, comme le professeur Razny l'avait ordonné, près du piédestal.

— Maintenant, vous allez vous concentrer sur le cristal d'alexandrite, spécifia le professeur Razny, et vous allez lui projeter toute votre puissance chakramatique.

— D'accord, monsieur, répondit Hugo, anxieux.

Il s'installa, les mains tendues vers l'avant, devant le cristal et se concentra du mieux qu'il put. Quelques secondes s'écoulèrent et, soudain, le cristal se mit à irradier une lueur rouge qui, par la suite, passa au bleu et, ensuite, au vert. Ne pouvant aller plus loin, Hugo s'arrêta là et regagna sa place avec une certaine satisfaction alors que les étudiants et les personnes assises à la table en demi-lune l'applaudissaient.

— Maintenant, je demande à Dumas, Olivier, de s'avancer ! annonça le professeur Razny.

Le jeune homme s'approcha du cristal sous le regard attentif d'Abbie, qui semblait plus nerveuse que lui.

— Vous connaissez la procédure, monsieur Dumas, dit le professeur, alors, veuillez commencer.

Olivier lui fit un signe d'acquiescement. Il se plaça au même endroit qu'Hugo avant lui, leva ses mains et projeta tout ce qu'il avait en lui pour que le cristal change de couleur. Et le cristal passa du rouge au bleu, puis au vert. Mais Olivier n'avait pas dit son dernier mot ! Il se concentra de plus belle et le cristal finit par atteindre un jaune tirant sur le vert ; il était sur la limite du jaune… Sous les applaudissements, Olivier reprit sa place en jetant un regard furtif à Abbie, qui lui fit un grand sourire.

— Maintenant, je demanderais à mademoiselle Pinarci, Mia, de venir ici.

Mia, qui était une jeune fille très timide, s'avança d'un pas incertain vers le piédestal. Compte tenu de son état d'énervement, elle ne put dépasser le bleu. Malgré tout, toute l'assistance l'encouragea.

Jeremy eut le même résultat qu'Olivier. Il était très satisfait de sa performance, se disant que si un bon Maître Drakar pouvait atteindre le jaune, un vert tirant sur le jaune était déjà un très bon résultat pour lui qui souhaitait devenir Maître Drakar !

Une quinzaine d'autres étudiants passèrent le test, puis le professeur Razny appela, d'un air visiblement préoccupé :

— Steven, Abbie.

— Vas-y, Abbie, donne tout ce que tu as ! l'encouragea Zarya en lui donnant une petite tape sur l'épaule.

Abbie marcha vers l'alexandrite d'un pas décidé, comme elle seule pouvait le faire. Très nerveux, Olivier avait presque rentré sa main au complet dans sa bouche ! La jeune fille s'installa devant le cristal, qui semblait plus gros de près, et se concentra. La pierre passa du rouge au bleu, puis au vert, et enfin, sous les yeux admiratifs de ses amis, à un beau jaune pur. Après cet effort surnaturel, elle lâcha prise, habitée par un sentiment de devoir accompli plus que satisfaisant. Elle retourna à sa place toute souriante, avec le meilleur classement de la journée, sous les applaudissements nourris. Gabriel était très content pour la meilleure amie de sa petite-fille.

Curieusement, le professeur Razny regarda Abbie s'éloigner avec un sourire indéfinissable, presque mélancolique.

— Pour terminer, j'appellerai Adams, Zarya !

— Vas-y, Zarya, montre-leur de quoi tu es capable ! l'encouragea à son tour Abbie.

Zarya s'avança d'un pas calme, en regardant du coin de l'œil Jonathan, qui décroisa les bras en voyant la jeune fille en noir se détacher ainsi du groupe. Zarya était vêtue d'une robe noire qui descendait au genou et Jonathan admira ses magnifiques cheveux noirs et ses yeux perçants bleu électrique que, même à cette distance, il voyait briller. Le jeune homme était sous l'emprise d'une force qui lui était inconnue. Les battements de son cœur s'accélérèrent et il ne pouvait plus détacher son regard de Zarya. Celle-ci était à présent devant le cristal, sous le regard attentif de Gabriel et, surtout, de Jonathan, et elle attendait le signal du professeur pour commencer son test.

— Quand vous serez prête, mademoiselle Adams ! lui dit le professeur Razny.

Zarya prit une position confortable, bien ancrée au sol, un pied devant l'autre et les mains tendues devant elle. Elle effaça tout ce qui l'entourait et se concentra. Cependant, elle ne pouvait oublier la présence de Jonathan qui la surveillait attentivement, ce qui lui donna un regain d'énergie. Le cristal se mit à changer de couleur, commençant par le rouge, suivi rapidement par le bleu, puis le vert… et bientôt le jaune. C'est alors qu'un phénomène étrange se produisit… C'était déjà arrivé à la Récré-A-Thèque, alors que Zarya livrait son combat de psychiforce contre Devon Ekin : le Fortitudo. Ses cheveux se soulevèrent, comme si elle touchait un objet saturé d'électricité statique. « Le phénomène se répète », se dit Gabriel qui était maintenant debout. Les gens tout autour se demandaient ce qui se passait. Les cheveux de la jeune fille flottaient et, pourtant, il n'y avait pas le moindre courant d'air dans la salle. Jonathan avait avancé d'un pas pour mieux observer le phénomène avec ses yeux de mage. Gabriel et lui regardaient l'aura de Zarya qui était à présent trois fois plus grande que la normale. C'est alors que Zarya déploya toute sa force intérieure et le cristal, qui était toujours jaune, devint blanc : un blanc immaculé qui éclaira la pièce comme les rayons du soleil, sous les yeux ébahis d'Abbie et de ses amis. Zarya, qui était entrée en transe, poussa son pouvoir de concentration à son paroxysme. Un vrombissement sourd emplit la salle. C'est à ce moment-là que... crac ! le dragon de marbre qui tenait le cristal se fissura sur toute sa longueur. Le bruit fit sortir Zarya de sa transe...

Le cours sur les pierres magiques

Le premier réflexe de Zarya fut de tourner les talons sans se soucier de la réaction des personnes qui étaient assises à la table en demi-lune. Elle regagna sa place sans dire un mot, sous les applaudissements timides du groupe. Mais que s'était-il donc passé ? La question était sur toutes les lèvres ! On pouvait même entendre les étudiants la chuchoter, intrigués. Les cheveux qui flottaient dans l'air, le bruit sourd et le craquement du piédestal, toutes ces choses sortaient de l'ordinaire ; le mystère planait dans la salle ! Zarya regarda son grand-père, la seule personne dont l'opinion importait pour elle ; il était toujours debout et il lui fit un beau sourire. Soudain, toutes les voix se turent et les regards convergèrent vers la table en demi-lune.

— Mes chers amis, dit Gabriel en conservant un calme sans pareil, j'aimerais vous féliciter d'avoir passé ce test d'évaluation avec une discipline digne de futurs Maîtres Drakar. Nous allons maintenant nous retirer quelques instants afin de comparer les différents résultats de façon à vous répartir dans des groupes correspondant à votre classement. Les noms des groupes ainsi formés seront affichés durant le repas de midi et vous pourrez alors consulter votre horaire avant le début des cours de cet après-midi.

Après son discours, Gabriel sortit de la salle par la porte arrière, suivi de ses six adjoints. Avant de quitter les lieux avec Didier, Jonathan lança un dernier regard à Zarya. Celle-ci se tourna vers lui et le fixa de ses yeux perçants, sans dire un mot. Le jeune Maître Drakar disparut, quelque peu ébranlé par ce regard indéfinissable !

Les étudiants se dirigèrent à leur tour vers la sortie, puis vers leur chambre, tout en discutant de leur évaluation. Zarya marchait tranquillement vers la sienne, accompagnée de ses amies, lorsque Abbie lui dit tout bas :

— Tu as l'air préoccupé...

— Pardon ? lança Zarya en sortant de sa bulle.

— Tu as vraiment bien réussi ton évaluation ! la complimenta son amie qui était très fière d'elle.

— Merci ! Toi aussi, tu as obtenu un très bon résultat, répondit machinalement Zarya, le regard fixé sur le plancher du couloir qui les menait au dortoir.

— Mais on dirait qu'il y a autre chose qui te préoccupe !

— Il y avait un garçon là-bas..., chuchota timidement Zarya.

— Tu as eu le coup de foudre ?! l'interrompit Abbie qui s'arrêta net de marcher.

— Je ne sais pas... Sûrement..., avoua Zarya, un peu gênée.

— Il était dans le groupe ? s'empressa de lui demander Abbie, toujours curieuse.

— Non, ce n'est pas un étudiant, je crois que c'est un Maître Drakar.

— Waouh ! Zarya amoureuse d'un Maître Drakar ! s'exclama Abbie. les yeux brillants. Tu n'y vas pas avec le dos de la cuiller !

Elles reprirent leur marche d'un pas lent tout en parlant de ce jeune homme mystérieux.

À présent dans leur chambre, les adolescentes, assises sur leur lit, discutaient du sujet de l'heure, à savoir les cours de Maîtres Drakar, lorsque la cloche sonna. Zarya regarda sa montre et constata avec étonnement qu'il était déjà midi. Elles se levèrent et se rendirent au réfectoire. C'était une grande salle où flottait une bonne odeur de nourriture. Zarya, qui avait eu une matinée plutôt agitée et quelque peu stressante, était affamée. Il y avait plusieurs grandes tables sur lesquelles étaient posés de magnifiques plats appétissants qui contenaient une profusion de victuailles : du rôti de bigarre du Nord à la sauce aux annibergines, des pommes de terre ainsi qu'une belle variété de légumes frais, sans oublier des pichets de sammael, la fameuse boisson sans alcool bleu azur que Zarya avait bue à la plage.

Assise à table avec ses amis, cette dernière scrutait la salle à la recherche du jeune Maître Drakar, mais ce fut sans succès ; il devait y avoir une autre salle à manger pour les Maîtres Drakar. En effet, mis à part les élèves, seules des femmes en robe blanche étaient présentes et servaient des rafraîchissements aux tables.

Aussitôt qu'elle eut fini de manger, Karine se leva pour s'enquérir de l'emploi du temps de l'après-midi. Sur l'un des murs de la salle à manger étaient affichés les horaires et, sur une table juste à côté, plusieurs feuillets étaient mis à la disposition des étudiants. La jeune fille regarda les feuillets avec attention et en prit deux, un pour les garçons et un autre pour les filles. De retour à la table, elle partagea avec ses amis les renseignements qu'elle venait de trouver.

— Bon, voyons voir, dit-elle en examinant l'horaire destiné aux filles. Nous sommes toutes dans le même groupe ! C'est le groupe C.

— Et vous, les garçons ? demanda Abbie.

— Nous sommes également dans le groupe C, répondit Olivier. Nos cours commencent bientôt avec les pierres magiques !

— Exactement, approuva Karine, et ce cours est donné par le professeur Razny.

— C'est l'homme qui nous a fait passer les tests d'évaluation ce matin, fit remarquer Élodie.

— Je connais le professeur Razny, dit Olivier. J'ai déjà fait une ou deux commissions pour lui. Il connaît vraiment tout sur les pierres et les cristaux.

— Tiens, à propos, commença timidement Élodie en regardant Zarya, tu as sans aucun doute obtenu le meilleur résultat du camp... Comment as-tu fait ? Et comment te sens-tu quand tes cheveux flottent dans l'air ?

— Comment j'ai fait ça ? réfléchit Zarya. Je me suis concentrée du mieux que j'ai pu... comme vous, forcément.

— Tu as sûrement fait quelque chose de différent, répliqua Jeremy. Ton résultat parle de lui-même.

— Comme vous, j'utilise toutes les émotions qui se trouvent à l'intérieur de moi, c'est tout ! s'exclama Zarya sur le ton le plus convaincant possible, ne voulant rien dire à propos du phénomène secret dont son grand-père lui avait parlé, le Fortitudo.

— Quelle que soit la façon dont tu t'y es prise, reprit Jeremy avec le sourire, tu vas nous donner des cours privés !

— D'accord, fit Zarya qui se mit à rire.

Quelques minutes plus tard... dring ! la cloche sonna. Les élèves se levèrent tous en même temps, ce qui produisit un bruit sourd dans la grande salle. Zarya et Abbie se regardèrent, tout excitées à l'idée de suivre un cours sur les pierres magiques. Elles ne savaient pas du tout à quoi pouvait ressembler un cours de ce genre, mais une chose était certaine : ce n'était pas un cours de français ; donc, c'était beaucoup plus captivant !

Tout en marchant d'un pas rapide, Karine regarda l'horaire et dit :

— Le cours sur les pierres magiques a lieu à la salle B-104... C'est au premier étage.

Il y avait des Maîtres Drakar postés un peu partout afin de guider les élèves qui en éprouvaient le besoin.

— La salle B-104 ? demanda-t-elle en s'adressant à l'un d'eux.

— Au fond du couloir, à gauche, répondit l'homme avec affabilité.

— Merci !

Aussitôt qu'elles entrèrent dans la salle, Zarya et Abbie s'empressèrent de s'asseoir en avant pour être certaines de bien voir et de tout comprendre ; elles étaient très motivées. Il restait encore beaucoup de places, puisque leurs compagnons et elles étaient les premiers arrivés. Zarya examina les lieux ; c'était une salle à demi obscure, à peine éclairée par de petites lampes fixées aux murs. Elle fut surprise de voir la quantité phénoménale de pierres et de cristaux, de toutes les tailles et de toutes les couleurs, qu'il y avait partout, sur des étagères et même sur le bureau du professeur, qui n'était toujours pas arrivé. La classe se remplit rapidement. Zarya regarda sa montre ; elle indiquait 13 h. Au même instant, le professeur entra et se dirigea vers son bureau d'un pas alerte. Il s'immobilisa et se retourna vers ses élèves.

— Bonjour ! dit-il d'un ton joyeux. Comme vous le savez, je suis le professeur Trevor Razny et je vais vous donner le cours sur les pierres magiques. Pour vous donner un aperçu de mes compétences, je vais vous faire part, en quelques mots, de mon expérience dans ce domaine. Je suis diplômé en gemmologie physique. J'enseigne à l'Université Rockwhule depuis vingt-deux ans et j'occupe le poste de maître de recherches sur les nouvelles pierres au sein du Temple depuis maintenant douze ans.

Ce cours a pour but de vous apprendre les bases de la gemmologie physique nécessaires à la connaissance de l'interaction entre les pierres et l'environnement auquel elles sont confrontées, c'est-à-dire la façon dont nous pouvons les utiliser dans nos activités chakramatiques. Comme vous pouvez le constater, dans cette classe, il y a deux cent quarante pierres différentes. Il en existe beaucoup d'autres et on en découvre de nouvelles chaque année. Par ailleurs, nous ne savons pas le nombre exact de pierres qui existent dans les huit dimensions connues...

Zarya et Abbie se regardèrent, les yeux écarquillés, et Zarya put lire sur les lèvres de son amie : « Huit dimensions ! » sans qu'aucun son ne sorte de sa bouche.

— Nous allons commencer par deux pierres que j'affectionne tout particulièrement, poursuivit le professeur Razny. J'aurais besoin de deux volontaires pour m'aider à transporter des cages. Je n'ai pas eu le temps de le faire, car il s'est produit un petit incident ce matin, expliqua-t-il en faisant un clin d'œil discret à Zarya, qui rougit instantanément.

Jeremy et Olivier, qui étaient assis dans la deuxième rangée, se levèrent spontanément et suivirent le professeur dans un petit local situé à l'arrière de la classe. Ils revinrent en tenant chacun deux cages métalliques. Quant au professeur, il portait une boîte contenant des pierres. Les cages étaient recouvertes d'une couverture opaque ; on ne pouvait pas voir ce qu'elles renfermaient. Les garçons les déposèrent sur le bureau du professeur et retournèrent à leur place. Trevor Razny sortit des pierres et les étala sur son bureau. Elles n'étaient pas plus grosses que des boutons de manchette.

— Et voilà, dit le professeur en prenant une pierre dorée dans sa main pour la montrer aux élèves. Celle-ci est un chrysobéryl, elle a la vertu d'anesthésier.

Zarya trouva que cette petite pierre ressemblait à un œil de chat.

Monsieur Razny prit ensuite la deuxième pierre. Elle était légèrement plus grosse que la première et de couleur rouge rosé. Abbie reconnut cette pierre, c'était celle qu'Olivier avait utilisée pour guérir sa plaie ouverte au cours de la randonnée.

— Voici la deuxième pierre, déclara le professeur. On la nomme « corail » et elle a pour vertu de guérir les plaies.

En prononçant ces mots, le professeur prit une poignée de pierres et les distribua aux élèves. Zarya avait la petite pierre rouge rosé dans sa main et elle la scruta avec attention.

— Maintenant, continua le professeur Razny en reprenant sa place, vous allez vous mettre en équipes de deux.

Zarya se tourna automatiquement vers Abbie.

— À tour de rôle, reprit le professeur, vous allez vous concentrer pour mettre votre partenaire en transe à l'aide de votre pierre. Pour ce faire, vous prenez votre pierre et vous la posez sur le dessus de la main de votre partenaire, mais sans la lâcher. Nous allons commencer par le chrysobéryl. Vous vous concentrez sur cette petite pierre en y projetant votre énergie chakramatique.

Abbie posa sa pierre sur le dessus de la main de Zarya et fit ce que le professeur avait expliqué. Curieusement, le chrysobéryl s'éclaira d'une faible lueur ambrée, sous les yeux ébahis des deux jeunes filles.

— Très bien ! s'exclama Trevor Razni. Continuons ! Ceux qui tiennent la pierre, posez-la sur le bureau et prenez l'espèce de petit pic qui se trouve dans votre tiroir.

Abbie ouvrit le tiroir qui contenait plusieurs objets insolites et prit celui que le professeur venait de décrire ; il ressemblait à un crochet de tricot.

— Maintenant, dit le professeur, vous allez piquer la main de votre partenaire.

Zarya regarda Abbie avec de gros yeux. Abbie, avec un sourire taquin, piqua son amie sur la main et, comble de surprise, celle-ci ne sentit absolument rien !

— Y a-t-il des personnes qui ont senti quelque chose ? demanda le professeur à la ronde.

Personne ne leva la main.

— Bravo ! lança-t-il avec fierté.

Après que les élèves eurent fait l'exercice à tour de rôle et avec succès, l'homme sortit la pierre rougeâtre, le corail.

— Cette fois-ci, nous allons activer cette pierre par la même technique de concentration, déclara-t-il en prenant l'une de ses cages et en enlevant la couverture qui l'enveloppait.

Zarya et Abbie sursautèrent en voyant la bête étrange à poils courts et noirs qui ressemblait à un petit macaque, pourvue de deux longs crocs qui descendaient jusqu'au menton. La créature avait également une crinière dorée et des yeux globuleux rouges, ce qui la faisait ressembler à un vampire. Les deux amies la trouvèrent repoussante.

— Pour les personnes qui ne connaissent pas cet animal, dit le professeur, il s'agit d'un moraïd. C'est une bête très féroce en temps normal, mais, pour des raisons de sécurité, il est actuellement sous hypnose. On peut dire qu'il est doux comme un kelpil.

— Je suis rassurée, chuchota Abbie, il est doux comme un kelpil !

Zarya s'esclaffa.

— Comme vous pouvez le constater, fit remarquer Trevor Razny, il a le bras droit rasé. À l'aide du scalpel que vous trouverez dans votre tiroir, vous allez lui faire une petite entaille sur le bras. Mais n'oubliez pas que vous l'aurez préalablement mis sous anesthésie.

Zarya et Abbie regardèrent l'animal avec répulsion.

— Ne vous en faites pas, mes chers élèves, dit le professeur en voyant leur réaction, il n'y a aucun danger pour cette petite bête. Naturellement, on ne doit pas lui couper le bras ! Seulement lui faire une petite entaille. Il y a quatre moraïds, vous allez donc procéder à tour de rôle. Maintenant, levez-vous et venez vous placer autour de mon bureau.

Tous les élèves se levèrent en même temps et s'avancèrent. Monsieur Razny leur ordonna de déposer leurs scalpels respectifs sur son bureau, puis il désigna quatre élèves et leur demanda de s'approcher. Zarya faisait partie de ce premier groupe de quatre.

— Maintenant, avec le chrysobéryl, vous allez anesthésier son bras.

En même temps que les trois autres élèves, Zarya prit le bras du moraïd et le passa à travers les barreaux de la cage, sous le regard attentif d'Abbie. Elle posa la pierre sur son bras, se concentra et une petite lumière en jaillit. Une fois la pierre retirée, Trevor Razny, avec le pic, s'assura que le moraïd était bel et bien sous anesthésie. Maintenant, Zarya pouvait continuer. C'est avec hésitation qu'elle prit le scalpel et fit une entaille de trois millimètres sur le bras qu'elle tenait. Le moraïd ne sentit absolument rien et il continua à mâcher un bout de fruit sec que le professeur lui avait donné quelques instants plus tôt.

— Bon, très bien, dit ce dernier en regardant le travail minutieux de ses élèves. Maintenant, prenez l'autre pierre, le corail, et posez-la sur la plaie.

Zarya suivit ses indications tout en prenant soin de tenir le bras du moraïd.

— Parfait ! poursuivit le professeur, vous allez vous concentrer sur la pierre et y projeter votre énergie chakramatique.

Zarya se concentra en maintenant la pierre sur la plaie du moraïd, qui avait cessé de manger pour la regarder. Soudain, une lumière rougeâtre émana de cette pierre et pénétra dans la plaie ouverte, qui se referma sous le regard satisfait du professeur Razny.

◊ ◊ ◊

Pendant ce temps, dans son bureau, Gabriel s'entretenait avec Jonathan à propos de l'enquête sur les enlèvements des jeunes filles dans la région parisienne. Didier était absent, car il avait entamé son entraînement intense avec le professeur de divination.

Soudain, un homme entra en trombe dans le bureau de Gabriel, accompagné de ses deux gardes du corps. Jonathan se mit instantanément devant les trois hommes qui semblaient très en colère. Gabriel resta assis et, d'une voix posée, dit :

— Restons calmes, messieurs, je vous prie.

Les deux gardes du corps restèrent près de la porte et jetèrent un regard mauvais à Jonathan qui les surveillait, tous ses sens en alerte.

— Que se passe-t-il, cher ministre Sarek ? lança Gabriel.

— C'est à vous de me le dire ! Vous devez bien savoir ce que font vos élèves, non ? demanda le ministre Sarek, hors de lui.

Le ministre Hamas Sarek était un homme de cinquante et un ans aux cheveux gris en bataille, doté d'un fort mauvais caractère. Ancien Maître Drakar devenu ministre de la Sécurité publique, il avait une dent contre Gabriel. En effet, ce dernier lui avait retiré son titre de Maître Drakar pour des raisons d'abus de pouvoir sur des civils, une dizaine d'années auparavant.

— Aurais-je des problèmes avec l'un de mes élèves sans le savoir ? dit poliment Gabriel.

— Ne faites pas l'innocent, monsieur le ministre Adams ! répondit Hamas avec émotion. L'une de vos élèves aurait atteint le Fortitudo… et il se trouve que c'est votre petite-fille…

— Cela est fort probable, fit Gabriel avec un calme imperturbable. Elle a beaucoup de talent, je peux vous l'assurer !

— Cela n'a rien à voir avec le talent, répliqua Hamas, revenant à la charge, et vous le savez très bien ! De plus, j'ai l'impression que vous y êtes pour quelque chose…

— Que voulez-vous insinuer par là, ministre Sarek ?

— Je crois que vous avez utilisé les pierres de Prana sur votre petite-fille afin d'accroître ses forces, assena Hamas, certain de ses propos.

Gabriel se leva, fit le tour de son bureau et s'approcha lentement du ministre Sarek. Les gardes du corps firent un pas en avant, mais Jonathan les empêcha d'avancer davantage en leur barrant le chemin. Le ministre Sarek s'empressa de leur faire signe de s'arrêter, voulant ainsi montrer qu'il avait le contrôle de la situation.

— Vous savez aussi bien que moi, déclara Gabriel avec pondération, qu'il est impossible pour une jeune fille de seize ans d'absorber une énergie aussi puissante que celle des pierres de Prana... Elle serait morte sur le coup !

— Ce que je sais, c'est que vous avez utilisé les pierres de Prana ! tonna Hamas Sarek. Cependant, ce que je ne sais pas, c'est comment vous l'avez fait ! Mais je le prouverai devant le Grand Conseil... ministre Adams !

Sur ces mots, Hamas Sarek tourna les talons et sortit du bureau en compagnie de ses gardes du corps.

— Comment a-t-il pu apprendre cette nouvelle aussi rapidement ? marmonna Gabriel, devenu songeur.

— Il ne semble pas vous porter dans son cœur, Maître, fit remarquer Jonathan, poliment.

— Tu as parfaitement raison, mon ami, répondit Gabriel en se tournant vers lui. Je veux que tu surveilles ma petite-fille, tout en restant discret, naturellement. Je ne veux surtout pas gâcher ses vacances.

— Très bien, Maître !

Gabriel marcha vers la fenêtre et jeta un coup d'œil à l'extérieur en réfléchissant, sous le regard attentif de Jonathan. Il se tourna de nouveau vers lui et lui dit :

— Surveille ma petite-fille et sois prudent. Surtout, ne fais confiance à personne... J'ai un mauvais pressentiment.

◊ ◊ ◊

Le professeur Razny était satisfait du travail de ses élèves : sur les trente, seulement quatre s'étaient repris par deux fois et, avec un peu de patience, ils avaient fini par réussir.

— Il est maintenant temps de passer à autre chose, fit-il en se dirigeant vers une étagère, à côté de son bureau, où il prit une pierre jaune citron qu'il montra aux élèves. Cette pierre appelée « citrine » permet d'amplifier la force du troisième chakra. Pourriez-vous me dire le nom de ce chakra, mon garçon ? demanda le professeur Razny à un adolescent assis dans la première rangée.

— Le Nabhi, répondit le garçon.

— Exactement, approuva Trevor Razny. Le Nabhi est le troisième chakra, celui du feu, qui est situé au niveau de l'estomac.

Zarya se souvenait très bien du nom de ce chakra. Madame Phidias lui avait fait une démonstration en faisant fondre son verre de jus, qu'elle avait trop refroidi et qui s'était transformé en glace.

— Comme vous le savez, dit le professeur, on peut faire du feu sans l'aide de cette pierre, je le conçois ! Cependant, le résultat est minime compte tenu de l'évolution de votre chakra, naturellement. Mais, à l'aide de la citrine, les résultats peuvent être très impressionnants. Maintenant, vous allez me suivre pour une démonstration.

L'homme ouvrit une porte située à la droite de son bureau. Les élèves le suivirent sans trop savoir où la porte menait. Zarya était la troisième en arrière du professeur Razny, suivie d'Abbie. Elle fut surprise de découvrir que, derrière la porte, il y avait une salle de sport, rectangulaire, un peu particulière. Ses dimensions étaient très impressionnantes ; elle aurait pu contenir cinq terrains de tennis sans difficulté. Le plancher était recouvert de terre et le plafond était haut d'au moins dix mètres. Il y avait des gradins sur trois côtés et, sur le dernier, on pouvoir voir une loge comptant sept places. Zarya supposa que c'était la place réservée à Gabriel et à ses six adjoints. Les adolescents étaient parvenus au centre de la salle de sport lorsque le professeur s'arrêta.

— Parfait, maintenant, dit celui-ci en se tournant vers eux, regardez bien.

Le professeur Razny, qui était toujours au centre de la salle et donc assez loin des tribunes, fixa son regard sur la loge des dirigeants, avec la citrine dans la main. Les élèves retenaient leur souffle dans l'attente de la démonstration du grand maître des pierres magiques. Curieusement, le professeur tenait la citrine dans la main gauche, mais il leva la main droite en direction de la loge et ppssshh ! un jet de feu orangé sortit de sa main droite, comme s'il s'agissait d'une gueule de dragon crachant du feu… Sous l'effet de la surprise, les élèves reculèrent de un mètre. Zarya avait les yeux brillants d'excitation en voyant le pouvoir qu'un mage pouvait détenir. Le professeur se retourna vers ses élèves et leur lança :

— Une image vaut mille mots, n'est-ce pas ?

Zarya comprit que cette expression était parfaitement de circonstance. Elle se disait que, même si le professeur Razny lui avait expliqué qu'une flamme de cinq mètres lui sortirait de la main, elle ne l'aurait probablement jamais cru !

— Mais le feu a jailli de votre main et non de votre pierre ! s'étonna Abbie, curieuse comme à l'accoutumée.

— Vous avez tout à fait raison, dit le professeur avec un sourire de satisfaction. Comme l'a si bien fait remarquer mademoiselle Steven…

Abbie fut très surprise de constater que le professeur Razny connaissait son nom !

— … la citrine a seulement joué un rôle d'amplificateur pour le troisième chakra. Bon, maintenant, vous allez le faire à tour de rôle.

Après un entraînement de quarante-cinq minutes avec la citrine et des torrents de feu que les élèves avaient fait jaillir chacun leur tour, la cloche sonna. La sonnerie indiqua ainsi la fin du cours sur les pierres magiques pour cette année. Zarya, qui avait adoré ce cours, était déçue qu'il soit déjà terminé. Comme le professeur Razny le leur avait mentionné, il y avait deux cent quarante pierres différentes dans la classe et, en deux heures, ils n'avaient parlé que de trois pierres : le corail, le chrysobéryl et la citrine. La jeune fille aurait bien aimé que le cours dure toute la journée, mais il y avait autre chose à apprendre. Les élèves prirent la direction que le professeur leur avait désignée pour sortir de la salle de sport sans être obligés de passer par la classe. Ils sortirent tous un par un en remerciant le professeur Razny pour son cours passionnant.

Zarya et ses amis étaient à présent rassemblés dans le long couloir qui menait au réfectoire.

— Maintenant, on a droit à une pause de trente minutes et il est indiqué qu'on aura une collation avant de poursuivre, dit Karine en consultant l'horaire.

Alors qu'ils venaient de s'asseoir au fond du réfectoire, deux dames vêtues de blanc s'approchèrent avec une table roulante couverte de petits gâteaux, de fruits délicieux et d'un gros pichet de jus de fruits frais pressés.

Ils étaient en train de profiter de ce moment de détente lorsqu'un groupe de sept jeunes, quatre garçons et trois filles, s'installa à la table voisine. Jeremy reconnut l'une d'entre elles. C'était Cylia Ekin, la sœur de Devon Ekin ! Du même âge que Zarya, elle était très grande, avec des cheveux et des yeux noirs, ce qui lui donnait un air asiatique. Elle était aussi méprisante que son frère, sinon plus !

— Jeremy Vernet ! lança Cylia d'un ton irrespectueux. Tu as l'audace de croire que tu vas devenir un Maître Drakar…

— Et un très bon ! s'empressa d'ajouter Abbie qui avait compris que cette remarque n'était pas un compliment de la part de cette fille.

— Je suppose que tu es Zarya Adams ? cracha Cylia en lui jetant un regard dédaigneux.

— Non, c'est moi, Zarya.

— Alors, c'est à cause de toi que mon frère est dans un cachot ? dit Cylia en la dévisageant.

— Il a ce qu'il mérite, rétorqua Jeremy.

À ces mots, Cylia, avec la force de la télékinésie, lui lança le verre de jus d'Abbie en pleine figure !

— Toi et moi, fit Cylia en regardant Zarya d'un air méprisant, on a un compte à régler.

Sans leur laisser le temps de répliquer, elle se leva, en même temps que ses amis qui rigolaient comme des fous, et quitta le réfectoire.

Le Crâne maudit

Jeremy ravala sa frustration en regardant Cylia Ekin s'éloigner. Zarya devinait à son air dépité que laisser passer une aussi belle occasion de donner une bonne leçon de savoir-vivre à la sœur de son pire ennemi le rendait malade.

Lorsque tout le monde eut fini sa collation, Karine se leva et invita ses amis à en faire autant ; il était temps de se rendre au deuxième cours de la journée.

— Maintenant où va-t-on ? demanda Élodie à Karine qui avait l'horaire dans sa main.

— Au cours de télékatapelte ! répondit cette dernière. C'est la salle B-105.

— Je pense que c'est tout près de la classe où nous avons eu le cours sur les pierres magiques, fit remarquer Olivier, puisque c'était la salle B-104.

— Tu as raison, confirma Abbie, la B-105 est la salle de sport où nous avons expérimenté la citrine. J'ai vu ce numéro au-dessus de la porte quand nous avons quitté la salle à la fin du cours.

Zarya suivait ses amis, perdue dans ses pensées. Elle songeait à cette Cylia Ekin et à son frère : « Comment une famille peut-elle donner deux enfants aussi antipathiques et méprisants ? » Ils devaient avoir les gènes de leurs parents ! Zarya n'avait aucune envie de rencontrer ces derniers au cachot du Temple, là où leur fils était détenu. De toute façon, elle se disait qu'elle préférait ne jamais les voir, ni là ni ailleurs...

Ils arrivèrent devant la porte numéro B-105 où une quinzaine de jeunes étaient déjà agglutinés ; c'était bien la salle de sport, comme Abbie l'avait dit.

— Pourquoi n'entrez-vous pas ? demanda Jeremy qui avait hâte de suivre son deuxième cours.

— C'est fermé à clé ! répondit une jeune fille qui se trouvait juste à côté de la porte. J'ai essayé de l'ouvrir en arrivant.

Jeremy se tourna vers Zarya et dit :

— Je suis désolé que Cylia soit en colère contre toi, à cause de moi...

— Ne t'en fais pas, fit Zarya en posant sa main sur son épaule pour le réconforter. Les Ekin cherchent des problèmes là où il n'y en a pas !

— Merci d'être aussi compréhensive, je me sens un peu mieux... mais s'ils te touchent, je vais les... les... Tu comprends ? conclut-il en se retenant pour que ses paroles ne dépassent pas sa pensée.

Clic ! Un bruit de clé actionnant le mécanisme de la serrure retentit et la porte s'ouvrit. Une légère odeur de soufre se fit sentir, sûrement des résidus des exercices effectués avec la citrine au cours précédent. Les élèves entrèrent dans la salle de sport et Zarya put discerner, au fond, des objets de toutes les grosseurs, posés sur le sol. Le plus curieux, c'étaient ces silhouettes représentant des personnes et des animaux grandeur nature, dispersées ici et là près des gradins. Zarya était trop occupée à observer les installations de son prochain cours pour remarquer que son professeur de télékatapelte était déjà là.

— Bonjour à tous ! dit un homme de petite taille. Je suis le professeur Ismaël Herpin.

Le professeur Ismaël Herpin était un nain d'un mètre trente-trois arborant moustache et barbichette, qui aimait porter un chapeau safari vert jade.

— Je vais vous enseigner la télékatapelte, continua-t-il. Pour que vous compreniez ce qu'est la télékatapelte, je vais décortiquer ce mot. Le mot grec « *katapelte* » se traduit en français par « catapulte » et le mot « télé », comme tout le monde le sait, veut dire « loin ». En résumé, ce que vous allez apprendre ici, c'est comment catapulter des objets sur de courtes et de longues distances, par la force de la télékinésie. Maintenant, suivez-moi !

Olivier et Jeremy étaient très enthousiasmés par le cours de télékatapelte. Olivier le comparait au jeu de donar-ball. Il adorait ce sport et pensait qu'il apprendrait aujourd'hui des trucs pour battre n'importe quel adversaire, même s'il se débrouillait déjà plutôt bien. Quant à Jeremy, il savait que pour devenir un bon Maître Drakar, il devait parfaitement maîtriser cette discipline.

Les élèves s'installèrent autour du professeur Herpin pour l'écouter décrire les diverses façons de procéder. Pendant deux heures de cours intensif, ils apprirent à lancer des projectiles de divers poids et tailles sur des distances plus ou moins longues. Le professeur avait déposé des figurines de mages noirs et d'animaux à l'allure féroce qui ressemblaient étrangement à des balnareks. Le plus dur, c'était de lancer deux projectiles en même temps, dans deux directions différentes. Zarya et Abbie n'avaient aucun mal à lancer des projectiles sur de courtes distances, mais elles trouvaient plus difficile d'atteindre une cible éloignée. Par contre, Jeremy et Olivier étaient très doués et ils s'amusaient comme des fous.

Zarya se remémora la mésaventure qu'elle avait vécue durant la randonnée au lac Stella Matutina, quand elle avait dû affronter les balnareks et que, d'instinct, elle avait pris une pierre sur la plage et l'avait lancée sur la tête de la bête noire. Elle se dit que, heureusement, la pierre n'avait pas eu une longue distance à parcourir, car probablement qu'aujourd'hui elle n'aurait pas été en train de suivre un cours de télékatapelte, mais plutôt de manger des pissenlits par la racine.

Les élèves furent très impressionnés par une démonstration du professeur Herpin qui frôlait l'impossible : il prit trois figurines de mages noirs et les déposa, à l'aide de la télékinésie, à l'autre bout de la salle. Ensuite, il leva la main droite et une boule vint léviter à cinq centimètres au-dessus. Il fit la même chose de la main gauche. Deux boules flottaient maintenant devant lui, mais le plus impressionnant fut lorsqu'une troisième boule vint rejoindre les deux autres, lévitant à égale distance de l'une et de l'autre. Les élèves regardaient à présent trois boules qui lévitaient en face du professeur. De ses deux mains, ce dernier fit un geste, comme s'il voulait les lancer, mais sans les toucher : les trois boules furent projetées à une vitesse ahurissante et atteignirent simultanément les trois cibles en plein estomac. Le professeur Herpin remercia les élèves, qui l'acclamaient, d'avoir été aussi attentifs et disciplinés. Le son de la cloche retentit et tous sortirent de la classe, encore estomaqués par l'exploit du professeur.

Zarya et Abbie regagnèrent leur chambre pour se changer et se préparer pour le souper. Selon l'horaire, elles avaient une heure de libre ; Zarya décida de s'étendre pour faire une petite sieste. Abbie, quant à elle, commença à lire un livre qu'Olivier lui avait prêté et qui s'intitulait *La magie à travers les âges*. Elles étaient seules, les autres filles étant parties visiter le Temple avec Jeremy.

Soudain, toc ! toc ! Abbie se leva et alla ouvrir.

— Bonjour, Abbie ! la salua Gabriel d'un ton joyeux.

— Bonjour, monsieur Adams.

— Est-ce que je peux entrer ? demanda-t-il avec courtoisie.

— Mais bien sûr, entrez, je vous en prie.

Gabriel entra et vit Zarya assise sur son lit. Il lui fit un beau sourire.

— Bonjour, grand-père ! dit-elle en se levant pour l'embrasser.

— J'espère que vous aimez votre séjour au Temple ?

— On adore ! s'exclama spontanément Zarya.

— Pardonnez-moi de ne pas être venu vous rendre visite avant, mais j'ai été surchargé de travail.

— On comprend ça, fit Abbie. Avec toutes les choses auxquelles vous devez penser et qu'il vous faut prévoir pour que tout soit parfait, on comprend que vous ayez beaucoup de travail.

— Tu as parfaitement raison, Abbie, comme d'habitude, dit Gabriel en lui serrant amicalement l'épaule. Avez-vous l'intention de visiter le Temple ?

— Oui, Olivier va nous faire faire une visite guidée après le souper, répondit Zarya.

— Excellente idée ! Je ne voudrais surtout pas que tu penses que je lis dans tes pensées, Zarya, mais je ressens une certaine inquiétude chez toi. Ai-je raison ?

Zarya regarda en direction d'Abbie pour chercher conseil ; elle hésitait à dire à son grand-père ce qui la tracassait.

— Je crois que tu devrais lui raconter à propos de tes cauchemars, lui souffla son amie.

— Des cauchemars ? répéta Gabriel.

— Oui, je fais des cauchemars un peu bizarres, avoua Zarya avec une certaine hésitation. Ils paraissent tellement réels... C'est peut-être stupide de ma part, mais j'ai l'impression qu'on me projette volontairement ces cauchemars dans la tête.

— Sache, Zarya, dit Gabriel en s'approchant de sa petite-fille, qu'un pressentiment d'une mage telle que toi est loin d'être stupide... Peux-tu me raconter tes cauchemars ?

— En fait, c'est toujours le même cauchemar que je fais nuit après nuit. Ça se déroule dans une grande pièce sombre seulement éclairée par des torches fixées aux murs et, au centre de cette pièce, il y a un pentacle. Et sur chacune des pointes de ce pentacle se trouve une personne qui porte une longue robe et un masque représentant une bête noire, un masque qui ressemble étrangement à la tête d'un balnarek, à vrai dire. Mais, sur la pointe inversée, il y a un grand homme vêtu d'une longue robe noire, avec un capuchon ample qui dissimule son visage. Et curieusement, en face de lui, attachée sur une chaise, il y a Abbie... L'homme, qui est le chef, enlève son capuchon, et c'est ça qui est le plus bizarre... c'est toi, grand-père ! Tu prends ta canne et tu projettes un rayon lumineux vert sur la tête d'Abbie !

Plus le récit de Zarya avançait et plus Gabriel était embarrassé. Il analysait ce cauchemar sous tous ses angles ; pour la première fois, les deux amies le voyaient troublé et incapable de donner une réponse.

— La seule chose que je puisse vous dire pour l'instant, déclara Gabriel qui avait rassemblé ses idées avant de parler, c'est que je crois, moi aussi, qu'une personne essaye d'entrer en contact avec toi par le biais de tes rêves. Et surtout, conclut-il en fixant Abbie dans les yeux, j'aimerais mieux mourir dans d'atroces souffrances que de te faire du mal !

— Je sais, acquiesça Abbie.

— Je veux que tu te concentres sur ton beau séjour ici, poursuivit le vieil homme en regardant de nouveau sa petite-fille, et moi, de mon côté, je vais me renseigner pour tenter de comprendre tes cauchemars.

— D'accord, grand-père.

— Je vous souhaite une bonne fin de journée, les filles, dit Gabriel en leur faisant un petit clin œil.

Il quitta la chambre tout souriant, mais au fond de lui il était très contrarié par les cauchemars de sa petite-fille. Il se demandait s'ils avaient un rapport avec les enlèvements de Malphas. Il s'interrogeait également sur l'identité de la personne qui tentait d'entrer en communication avec Zarya par l'entremise de ses rêves. Toutes ces interrogations lui trottaient dans la tête et minaient son moral.

◊ ◊ ◊

Après avoir fait une petite sieste de vingt-cinq minutes, Zarya se rendit, accompagnée d'Abbie, au réfectoire pour souper avec leurs amis. Le fait d'avoir dit la vérité à son grand-père au sujet de ses cauchemars l'avait libérée d'un énorme poids qui pesait sur sa conscience. Par contre, maintenant, elle s'inquiétait pour lui. En effet, elle avait senti une certaine tristesse et une forte inquiétude chez Gabriel ; il prenait sûrement très au sérieux les cauchemars de sa petite-fille. Abbie fit de son mieux pour la réconforter pendant qu'elles marchaient vers le réfectoire, lui assurant que son grand-père était le plus grand des Maîtres Drakar et que, à ses yeux, les cauchemars de sa petite-fille ne devaient pas être le problème le plus important de sa carrière.

Après avoir pris un bon souper, Zarya et Abbie suivirent Olivier pour aller visiter le Temple de fond en comble. Zarya voulait tout d'abord voir la forteresse inversée, au centre du Temple. Olivier la connaissait déjà, bien sûr, mais il était ravi de jouer les guides pour ses deux nouvelles amies. Les filles eurent l'impression de parcourir au moins un kilomètre, tellement les couloirs du Temple étaient longs. Leur guide tourna le coin et s'immobilisa subitement.

— Pourquoi t'arrêtes-tu ? demanda Abbie.

— Vous voyez ces gardes, à gauche au fond du couloir ? fit Olivier.

— Oui, répondit Abbie. C'est là qu'on va ?

— Non, pas du tout, on va dans l'autre sens. Je voulais juste vous montrer où est le cachot de Devon Ekin.

Ils reprirent leur marche tout en discutant.

— Que va-t-il arriver le jour où Devon Ekin sortira de prison ? lança Abbie, un peu inquiète.

— Il n'aura plus de pouvoirs, dit Olivier, et il sera sous la responsabilité de ses parents.

— Et comment sont ses parents ? l'interrogea Zarya.

— Je n'en sais rien, il faudrait le demander à Jeremy, il les connaît.

Ils arrivèrent près d'une porte surveillée par un Maître Drakar et s'arrêtèrent.

— Est-ce qu'on peut entrer et aller visiter la forteresse inversée, s'il vous plaît, monsieur ? demanda poliment Olivier.

— Mais bien sûr, répondit le Maître Drakar avec affabilité.

Il leur ouvrit la porte en leur souhaitant une belle visite.

Zarya entra dans un endroit bien éclairé. Il devait y avoir une quarantaine d'étudiants qui observaient la forteresse inversée ; une forteresse à peine de la grandeur de la maison de Gabriel. Elle ressemblait à une pyramide carrée tronquée, en pierre blanche et entourée d'un champ magnétique qui empêchait les démons de s'en échapper. Sur tout le pourtour, il y avait un fossé rempli d'un liquide bleu lavande.

— C'est quoi, ce liquide bleu tout autour de la forteresse ? demanda Zarya.

— On appelle ce liquide le « myostypil », dit Olivier qui s'était déjà renseigné sur le sujet au cours d'une précédente visite guidée, avec ses parents.

— Et ça sert à quoi ? le questionna Abbie.

— C'est une mesure de protection dans le cas où un démon réussirait à s'échapper. Vous pourriez vous baigner sans problème dans le myostypil, mais, pour un démon, c'est de l'acide pur.

Il y avait des Maîtres Drakar postés en bas de la passerelle, mais le public ne pouvait descendre, par mesure de sécurité.

Soudain, bang ! bang !

— Quel est ce bruit ? s'alarma Zarya, troublée.

— C'est un démon qui essaye de sortir, répondit calmement Olivier.

— Mais... mais il va sortir, balbutia Abbie, que le son grave provenant de la forteresse inversée rendait un peu nerveuse.

— Nous avons été chanceux de l'entendre, fit Olivier, ça n'arrive qu'une dizaine de fois par semaine.

— Je me serais bien passée de cette « chance », répliqua Abbie, je vais en faire des cauchemars.

◊ ◊ ◊

Au même moment, quelqu'un frappa à la porte du bureau de Gabriel.

— Entrez, je vous prie, dit ce dernier.

Jonathan entra dans le bureau, accompagné de Didier.

— Vous vouliez nous voir, Maître ? demanda-t-il.

— Oui, dit Gabriel en se levant pour les accueillir, mais asseyez-vous, mes amis !

— Merci ! répondirent les jeunes hommes à l'unisson.

Gabriel contourna son bureau et s'assit sur le rebord afin d'être plus près de son Maître Drakar et du néophyte.

— Il faut absolument que je sache tout sur la cérémonie de Malphas, leur déclara-t-il sur le ton de la confidence.

— Mais nous vous avons tout dit, Maître, l'assura Jonathan.

— Oui, je sais, mais pas sous hypnose.

Jonathan comprit où Gabriel voulait en venir ; il souhaitait soutirer les souvenirs des visions que Didier avait eues lorsqu'il avait touché le piédestal.

— Puis-je vous mettre sous hypnose, mon cher Didier ? demanda Gabriel avec politesse. Vous pouvez me le refuser, c'est votre droit.

La loi d'Attilia exigeait un mandat pour mettre quelqu'un sous hypnose. Cependant, un Maître Drakar pouvait prendre l'initiative de le faire au cours d'une mission si cela s'avérait nécessaire.

— Sans aucun problème, Maître, fit Didier sans hésitation.

— Merci, mon ami.

Gabriel alla chercher sa canne et reprit sa place sur le rebord de son bureau, tout près de Didier. Jonathan se leva et vint se placer à la droite du vieil homme pour l'assister.

— Maintenant, mon cher Didier, dit ce dernier en tenant devant lui sa canne en acajou ornée d'un cristal vert émeraude, vous allez fixer ce cristal. Vous allez vous concentrer et retourner sur les lieux du crime, là où se trouve le pentacle inversé. Ensuite, vous allez me dire tout ce que vous avez vu et ressenti quand vous avez été en contact avec le piédestal.

— D'accord, je vais faire de mon mieux, répondit le jeune médium en fixant le cristal.

Une trentaine de secondes passèrent avant que les yeux de Didier ne se ferment et que sa respiration ne ralentisse ; lorsque ces deux réactions physiques se manifestèrent, il entra en transe.

— Dites-moi ce que vous voyez, demanda Gabriel d'une voix douce.

Des images apparurent dans la tête de Didier, comme celles d'un film au ralenti.

— Je vois… quatre personnes vêtues d'une longue robe violette… Chacune est postée sur une pointe du pentacle.

Elles portent un masque noir qui leur recouvre le haut du visage. Leur chef se trouve sur la pointe inversée du pentacle et il porte également une longue robe, mais la sienne est noire et un grand capuchon dissimule son visage. Sur sa poitrine repose un pendentif en forme de quart de lune et il a une bague à la main droite…

— Donnez-moi la description de cette bague, ordonna gentiment le ministre.

— C'est une bague en argent ornée d'une petite pierre violette…

Gabriel se tourna vers Jonathan et chuchota :

— Malphas portait une bague en argent avec une iolite, et elle était justement violette ! Que voyez-vous d'autre ?

— Il y a un piédestal au centre du pentacle, continua Didier, toujours en transe. Il y a un cristal dessus… Un cristal transparent en forme de crâne… Je sens une très forte puissance… malveillante…

— Le Crâne maudit ! s'exclama Gabriel en regardant de nouveau Jonathan. Maintenant, Didier, vous allez sortir de votre transe et vous réveiller.

Gabriel était satisfait de ce qu'il venait d'entendre. Didier sortit tranquillement de sa transe et demanda :

— Ai-je livré les informations que vous vouliez, Maître ?

— Oui, je suis très satisfait de vos visions, vous êtes d'une aide précieuse.

— Vous avez mentionné le Crâne maudit, fit remarquer Jonathan à Gabriel.

— Oui, exactement, fit le ministre, songeur, j'ai bien peur qu'il ne s'agisse de cela. Selon la légende, le Crâne maudit serait bénéfique aux personnes de l'autre dimension, pour leur avenir du moins. Mais entre de mauvaises mains, il peut devenir une arme redoutable. Je ne sais pas tout sur ce crâne, mais il y a une chose dont je suis certain, c'est qu'il porte bien son nom.

Cependant, je connais quelqu'un qui en sait long sur le sujet, c'est le professeur Razny !

Le lendemain matin, Zarya se réveilla avec un grand sourire. Elle avait fait un rêve particulièrement agréable, bien différent de ceux des nuits précédentes. En effet, elle avait rêvé de ce jeune Maître Drakar. Elle se sentait tellement bien quand elle pensait à lui ! Elle n'avait jamais éprouvé un sentiment aussi puissant pour quelqu'un de toute sa vie. Elle ignorait qu'un sentiment aussi fort pût exister.

Elle ne savait pas si c'était parce qu'elle avait parlé à son grand-père de ces rêves angoissants ou parce qu'elle avait rencontré ce jeune homme, mais ses cauchemars avaient disparu.

En regardant Abbie dormir d'un sommeil profond, Zarya s'imaginait très bien à quoi, ou plutôt à qui, elle pouvait rêver ; c'était sûrement d'Olivier ! Abbie lui avait dit, durant la visite du Temple : « Je ne sais pas quand ni comment tu vas t'y prendre, mais tu dois absolument le rencontrer. Du moins, essaye de connaître son nom et de savoir où il demeure… »

Il était tôt et il faisait encore sombre dans la chambre. Zarya passa ses mains dans ses cheveux en pensant à la journée qui s'annonçait fort agréable. Elle alluma la petite lampe posée sur la table de chevet et s'arracha à ses couvertures. Elle enfila sa robe de chambre, sortit de la chambre avec son sac à dos et se rendit à la salle de bain, au bout du couloir, afin de prendre sa douche.

De retour dans la chambre, Zarya trouva ses compagnes en train de discuter de leur emploi du temps.

— Bonjour, Zarya ! dirent-elles en chœur.

— Bonjour.

— Tu es bien matinale, fit remarquer Abbie en sortant à son tour de son lit. Je suppose que tu as fait un autre cauchemar ?

— Non, loin de là, répondit Zarya avec un beau sourire.

En voyant ses yeux briller comme des saphirs, Abbie comprit immédiatement.

— Tu vas faire en sorte de le rencontrer et de lui parler, lui chuchota-t-elle afin que les autres filles ne l'entendent pas.

— Si l'occasion se présente, dit Zarya en rougissant.

◊ ◊ ◊

Il était 6 h 47. Les adolescentes avaient pris un bon déjeuner au réfectoire et se rendaient maintenant à leur premier cours. Un Maître Drakar s'approcha d'elles à l'improviste et demanda :

— Zarya Adams et Abbie Steven sont-elles parmi vous ?

Les deux amies se regardèrent...

— Je suis Zarya.

— Et moi Abbie.

— Auriez-vous l'obligeance de bien vouloir me suivre, mesdemoiselles ? demanda le Maître Drakar avec gentillesse.

Zarya et Abbie lui emboîtèrent le pas sans se soucier de ce qu'il voulait.

— On se revoit tout à l'heure, les filles, leur lança Élodie en continuant son chemin.

Ils empruntèrent un chemin qu'elles connaissaient bien, puisque c'était celui qui menait à la salle de sport. Le Maître Drakar s'arrêta en face de la classe B-104.

— Vous pouvez entrer, mesdemoiselles, dit-il en leur ouvrant la porte. Le professeur Razny vous attend.

Elles pénétrèrent dans le local, toujours aussi sombre, comme la première fois qu'elles y étaient venues. Pourquoi le professeur Razny voulait-il les rencontrer de nouveau ? Et pourquoi seulement elles, et pas les autres filles ?

Trevor Razny sortit de la petite pièce adjacente à son bureau, un cristal à la main.

— Bonjour, mesdemoiselles, les salua-t-il en déposant l'imposant cristal sur son bureau.

— Bonjour, professeur, dirent les jeunes filles qui avaient hâte de connaître la raison de leur retour dans la classe des pierres magiques.

— Je sais que votre premier cours de ce matin est celui de psychiforce, mais le directeur Adams m'a demandé de vous en donner un autre. Un cours privilège. Je ne connais pas la raison exacte de sa requête, mais monsieur Adams a été formel à ce sujet : je dois absolument vous montrer comment contrer les effets maléfiques du Crâne maudit.

— Le Crâne maudit ! répétèrent les deux amies en échangeant un regard perplexe.

— Exactement, fit le professeur. Le Crâne maudit.

— Mais je ne comprends pas... Pourquoi nous montrer ça, et seulement à nous ? demanda Zarya.

— C'est en rapport direct avec vos cauchemars, répondit le professeur Razny.

Les adolescentes se regardèrent d'un air consterné.

— Mais je n'ai pas rêvé à un crâne ! s'exclama Zarya.

— Je ne peux vous en dire davantage. On m'a tout simplement demandé de vous entraîner au cas où vous devriez faire face, un jour ou l'autre, à ce Crâne maudit.

— D'accord, acquiesça Zarya en s'en remettant au bon jugement de son grand-père.

— Donc, c'est parfait, conclut le professeur.

— Le cristal que vous avez déposé sur votre bureau ressemble beaucoup à un morceau de glace, fit remarquer Abbie.

— En effet, approuva le professeur Razny. C'est un cristal de roche, ou cristal de quartz à l'état brut. Maintenant, vous allez prendre chacune une chaise et vous asseoir...

Zarya et Abbie suivirent ses instructions et s'installèrent devant son bureau.

— Mesdemoiselles, déclara Trevor Razny en s'asseyant sur le coin de son bureau, il faut que vous parveniez à créer un champ de protection à l'aide de vos sept chakras.

Les jeunes filles se regardèrent encore, surprises.

— On appelle ce champ « protectum », ajouta le professeur.

— Le protectum, répétèrent lentement les deux amies.

— Exactement. Créer un protectum demande énormément d'énergie chakramatique. On ne peut maintenir ce champ de protection indéfiniment.

— Et pendant combien de temps peut-on le maintenir, professeur ? demanda Zarya, très curieuse de connaître la suite.

— De deux à quatre minutes. Cela dépend de l'énergie que chaque individu a en lui. Pour ce faire, vous devez vous concentrer en visualisant vos sept chakras, fermer les yeux et prononcer le mot « protectum » à voix basse. Mais je dois vous avertir que, pour créer le protectum, il faut avoir acquis une certaine maturité des chakras et de l'âme, ainsi qu'une confiance inébranlable en ses facultés. Le directeur Adams est convaincu que vous êtes des mages possédant une maturité plus que suffisante, bien que vous n'ayez pas grandi ici et que votre formation ait commencé sur le tard. Maintenant, assez discuté, nous allons commencer.

Zarya et Abbie étaient bien assises sur leur chaise et elles se concentrèrent, comme le professeur les avait invitées à le faire.

Après trente-cinq minutes d'efforts soutenus, elles avaient réussi à créer un tout petit champ, à peine perceptible à l'œil nu. Cependant, le professeur Razny était très satisfait de leur travail.

— C'est plus difficile que je ne le pensais, fit remarquer Zarya.

— Vous y êtes presque, les encouragea monsieur Razny. Nous allons faire une pause de quelques minutes. Il est parfois profitable de se changer un peu les idées.

Zarya et Abbie profitèrent de la pause pour interroger le professeur sur certaines des pierres qui étaient posées sur les étagères. La pierre qui les intriguait le plus était une obsidienne noire. Elle avait l'apparence d'un morceau de charbon, mais en plus brillant, et elle avait pour vertu d'éloigner les mauvais sorts.

Puis l'entraînement reprit.

— Nous allons reprendre avec mademoiselle Steven, dit le professeur. Asseyez-vous et concentrez-vous comme si votre vie en dépendait.

— D'accord, répondit Abbie, plus déterminée que jamais.

Plusieurs de ses tentatives furent ratées. Trevor Razny, loin d'être découragé, l'invita à continuer en se concentrant davantage. Soudain, Abbie fut inondée de vert émeraude ; elle avait créé un protectum qui enveloppait son corps tout entier. Elle ouvrit les yeux et observa cette bulle qui l'entourait, sous les yeux ébahis de Zarya.

— Merveilleux, mademoiselle Steven ! s'écria le professeur Razny. Maintenant, vous allez lâcher prise.

Le champ magnétique disparut.

— C'est votre tour, mademoiselle Adams, lança le professeur en lui tirant la chaise, asseyez-vous et faites comme votre amie.

Zarya s'assit avec une seule idée en tête : accomplir la même chose que son amie. Abbie avait réussi à faire une bonne démonstration et elle se dit que la chose était possible pour elle aussi.

Après quelques minutes de concentration, Zarya parvint à créer un protectum, à la grande satisfaction du professeur.

— Le directeur Adams avait tout à fait raison à votre sujet, constata ce dernier qui n'en revenait pas. Je peux vous avouer que j'étais un peu sceptique. Réussir le protectum en si peu temps… alors là… bravo !

Zarya et Abbie échangèrent un regard plein de fierté.

— Maintenant, venons-en aux choses sérieuses, dit le professeur en prenant le cristal de quartz. Vous allez vous asseoir et créer le protectum et, de mon côté, je vais vous envoyer un puissant sortilège provenant de ce cristal.

— Est-ce que c'est dangereux ? demanda Abbie, les yeux écarquillés.

— Oui, mais vos champs de protection vont vous protéger.

— Ah bon ! fit Abbie en regardant Zarya.

En quelques secondes, les deux amies créèrent le protectum. Le professeur posa ses deux mains sur la pierre de quartz et projeta un faisceau d'une blancheur immaculée qui frappa les jeunes filles de plein fouet. La pièce, qui était toujours sombre, s'éclaira comme en plein jour. Trevor Razny était très satisfait de ses apprenties, car les boucliers tenaient le coup. Sans crier gare, à l'aide de la télékinésie, il s'empara de l'agrafeuse qui était sur son bureau et la lança sur elles de toute sa force intérieure... Bang ! l'agrafeuse se brisa en mille morceaux lorsqu'elle heurta le bouclier.

— Bravo, les filles ! lança le professeur, très fier d'elles. Vous pouvez maintenant relaxer.

— J'ai eu vraiment peur quand vous avez lancé l'agrafeuse, révéla Abbie.

— Je voulais vous prouver que vous pouviez même contrer des objets solides.

— C'était vraiment incroyable ! s'exclama Zarya, heureuse d'avoir appris un moyen de défense aussi puissant.

Les démons

Zarya et Abbie étaient sorties du cours privilège du professeur Razny, qu'elles avaient d'ailleurs beaucoup apprécié. Cependant, elles se demandaient bien pourquoi Gabriel avait demandé à cet homme de leur apprendre à contrecarrer les maléfices du Crâne maudit, comme il avait dit.

Comme il était encore trop tôt pour se rendre au deuxième cours, les deux amies décidèrent d'aller prendre un verre de sammael au réfectoire où elles s'assirent l'une en face de l'autre.

— Quand je vais retourner au Canada, dit Abbie en posant son verre, je vais sûrement trouver la vie quelque peu… ordinaire !

— Oh oui ! admit Zarya en prenant une gorgée de jus bleu azur.

— Le plus difficile, ça va être de rester discrètes à propos de tous nos pouvoirs et de garder ce secret pour nous.

— Tu as parfaitement raison.

— Laquelle ?

— Si on découvre qu'on a des pouvoirs, les savants du monde entier vont vouloir nous ausculter et on va devenir leurs cobayes.

— Sans oublier, ajouta Abbie, qu'on pourrait mettre la ville d'Attilia en danger.

Elles abordèrent un autre sujet qui leur tenait à cœur, à savoir le mystérieux Maître Drakar. Elles s'interrompirent lorsqu'elles entendirent des bruits de pas et des voix excitées provenant du couloir ; c'étaient les élèves qui se précipitaient dans le grand réfectoire pour prendre leur collation du matin, car ils avaient fini leur premier cours de la journée.

— Salut, les filles, lancèrent Élodie et Karine en s'asseyant près d'elles.

— Salut, répondirent en chœur Zarya et Abbie. Et puis, comment a été votre cours de psychiforce ?

— Super intéressant, dit Élodie. Olivier et Jeremy s'en sont donné à cœur joie.

— Où sont les garçons, au fait ? demanda Abbie en regardant autour d'elle dans l'espoir d'apercevoir Olivier.

— Ils sont en train de discuter avec le professeur Vernet au sujet d'éventuels tournois de psychiforce à la Récré-A-Thèque. Ils vont sûrement venir nous rejoindre au prochain cours.

— Ce cours va sûrement être intéressant, déclara Karine.

— Oui, c'est vrai, approuva Élodie. J'ai entendu un groupe de garçons qui l'ont eu l'an dernier, et ils disaient qu'ils avaient beaucoup apprécié ce cours de démonologie…

— Un cours sur les démons ? s'étonna Zarya qui ne s'attendait pas à avoir ce genre d'initiation.

— Il ne faut pas oublier qu'ils sont les ennemis jurés des Maîtres Drakar depuis des milliers d'années, dit Olivier en s'asseyant à côté d'Abbie, qui sursauta en le voyant apparaître à ses côtés.

— Dans ce cours, on apprend aussi tout sur les mages noirs, la sorcellerie maléfique et les messes noires, renchérit Jeremy qui posa sa main sur l'épaule de Karine.

— Tout le côté ténébreux de la magie, ajouta Élodie.

— Pour changer de sujet, fit Jeremy en s'asseyant aux côtés de sa douce, il ne faut pas oublier le tournoi de demain.

— Un tournoi ? s'exclama Zarya, surprise.

— Oui, c'est ça, reprit Jeremy, un examen final, si tu aimes mieux. Je n'y ai jamais assisté, mais j'en ai beaucoup entendu parler. Il paraît que c'est très difficile. Il y a toutes sortes d'épreuves sur les choses qu'on a apprises au camp. Mais ce n'est pas tout le monde qui doit y participer, seulement deux personnes par groupe seront choisies.

— Choisies par qui ? demanda Abbie.

— Par le groupe, répondit Jeremy.

Quelques minutes plus tard, la cloche sonna. Les élèves se levèrent tous en même temps pour aller au deuxième cours de la journée. Le cours de démonologie était, sans aucun doute, le cours le plus théorique du camp. Mais c'était également un cours indispensable, surtout si l'on voulait tout savoir sur ses ennemis…

Zarya et ses amis marchaient deux par deux dans l'étroit couloir qui menait à la salle C-337, située au troisième étage. Lorsqu'ils arrivèrent, le reste de la classe était déjà là. Sur la porte, il y avait un papier sur lequel on pouvait lire : « De retour dans cinq minutes. » Quelques instants plus tard, la professeure de démonologie arriva, tout essoufflée, avec un bandage sur le bras gauche.

— Excusez mon retard, chers élèves, dit-elle en sortant une clé de sa poche pour ouvrir la porte. Il m'est arrivé un petit incident… et tout ça à cause de ce cher Madvi.

Zarya regarda son bandage et se demandait qui pouvait bien être ce Madvi. Elle entra dans une salle bien éclairée comparativement à celle où avait eu lieu le cours sur les pierres magiques. Les murs étaient tapissés de toiles et de photos représentant des démons de toutes sortes et, sur les étagères, il y avait des statuettes, des gargouilles et des objets utilisés durant les cérémonies sataniques. La professeure se tourna vers ses élèves en se tenant le bras gauche qui semblait la faire souffrir encore un peu.

— Bonjour à tous et excusez-moi encore pour ce retard de cinq minutes. Je me présente, je suis la professeure Katyn Masanari et je vais vous donner le cours de démonologie.

Zarya trouvait que Katyn Masanari semblait bien jeune pour être professeure de démonologie. Elle était très jolie et ne devait pas avoir plus de vingt-cinq ans. Avec ses beaux cheveux noirs et son teint basané, elle ressemblait à une déesse grecque, pensait Zarya.

Soudain, un drôle de bruit se fit entendre : un bruit de battement d'ailes. Zarya se tourna en direction du bruit qui provenait de l'arrière de la classe. Elle leva les yeux sur la grande étagère et faillit tomber de sa chaise lorsqu'elle vit un animal qui semblait sortir tout droit d'un film d'horreur. Une bête de un mètre de haut, avec de grandes ailes, était perchée sur le rebord de l'étagère. Elle était toute noire et pourvue de trois cornes ; deux longues cornes de chaque côté de sa tête, et une petite sur son front. Pour couronner le tout, elle avait de longs crocs et des yeux globuleux rouge sang. La professeure Masanari claqua des doigts et la bête s'envola pour venir se poser sur son bureau. La créature se tourna ensuite vers les élèves et tous purent l'observer comme il faut.

— Je vous présente Madvi, dit Katyn Masanari en souriant. C'est un démon !

Zarya et Abbie, comme tous les autres élèves, avaient les yeux fixés sur Madvi, un petit démon tout droit sorti des enfers. De près, les adolescents remarquèrent que Madvi avait des bras qui descendaient jusqu'aux genoux, ainsi que de longs doigts.

— Est-il dangereux ? demanda une jeune fille qui, assise juste à côté du bureau de la professeure, pouvait sentir l'odeur de soufre se dégageant du démon.

— Non, pas du tout, la rassura la professeure Masanari.

— Mais il vous a blessée ! lança Abbie.

— À dire vrai, c'est de ma faute. Je le poursuivais pour m'amuser et, en grimpant sur mon bureau, j'ai trébuché sur l'un de mes livres. Madvi a voulu me rattraper et scratch ! il m'a écorchée avec ses longues griffes. Ce n'était pas intentionnel de sa part, c'était juste un regrettable accident.

Pendant que la professeure donnait son cours, Madvi se promenait dans la salle et allait taquiner les élèves. Zarya le trouva au fond sympathique malgré son apparence repoussante et ses yeux globuleux. Le cours s'avéra passionnant, comme l'avait laissé entendre Élodie à la pause. La professeure Masanari expliqua la possession, la hantise et l'exorcisme. Comme exemple, elle parla de l'emprise qu'avait eue Malphas sur un ancien Maître Drakar très puissant, ce qui attira l'attention de Zarya et d'Abbie. Elle raconta ensuite la fameuse nuit où le directeur Gabriel Adams avait exorcisé ce Malphas, ce qui avait mis fin à son règne démoniaque sur Attilia.

— Pourquoi un démon comme Madvi a-t-il une apparence physique et pourquoi un autre comme Malphas avait-il une apparence spectrale ? demanda Élodie.

— Madvi est effectivement un démon physique, expliqua la professeure Masanari en se rapprochant de l'animal noir ailé. On peut le toucher, le capturer et même le tuer. Comme vous pouvez vous en douter, les démons physiquement présents sont vulnérables. Dans leur dimension, ils sont comme nous, de chair et de sang, et lorsqu'ils franchissent la faille dimensionnelle, ils conservent leur apparence. Pour ce qui est des démons comme Malphas, ce sont effectivement des démons spectraux, des êtres qu'on ne peut toucher, ils sont comme le vent... Le corps physique de Malphas se balade quelque part en enfer, mais à cause du Maître Drakar qui l'a invoqué, son esprit maléfique a traversé la dimension qui nous sépare et s'est réfugié dans le corps de ce Maître.

— Est-ce qu'on peut le tuer ? questionna Jeremy.

— Non, pas vraiment. On ne peut tuer un démon spectral, on peut seulement le renvoyer dans sa dimension, aux enfers... finalement !

— Et si je me trouve nez à nez avec un démon spectral, demanda Zarya, que dois-je faire ?

— Excellente question. Si vous arrivez en face d'un démon translucide ou spectral, il ne peut rien vous arriver...

— Mais ce Malphas était spectral, l'interrompit poliment Abbie, et, pourtant, il a causé beaucoup de dommages.

— Oui, c'est vrai, mais Malphas opérait par l'intermédiaire du Maître Drakar dont il avait pris possession. Un démon spectral cherche un corps physique humain pour l'avoir sous son emprise. C'est ainsi qu'il peut fonctionner.

— Est-ce qu'il peut venir nous posséder n'importe quand ? fit Karine.

— À vrai dire, reprit la professeure, un démon en cavale dans notre dimension va chercher une personne faible psychologiquement, quelqu'un de méchant fondamentalement ou un adorateur de Satan...

— Vous avez mentionné une personne faible psychologiquement, que voulez-vous dire par « faible » ? demanda Olivier.

— Une personne désespérée, plongée dans une profonde dépression, un drogué ou même un alcoolique. Dans ces cas extrêmes, la porte de leur âme reste entrouverte.

— Alors, si je comprends bien, dit Jeremy, il ne peut pas venir nous posséder n'importe quand ?

— Non, heureusement ! s'exclama la professeure Masanari, se voulant rassurante. Sauf si vous le souhaitez et que vous l'invoquez avec de puissantes cérémonies sataniques.

— Aucun danger, je ne le souhaite vraiment pas ! déclara Jeremy en regardant les autres élèves qui rirent de bon cœur.

— Et comment Madvi est-il parvenu jusque dans notre monde ? lança un garçon qui se trouvait au fond de la classe.

— On l'a fait venir volontairement pour l'étudier. Plutôt, ils l'ont fait venir ici…

— Qui ça… « ils » ? demanda Abbie, toujours curieuse.

— Nos ancêtres… Madvi a trois cent cinquante-deux ans !

Les élèves regardèrent Madvi avec un nouveau regard, bouche bée.

◊ ◊ ◊

Le cours de démonologie était terminé et les élèves quittèrent la classe très satisfaits. Zarya et Abbie remercièrent la professeure du cours qu'elle leur avait donné. Madvi était retourné sur son étagère et saluait les élèves qui lui rendaient volontiers son salut.

Alors qu'elle se dirigeait vers le réfectoire avec ses amis, Zarya ralentit soudain le pas et regarda devant elle, les yeux tout ronds.

— Qu'est-ce qui se passe, Zarya ? lui demanda Abbie qui avait remarqué le soudain changement de son amie. On dirait que tu a vu un fantôme.

Le regard toujours fixé droit devant elle, Zarya reprit sa marche. Abbie vit alors, dans la foule, deux Maîtres Drakar qui approchaient tout en discutant.

— C'est lui ! chuchota Zarya.

— Lequel ?

— Celui de droite.

Les deux hommes étaient à cinq mètres d'elles lorsque Jonathan vit Zarya à son tour. Jonathan avait connu de multiples dangers en affrontant des mages noirs et des démons de toutes sortes depuis trois ans qu'il était Maître Drakar, mais devant cette jeune fille aux cheveux noirs de jais et aux yeux perçants d'un bleu lapis, il perdait tous ses moyens !

Malgré le nœud qui s'était formé dans son estomac, Zarya le fixa au fond des yeux, sans lâcher prise. Cette marque de courage lui valut un timide sourire de la part de Jonathan lorsqu'ils se croisèrent. Ce dernier n'avait pas réussi à faire mieux, tellement il se sentait démuni devant ce magnifique regard.

— Waouh ! s'exclama Abbie.

— Pas si fort, il va t'entendre, dit Zarya en regardant par-dessus son épaule.

— Il est vraiment beau, continua Abbie qui avait baissé le ton, et il est évident que tu lui es tombée dans l'œil.

— Pourquoi tu dis ça ?

— Tu ne l'as pas vu te regarder ?

— Je n'ai pas remarqué, j'étais trop occupée à le regarder, fit Zarya avec humour.

◊ ◊ ◊

Zarya, Abbie et leurs amis finissaient leur repas dans le réfectoire en discutant du dernier cours de la journée qui, selon Olivier, était sans doute le plus compliqué de tous.

— Le camp sera bientôt terminé, soupira Jeremy qui trouvait que le temps était passé trop vite. Il nous reste seulement un cours et, demain, il y a le tournoi.

— Avez-vous remarqué comment Cylia Ekin nous regarde ? fit remarquer Karine.

— J'ai l'impression qu'elle regarde plus particulièrement Zarya, dit Abbie en lui lançant à son tour un œil mauvais.

— Ignore-la, conseilla sagement Élodie à Zarya.

Zarya se contenta de hausser les épaules. Pour l'instant, Cylia Ekin était le cadet de ses soucis. Entre le mystérieux Maître Drakar, la façon dont son grand-père avait réagi quand elle lui avait parlé de ses cauchemars et l'histoire de ce Crâne maudit, elle ne savait plus où donner de la tête ! Avec l'aide d'Abbie, elle voulait faire des recherches sur le fameux Crâne maudit et trouver ainsi le lien qu'il avait avec ses cauchemars. Cela la tracassait au plus haut point. « Pourquoi grand-père a-t-il tout de suite pensé au Crâne maudit quand je lui ai raconté mon cauchemar ? » Mais, pour l'instant, elle devait se concentrer sur son prochain cours... le cours sur la goétie.

◊ ◊ ◊

Ils étaient à présent tous entrés dans la salle et attendaient patiemment la professeure. Zarya regarda sa montre et constata que ce n'était pas cette dernière qui était en retard, mais plutôt les élèves qui étaient en avance. Il restait cinq minutes avant le début du cours. La jeune fille en profita pour observer ces lieux très particuliers. C'était une salle circulaire, très sombre. Il y avait des chandelles partout et la plupart d'entre elles étaient noires. Ces bougies portaient le nom de « neuvaines noires » et elles permettaient de condenser l'esprit du mal et d'accélérer les processus de maléfices et d'envoûtements. Zarya remarqua, sur le mur du fond, un tableau sur lequel étaient dessinés des symboles sataniques et deux pentacles : un droit et un autre inversé.

En entendant des pas, elle se retourna et vit une dame d'âge mûr avec des cheveux gris tout dépeignés, vêtue d'une robe blanche. Celle-ci s'approcha de son bureau d'un pas lent et lança à ses élèves :

— Bonjour à tous !

Zarya remarqua qu'elle avait un œil de verre.

— Bonjour ! dirent les élèves à l'unisson.

— Je me présente, je suis la professeure Emma Bignet et je vais vous enseigner la goétie ainsi que la magie noire...

Les élèves se mirent à chuchoter.

— Je sais ce que vous pensez, déclara la professeure Bignet. Vous vous demandez pourquoi s'initier à la magie noire et, surtout, à la goétie...

— Qu'est-ce que c'est, la goétie ? demanda Abbie.

— La goétie est une magie incantatoire qui permet d'invoquer les esprits maléfiques et démoniaques. Et la magie noire n'est autre que l'ensemble des actions occultes faisant intervenir des forces dévastatrices.

— Pourquoi devons-nous apprendre la magie noire ? lança une jeune fille assise à l'arrière.

— Je souhaitais qu'on me pose cette question, dit Emma Bignet en affichant un petit sourire satisfait. Les adeptes de la magie noire passent pour des êtres néfastes dans la ville d'Attilia et dans tout le pays de Dagmar, et avec raison, puisqu'ils mettent tout en œuvre pour corrompre l'équilibre. Quant aux Maîtres Drakar, qui sont des adeptes de la magie blanche, ils tentent de limiter ces troubles et, s'ils le peuvent, de les éviter. Mais pour qu'ils puissent rétablir l'équilibre dans notre monde et dans les autres dimensions connues, les Maîtres Drakar doivent connaître les deux côtés de la médaille, c'est-à-dire la magie noire et la magie blanche.

Zarya et Abbie se regardèrent et pensèrent à la même chose : « jeter des sorts », voilà quelque chose qui pourrait s'avérer pratique dans l'autre monde. Mais elles savaient qu'il leur était totalement impossible de pratiquer ce genre d'incantation dans un monde où la magie était inexistante ou plutôt « ignorée ». Les gens de l'autre monde préféraient en effet posséder des biens matériels et des pouvoirs autres que la magie, le pouvoir de l'abondance et de l'argent entre autres. Le pouvoir des sept chakras dormait depuis des siècles et presque tout le monde ignorait les bienfaits de ces capacités illimitées.

— Maintenant, vous allez commencer par vous choisir un partenaire, dit la professeure.

Zarya et Abbie se firent un sourire complice.

— Maintenant que vous avez choisi un partenaire, reprit madame Bignet, vous allez commencer par lui jeter un sort, mais pas trop risqué pour la première incantation.

Les élèves échangèrent des regards pleins d'appréhension, excepté deux d'entre eux qui semblaient tout excités. C'étaient Jeremy et Olivier qui faisaient équipe et adoraient ce genre de défi exigeant beaucoup d'adrénaline.

— Vous avez tous une neuvaine noire sur votre table, fit remarquer la professeure en en pointant une du doigt. Cela va vous aider à amplifier et à accélérer l'incantation que vous proférez à l'endroit de votre partenaire.

Effectivement, il y avait une chandelle noire posée à chaque place libre dans un chandelier en argent. Zarya en prit un et le plaça entre Abbie et elle.

— La personne de droite va commencer par jeter le sort de la paralysie à son partenaire, dit Emma Bignet.

Abbie regarda son amie avec des grands yeux. C'était Zarya qui, la première, allait jeter le sort paralysant sur elle.

— Mais rassurez-vous, ajouta la professeure qui sentait une certaine hésitation dans son groupe, nous n'allons paralyser qu'une petite partie du corps.

Un vent de soulagement souffla sur la classe...

— Il est fort simple de jeter un sort à quelqu'un, continua la professeure Bignet. Pour ce faire, à l'aide de la neuvaine noire qui est en face de vous, vous allez projeter, télépathiquement, un sort de paralysie sur la partie de son corps que vous voulez ankyloser.

Elle s'approcha de Zarya et d'Abbie, assises en avant, et demanda à la première :

— Vous allez me dire dans le creux de l'oreille quelle partie de son corps vous allez paralyser.

Zarya jeta un coup d'œil à Abbie.

— Son bras droit, chuchota-t-elle à la professeure.

— Parfait, maintenant, reprit celle-ci en fixant Zarya avec le seul œil qui lui restait, vous allez communiquer à son esprit, par voie télépathique, que la partie de son corps que vous m'avez mentionnée ne fonctionne plus.

Zarya se concentra en prenant bien soin de suivre les directives. Les autres élèves ne la quittaient pas des yeux. Après quelques secondes, l'adolescente ouvrit les paupières et déclara à la professeur :

— J'ai fait ce que vous m'avez dit.

— Très bien, fit madame Bignet en se tournant vers Abbie. Et vous, ma chère, comment vous sentez-vous ?

— Très bien !

— Donnez-moi le chandelier, s'il vous plaît, demanda la dame d'un air malicieux.

— D'accord, répondit Abbie en regardant l'objet placé à sa droite.

Par un réflexe naturel, elle tenta de lever le bras droit pour le prendre et le lui donner, en vain...

La professeure lui sourit, comprenant qu'elle ne pouvait bouger son bras.

— Je ne suis pas capable de lever le bras ! s'exclama Abbie, qui se sentait impuissante et désarmée.

Sous les regards ébahis des autres élèves, la professeure Bignet expliqua à Zarya qu'elle devait maintenant utiliser la formule dans le sens inverse afin d'annuler le sort qu'elle avait jeté à Abbie. Ce qu'elle fit... et quelques secondes plus tard, son amie pouvait de nouveau bouger son bras.

Par la suite, chacun s'exerça à jeter des sorts de paralysie à son partenaire. Jeremy paralysa la lèvre inférieure d'Olivier et ce dernier essaya de parler normalement, même si la lèvre lui pendait jusqu'au menton.

— Essaie de me dire quelque chose ! demanda Jeremy.

— Je neb buib bas babable be bire bobose !

Jeremy était plié en quatre, sous le regard amusé des autres élèves.

La professeure Bignet expliqua comment contrer les sortilèges et s'autoguérir de ce genre de maléfice. Puis elle leur montra quelques facettes du côté obscur de la magie noire. Mais le point culminant du cours fut sans aucun doute une démonstration de goétie qu'elle fit avec brio.

— Maintenant, je vous prie de vous lever et de bien vouloir me suivre.

Les élèves se demandaient où elle pouvait bien aller. La dame franchit une dizaine de mètres et entra dans une autre salle, sensiblement de la même grandeur que la précédente, mais carrée et dépourvue de meubles. En effet, la pièce était complètement vide à l'exception d'une pierre grise, au centre, qui reposait sur un piédestal. Zarya remarqua qu'il y avait un pentacle inversé sur le sol, comme dans son cauchemar.

— Maintenant, je vais vous faire une démonstration qui comporte certains risques, et il est donc d'une importance capitale que vous suiviez mes instructions à la lettre. Vous allez former un cercle autour du quartz fumé en vous tenant par la main et constituer un mur télékinésique autour de cette pierre.

Sur ces paroles, trois Maîtres Drakar pénétrèrent dans la pièce et restèrent en retrait, sans prononcer un mot.

— Ne vous inquiétez pas, dit madame Bignet pour rassurer ses élèves, ces Maîtres Drakar sont là pour garantir une double protection.

— Protection contre quoi ? demanda Élodie, un peu inquiète.

— Je vais faire apparaître un démon spectral ou, si vous préférez, un esprit maléfique et vous devrez absolument le maintenir à l'intérieur du bouclier télékinésique.

Les adolescents se regardèrent, sidérés. C'est alors que la professeure Bignet se rapprocha du piédestal, posa ses mains sur le quartz fumé et prononça une formule incantatoire dans une langue qui leur était inconnue :

— *Satous Miliganifu Importatus Barbatoos !*

Une fumée blanche apparut, tourbillonnant au-dessus de la pierre, et une lumière éclatante en jaillit. Une silhouette prit forme sous les yeux abasourdis des élèves. En voyant cette bête de l'enfer qui devait mesurer deux mètres de haut et était pourvue d'une longue queue flottant dans l'air comme un cerf-volant, au gré du vent, trois élèves brisèrent le cercle en reculant avec effroi. Aussitôt, le démon se mit à tournoyer à l'intérieur du cercle, frôlant les adolescents.

— Le mur ! hurla la professeure Bignet.

Les trois Maîtres Drakar s'étaient déjà avancés, mais les autres élèves avaient eu le réflexe de reformer le mur en se rapprochant avec empressement. Le démon se buta donc au mur télékinésique avant d'avoir le temps de s'insérer dans une des failles créées par les déserteurs.

Il monta au plafond, au centre du cercle, et regarda les adolescents d'un air dédaigneux. Ces derniers, se serrant les mains avec encore plus de force pour être sûrs de former un solide bouclier télékinésique, observaient cet être répugnant qui dégageait une forte odeur de soufre.

— Je vous présente le démon Barbatoos, dit la professeure Bignet, qui avait retrouvé sa quiétude maintenant que le mauvais sort était conjuré et le danger passé, même si le démon était toujours parmi ses élèves.

Les Maîtres Drakar restaient plus que jamais sur le qui-vive, surveillant le démon Barbatoos d'un œil vigilant. Madame Bignet posa de nouveau ses mains sur la pierre et déclara d'une voix forte :

— *Satous Importatus Barbatoos Inferni !*

C'est dans le même tourbillon de fumée que le démon Barbatoos disparut aussi vite qu'il était venu. Par peur qu'il ne revienne, les élèves se tenaient toujours par la main.

Zarya n'avait jamais rien vu d'aussi terrifiant de toute sa vie. Même si l'entité était spectrale, la jeune fille avait ressenti la haine qui s'en dégageait, une haine dirigée vers les humains. C'était sûrement le cours le plus troublant du camp.

Le cours, qui avait duré tout l'après-midi, était terminé. Les élèves sortirent de la salle et se dirigèrent vers leurs chambres afin de se remettre de toutes les émotions de la journée. Il restait une heure avant le repas du soir.

◊ ◊ ◊

Tout au long du souper, Olivier et Jeremy avaient fait rire toute la table. Depuis leur rencontre à la Récré-A-Thèque, ils étaient devenus de très bons amis. Après le repas, ils décidèrent de se rendre, en compagnie de Karine et d'Élodie, dans la salle de jeu du Temple, là où les Maîtres Drakar aimaient se divertir. Quant à Zarya et à Abbie, elles avaient un autre plan et sortirent de table les premières. Elles prétextèrent qu'elles allaient rendre visite à Gabriel, ne voulant pas ennuyer leurs amis avec cette histoire de Crâne maudit. Zarya partit donc, avec Abbie, en direction de la bibliothèque pour aller se documenter sur ce fameux Crâne maudit.

Une fois là, les deux amies repérèrent le coin des livres anciens afin d'y amorcer leurs recherches. L'immense pièce contenait une impressionnante collection de livres et était bien éclairée par de magnifiques lustres et de petites lampes posées sur de grandes tables. Zarya et Abbie s'installèrent au fond de la salle, près d'une grande fenêtre à barreaux, pour être tranquilles. Une dizaine de Maîtres Drakar étaient dispersés dans la salle et bouquinaient tranquillement. Dans un imposant temple comme celui-ci vivaient sûrement des milliers de Maîtres Drakar, pensa Zarya. C'était un peu comme une base militaire dans l'autre monde, songea-t-elle encore. Abbie cherchait des informations dans la section « Pierres et cristaux magiques », tandis que Zarya se concentrait sur la section « Objets démoniaques ». Il y avait une collection impressionnante de livres sur ces sujets.

Après une quarantaine de minutes de recherches intensives, Abbie mit la main sur un livre intitulé *Les cristaux damnés* et le déposa sur la table.

— Je crois que j'ai trouvé quelque chose, annonça-t-elle.

Elle ouvrit le livre poussiéreux qui occupa alors toute la largeur de la petite table, près de la fenêtre. Rejointe par Zarya, elle commença à tourner les pages une à une. Tout à coup, les deux filles virent la photo d'un crâne humain en cristal transparent. En dessous, on pouvait lire les informations suivantes :

Ce crâne est une parfaite représentation d'un crâne humain, on le dit même « féminin ». D'un poids de quatre kilos, le crâne en cristal pur et limpide est composé de deux parties : la partie principale et la mâchoire inférieure. Selon une prophétie des mages de l'Atlantide, les crânes auraient été transmis par un peuple venu des cieux. Treize crânes se trouvent dispersés dans la dimension terrienne. Il est dit que lorsque le treizième crâne de cristal, « le seul crâne masculin », sera découvert, un nouvel âge commencera. Ce treizième crâne, selon certains mages, serait la clé qui permettrait d'activer les informations contenues dans les douze autres, nous donnant ainsi l'accès à une civilisation nouvelle. Ces crânes, dit-on, renferment d'importantes informations sur les origines de l'humanité, sur sa finalité et son destin, ainsi que les réponses à quelques-uns des grands mystères de la vie et de l'univers…

— Et si l'on en croit la prophétie, continua Abbie en lisant à voix haute, le Nouvel Âge, ou la fin du monde matériel dans la dimension terrienne, est prévu pour le 21 décembre 2012, en vertu du calendrier d'Atlante. Il est aussi dit qu'à cette date aura lieu la naissance du monde de lumière.

— Mais il n'est pas question de cérémonie satanique ? demanda Zarya qui voulait en savoir plus.

— Non, je ne crois pas, répondit Abbie, un peu déçue.

— Je trouve curieux que le livre porte le titre *Les cristaux damnés* et que ce qui y est décrit soit une bénédiction pour l'humanité, et non l'inverse.

— Tu as peut-être raison.

Abbie continua à feuilleter le livre pendant que Zarya se replongeait dans le sien.

— J'ai trouvé ! lança la première quelques minutes plus tard, contente de sa découverte.

Zarya posa rapidement son livre sur la table, s'approcha de son amie et se pencha de nouveau sur son livre. Elle se sentait fébrile à l'idée de connaître enfin le côté néfaste de ce crâne.

— Regarde ce qui est écrit, déclara Abbie. Ils disent que le cristal en forme de crâne est aussi appelé « Crâne maudit ».

— Oui, mais ça, on le sait déjà…

— Oui, bien sûr, mais lis ce qui est écrit ici, en bas de la page, dit Abbie en soulignant le passage avec son doigt. Il est écrit que le Crâne maudit peut être une arme redoutable et néfaste pour l'humanité si, par malheur, il tombe entre de mauvaises mains. Et regarde ici, il est indiqué qu'il a également un puissant pouvoir d'extraction de l'énergie chakramatique et que, par le fait même, cette énergie est transmise au détenteur du crâne à l'aide d'une cérémonie évocatoire.

— Si je me fie à ce livre et à mon cauchemar, dit Zarya en regardant Abbie dans les yeux, il y a quelqu'un qui va tenter de te prendre tes pouvoirs !

Le tournoi

Le lendemain matin, journée de tournoi, Zarya et ses amis se rendirent au réfectoire pour écouter le discours prononcé par le directeur, Gabriel Adams. Ils s'assirent à une table, au centre de la salle. Gabriel n'était pas encore arrivé, mais Zarya remarqua que le mystérieux Maître Drakar était assis trois tables plus loin, accompagné d'autres Maîtres. Jonathan, qui était avec Didier, n'avait pas encore remarqué Zarya, puisqu'il lui tournait le dos. Cette dernière donna un coup de pied à Abbie qui était assise face à elle, à côté d'Olivier, et lui montra des yeux le jeune Maître Drakar. Abbie profita de l'occasion pour demander à Olivier :

— Tu vois ce Maître Drakar qui est assis à l'autre table ?

À cet instant, si Zarya avait pu entrer sous les dalles de pierre du sol, elle l'aurait fait !

— Ah, lui ! C'est Jonathan. Je le connais très bien, dit tout naturellement Olivier.

— Il s'appelle Jo-na-than, répéta lentement Abbie en fixant son amie pour être sûre qu'elle avait bien entendu son prénom.

— C'est le meilleur Maître Drakar du Temple depuis l'ère Gabriel Adams. Et, en plus, ajouta Olivier, il a été le champion d'Attilia de psychiforce durant cinq années d'affilée... Mais pourquoi me poses-tu cette question ?

— Ce n'est pas pour moi, s'empressa de répondre Abbie en remarquant une ombre de jalousie dans ses yeux, c'est pour Zarya.

— Ah ! fit Olivier avec soulagement. Je peux te le présenter, si tu veux.

Zarya rougit.

Son grand-père la tira de son embarras en faisant son entrée dans la salle. Il se plaça derrière le lutrin et dit avec un sourire radieux :

— Tout d'abord, bonjour et bienvenue à tous. Aujourd'hui, je suis triste tout en étant heureux... Triste parce que c'est la dernière journée du camp des Maîtres Drakar et heureux parce que tout s'est bien déroulé, sans anicroche ni incident. Et en voyant vos visages épanouis, je devine que vous avez apprécié votre séjour au Temple...

Sur ces paroles, des applaudissements nourris retentirent, traduisant l'appréciation des jeunes.

— Merci !... Aujourd'hui, pour la dernière journée, continua Gabriel, il va y avoir un tournoi amical entre les différentes classes. Comme vous le savez, cette année, il y avait quatre classes, par conséquent, quatre équipes s'affronteront. Pour former ces équipes, vous devrez choisir dans votre groupe les deux étudiants que vous désirerez voir participer au tournoi pour vous représenter. Je dois préciser que vous devrez choisir un garçon et une fille. Évidemment, ce choix devra vous être favorable, spécifia Gabriel en souriant. Quatre boîtes portant les lettres de A à D seront à votre disposition près de la porte pour que vous puissiez y déposer les coupons indiquant vos deux choix. Le dépouillement se fera après le dîner. Une dernière chose… les règlements du tournoi seront communiqués aux participants en temps et lieu. Quant au résultat des votes, il vous sera dévoilé après le déjeuner, dans la salle de sport où aura lieu le tournoi. Sur ce, je vous souhaite un excellent repas.

Cette fois, les applaudissements furent encore plus intenses.

— Je ne sais pas pour qui voter, déclara Zarya.

— Moi, je sais, répondit Abbie.

— Et pour qui ? demanda Zarya, curieuse.

— Jonathan et toi ! répondit son amie avec le sourire. Vous feriez une bonne équipe.

— Ha ! ha ! fit Zarya en rougissant.

— Sérieusement, affirma Abbie, je garderai mon vote secret…

◊ ◊ ◊

Pendant le déjeuner, les étudiants allèrent déposer les coupons dans leurs boîtes respectives et retournèrent à leur place. Zarya et ses amis refusèrent de se révéler leurs choix pour faire durer le suspense.

Il semblait y avoir plus de monde que les deux premières journées au réfectoire. En plus des cent dix-sept élèves, il y avait de nombreux Maîtres Drakar ainsi que des ministres accompagnés de leur épouse, assis à la table de Gabriel Adams. Ce tournoi attirait beaucoup de curieux au sein de la haute société attilienne. Il semblait être plus important qu'un simple tournoi amical, pensèrent Zarya et ses compagnons en voyant le nombre de personnes qui s'étaient déplacées pour cette prestation d'adolescents sans expérience.

L'heure de se rendre à la salle de sport était maintenant venue et Zarya avait bien hâte d'assister au tournoi. Ses amis et elle entrèrent dans l'immense enceinte et s'installèrent dans les tribunes. Il y avait de la place pour tout le monde, les gradins pouvant contenir près de trois cents personnes bien installées. Zarya observait les impressionnantes installations d'obstacles et de mannequins qui étaient disposées, semblait-il, selon un schéma bien précis. Les tribunes commençaient à se remplir, mais la loge de Gabriel et de ses six adjoints était toujours vide. Les professeurs étaient tous présents. La foule était impatiente de connaître le nom des participants au tournoi. Zarya essaya de repérer Jonathan. Elle scruta les tribunes situées en face de la sienne, en vain. Tout à coup, elle se sentit observée par-derrière. Elle tourna la tête et vit, à son grand étonnement, Jonathan qui la regardait du haut de sa tribune ; il était assis dans la dernière rangée avec Didier. Elle reprit sa position initiale et sentit son cœur battre à tout rompre. Elle résista à l'envie de se retourner de nouveau. Tout à coup, le directeur apparut dans sa loge, suivi de ses six adjoints. Ces derniers s'assirent tandis que Gabriel s'approchait du micro.

— Il est maintenant temps de dévoiler les noms des participants, dit-il avec un sourire de contentement.

Gabriel ne connaissait pas leurs noms ; il n'avait pas participé au dépouillement des votes. La professeure Katyn Masanari s'avança vers lui et lui remit une enveloppe cachetée.

— Équipe du groupe A : Nathaniel Durand et Aurélie Burgaut... Équipe du groupe B : Ismaël Birnachet et Meggie Kiefer... Équipe du groupe C : Jeremy Vernet et... — Gabriel eu un moment d'hésitation — Zarya Adams. Et, finalement, équipe du groupe D : Clyde Thomson et Cylia Ekin.

Des applaudissements résonnèrent dans toute la salle.

Dès qu'elle avait entendu son grand-père la nommer, Zarya s'était sentie très nerveuse. La réaction de Jeremy fut complètement différente. Il sautait de joie à l'idée de jouer au

Maître Drakar devant un public aussi important ; cela faisait grimper son taux d'adrénaline et il adorait ça.

— Maintenant, si les participants veulent bien s'avancer et suivre la professeure Masanari, les invita Gabriel qui se sentait un peu nerveux pour sa petite-fille. Elle va vous donner les directives.

Après une quinzaine de minutes, les deux premières équipes s'avancèrent au centre de l'arène, c'est-à-dire l'équipe A et l'équipe C. Il y eut des applaudissements et des cris d'encouragement pour les deux équipes. Abbie, qui était assise dans les tribunes à côté d'Olivier, remarqua que les participants portaient l'uniforme des Maîtres Drakar, à savoir un pantalon noir et un veston de la même teinte, à une différence près : sur la manche droite du veston, un écusson indiquait la lettre C pour Zarya et Jeremy et la lettre A pour leurs adversaires.

Gabriel, qui avait retrouvé son calme légendaire, se leva de nouveau.

— L'équipe A devra affronter l'équipe C, déclara-t-il. Le hasard l'a voulu ainsi. Le règlement est fort simple : les garçons commenceront par guider leur partenaire par télépathie à travers des obstacles. Le chronomètre, que vous voyez derrière moi, s'arrêtera aussitôt qu'une fille allumera le flambeau victorieux. J'aimerais vous souligner que j'ai préalablement installé un bouclier antitélépathique autour de l'arène. Pour ceux et celles qui voudraient souffler des informations aux participants de leur équipe, j'aime mieux vous avertir : ça ne fonctionnera pas ! précisa-t-il avec un petit sourire.

Jeremy alla s'installer sur la plate-forme surélevée qui lui était destinée pour avoir une vue d'ensemble du trajet que devrait suivre Zarya. Elle, pour sa part, se dirigea vers la ligne de départ. L'équipe adverse fit de même.

— Maintenant que nos deux équipes sont bien installées, dit Gabriel, je déclare le tournoi ouvert.

Les applaudissements firent trembler la salle.

BOOOING !… Le gong retentit pour annoncer le départ.

Zarya et Aurélie étaient en position de combat pour s'affronter à la psychiforce. En effet, la première épreuve consistait en un affrontement dans un enclos entouré d'une palissade de un mètre de haut comprenant une seule porte de sortie, au centre. Chacune devait forcer l'autre à reculer pour pouvoir emprunter la porte de sortie afin de se rendre au lieu de la deuxième épreuve.

Les deux adolescentes lancèrent leur poussée de télékinésie en même temps. La collision des deux vagues d'ondes translucides fut d'une extrême puissance, à la grande satisfaction des spectateurs. Malgré cela, les adversaires ne reculèrent point sous l'impact. Zarya refusait d'utiliser son pouvoir de Fortitudo pour battre une fille qui lui semblait bien sympathique. Puis Aurélie donna tout ce qu'elle pouvait et Zarya glissa sur le plancher de poussière de pierre, s'arrêtant seulement à un mètre de la ligne arrière. Aurélie s'approchait dangereusement de la porte de sortie. Les amis de Zarya ainsi que tous les autres élèves de sa classe hurlaient dans les tribunes pour l'encourager, car elle perdait du terrain. Mais Zarya n'avait pas dit son dernier mot. Sans utiliser le Fortitudo, elle se concentra et poussa de toutes ses forces. Cette fois, c'est Aurélie qui recula de quelques mètres, ce qui lui fit manquer la porte de peu. Zarya en profita pour avancer vers la sortie ; elle était à présent à deux mètres de la réussite. Gabriel et Jonathan avaient remarqué qu'elle s'abstenait de se servir de son pouvoir de Fortitudo et ils l'admiraient pour son incroyable bonté. Zarya, les deux pieds bien ancrés au sol, poussa de plus belle et Aurélie tomba à la renverse sous l'extrême force de sa rivale. Et c'est sous les applaudissements du public que Zarya franchit la porte de sortie. C'est à ce moment que Jeremy entra en jeu, lui indiquant par télépathie là où elle devait aller :

— *Maintenant, tu vas prendre le chemin qui est à ta droite. Et devant toi, il y aura des mannequins. Il faut que tu lances des balles seulement sur les mannequins vêtus de jaune.*

Zarya était un peu essoufflée à cause de l'effort qu'elle venait de fournir, mais elle restait concentrée, puisqu'elle était arrivée près des mannequins. Elle prit une balle par terre à l'aide de la télékinésie, la lança sur un premier mannequin jaune et le percuta au niveau de l'estomac, sous les acclamations du public qui appréciait le spectacle. Les mannequins étaient à une distance de dix mètres ; il fallait donc user de force et de concentration. C'est alors qu'Aurélie arriva elle aussi et prit une balle à son tour pour la propulser sur un mannequin bleu, selon les directives de son partenaire. Elle avait quelques secondes de retard sur sa rivale. Zarya prit sa deuxième et dernière balle et l'envoya sur son dernier mannequin jaune qui la reçut en plein estomac. Il s'était écoulé deux minutes trente-neuf secondes depuis le début de la première épreuve. Zarya reprit le chemin de gauche, sous les ordres de Jeremy, pour se diriger vers le lieu de la troisième épreuve. Elle avait maintenant une avance d'une trentaine de secondes sur Aurélie étant donné que cette dernière avait manqué de peu un mannequin. Elle fit quelques mètres, puis s'arrêta ; il y avait deux chemins.

— *Tu dois prendre le chemin de droite et, pour cette épreuve, tu dois utiliser ta logique.*

Zarya prit le chemin que Jeremy lui indiquait, parcourut une dizaine de mètres et s'arrêta devant une tranchée emplie d'un liquide rougeâtre en ébullition. Elle ne pouvait pas la contourner, car la palissade l'en empêchait. Il n'y avait qu'une solution : passer par-dessus la tranchée, mais comment faire ? La tranchée faisait cinq mètres de large et sauter par-dessus était une chose non seulement impensable, mais d'une absurdité totale ! Le temps jouait contre elle. Zarya savait qu'Aurélie se rapprochait et elle voulait élucider le problème avant elle. Du haut des tribunes, Abbie examinait la situation sous tous les angles et elle ne voyait pas comment Zarya pourrait s'en sortir. Il y avait pourtant une solution, mais laquelle ? Un lourd silence régnait dans les gradins. Jeremy ne pouvait aider sa partenaire pour cette épreuve, les instructions le spécifiaient clairement et, de toute façon, il ignorait la solution. Une vingtaine de secondes passèrent et rien ne venait à l'esprit de Zarya. Soudain, derrière elle, elle entendit Aurélie courir dans le couloir pour se rendre au lieu de la troisième épreuve. Zarya ne pouvait pas la voir, puisque la palissade près de la tranchée faisait deux mètres. Elle reporta son regard sur la tranchée et remarqua quelque chose qui, de prime abord, n'avait pas retenu son attention : deux pierres, près de la palissade de l'autre côté de la tranchée. Les deux pierres, de la même couleur que le sable, y étaient enfoncées à moitié et devaient mesurer près de vingt centimètres de diamètre chacune. Zarya comprit leur utilité et espéra que son idée fonctionnerait. Elle se concentra et les fit léviter avec son pouvoir de télékinésie. Elle les fit flotter à environ trente centimètres au-dessus du liquide en ébullition et les transporta près d'elle, l'une à côté de l'autre. Avec prudence, la jeune fille posa le pied droit sur la première pierre, puis le pied gauche sur la deuxième. Ça fonctionnait ! Les deux pierres pouvaient soutenir son poids. C'était incroyable ! Le public était concentré sur la manœuvre de Zarya et retenait son souffle. Maintenant, elle devait faire avancer les pierres vers l'autre côté de la tranchée. Elle se concentra de nouveau et fit progresser les deux pierres, à la grande stupéfaction du public. Gabriel regardait sa petite-fille avec admiration. Elle avait réussi à trouver la solution en moins d'une minute. Elle se souvenait d'avoir demandé au professeur de télékatapelte, monsieur Herpin, si l'on pouvait autoléviter, mais c'était impossible, selon lui. Elle avait donc fait léviter des pierres et pouvait ainsi les utiliser comme moyen de transport. Maintenant son équilibre, elle traversa la tranchée sans trop de difficulté et, arrivée de l'autre côté, elle sauta sur la berge, abandonnant les deux pierres. Il y eut des acclamations à tout rompre, car le public appréciait la démonstration extraordinaire de l'adolescente. Aurélie, qui n'avait toujours pas résolu le problème, devina que son adversaire avait réussi sa troisième épreuve. Jeremy, toujours juché sur sa plate-forme surélevée, applaudissait avec un sourire ravi. Mais il restait encore deux épreuves à accomplir. « Il ne faut pas se réjouir trop vite ! » pensa Zarya. Abbie, assise à côté d'Olivier, avait machinalement posé sa main sur son genou et était en train de le serrer très fort dans son énervement. Mais Olivier n'osait pas ôter sa main même s'il grimaçait de douleur. Quant à Karine, dans le feu de l'action, elle avait renversé son verre de jus sur le pied d'Élodie. L'équipe adverse encouragea la pauvre Aurélie qui perdait du terrain.

— *Maintenant, tu vas ouvrir la porte et aller tout droit,* reprit Jeremy.

Zarya fit ce que son partenaire lui avait dit. Elle marcha une dizaine de pas et arriva dans un enclos circulaire, de dix mètres de diamètre.

— *Tu vois, au centre du cercle,* poursuivit Jeremy, *il y a une citrine.*

— *Oui ! Je la vois !*

— *Alors, tu dois t'en emparer pour allumer le flambeau.*

C'est alors que l'on entendit le public crier d'excitation. Zarya devina qu'Aurélie venait de trouver la solution pour franchir la tranchée. Elle devait se hâter, son adversaire ne tarderait plus... Zarya s'approcha prudemment de la citrine en regardant autour d'elle. Elle se dit qu'une petite pierre posée sur une plaque en or devait sûrement cacher quelque chose... c'était trop facile ! Elle se pencha avec précaution, regarda autour, prit la pierre et pschitt ! des jets de feu fusèrent du sol et entourèrent la jeune fille qui avait les yeux écarquillés de stupéfaction. Le public poussa un cri d'excitation, sauf Abbie qui était maintenant debout sur son siège, agrippant le chandail d'Olivier. Le feu, qui dégageait une chaleur extrême, formait une clôture et maintenait Zarya prisonnière à l'intérieur d'un cercle.

— *Ne bouge pas!* lui recommanda vivement Jeremy. *Il doit y avoir une solution…*

— *Pas de danger… je ne bouge pas!* répondit Zarya en se couvrant le visage avec ses deux mains pour se protéger de l'intense chaleur.

Gabriel était maintenant assis sur le rebord de sa chaise et surveillait sa petite-fille prise au piège. Il essayait tant bien que mal de rester calme, mais ce n'était pas facile. Jonathan, qui était toujours assis à côté de son nouvel ami et apprenti Didier, aurait bien aimé donner un coup de main à Zarya et même lui fournir la solution, mais il ne le pouvait pas… le but du jeu étant précisément de trouver la solution.

— *Tu vas essayer de lancer une bruine de glace,* suggéra alors Jeremy.

— *D'accord!*

Zarya se concentra de toutes ses forces en utilisant son deuxième chakra, le Swadhistan, qui était à la hauteur de son nombril, et ordonna à son esprit de canaliser toute l'humidité ambiante et de la transformer en bruine glacée. Elle tendit son bras en direction du mur de feu. Soudain, elle sentit une énergie qui semblait émaner de son nombril et parcourir tout son corps pour sortir par le pouce de sa main droite. Une bruine glacée en sortit et alla asperger le mur de feu. En voyant une faille de deux mètres de large se former dans ce dernier, Zarya eut le réflexe immédiat d'avancer vers cette sortie. Mais elle fut contrainte de reculer, la chaleur qui s'en dégageait étant intolérable. Elle lâcha prise et la faille se referma.

— *Qu'est-ce qui se passe, Zarya?*

— *C'est trop chaud!*

— *Alors, tu dois abandonner,* suggéra Jeremy, *ce n'est qu'un jeu…*

— *Non ! Il doit y avoir une solution*, répondit Zarya qui voulait aller jusqu'au bout.

Maintenant, de l'autre côté du terrain, Aurélie était prise au piège à son tour. Elle essaya elle aussi d'asperger le mur d'une bruine de glace, mais en vain ; elle avait le même problème que son adversaire.

Le public, qui était à présent debout, encourageait les deux prisonnières des cercles de feu. Par ses cris puissants, Abbie parvenait presque à enterrer les clameurs de ceux et celles qui l'entouraient.

— *Je crois que j'ai trouvé !* lança Zarya.

— *Fais bien attention*, l'encouragea Jeremy qui était maintenant très nerveux.

Zarya se concentra de nouveau en utilisant encore son deuxième chakra, mais, cette fois, elle tendit le bras vers elle. Elle s'aspergea d'une fine bruine de glace qui se déposa sur tout son corps. Maintenant qu'elle était recouverte de frimas et frissonnait de tout son être, elle tendit une fois de plus sa main en direction du mur de feu et recréa ainsi la faille. Sous les encouragements de Jeremy, elle se lança vers cette sortie avec succès. Le public était euphorique.

— *Maintenant, dirige-toi vers la ligne d'arrivée, en face de la loge de ton grand-père, et allume le flambeau*, lui demanda Jeremy, très content de sa partenaire.

La pierre à la main, Zarya se précipita vers la ligne rouge tracée sur le sol, s'arrêta, puis se concentra une dernière fois. Elle tenait la citrine dans la main gauche, mais elle leva la main droite en direction du flambeau qui se trouvait à cinq mètres d'elle et ppssshh ! un jet de feu orangé sortit de sa main droite, au grand bonheur de son grand-père qui applaudit, radieux.

À l'instant même où Zarya allumait le flambeau, le son du gong se fit entendre et, par le fait même, le mur de feu qui emprisonnait Aurélie disparut. La première partie de la demi-finale du tournoi venait de se terminer avec la victoire de Zarya. Elle avait fait le trajet en sept minutes quarante-trois secondes.

Pour la seconde partie, Jeremy devrait affronter Nathaniel Durand, tandis que Zarya et Aurélie les dirigeraient à partir de leurs plates-formes surélevées respectives. Pour que l'équipe de Nathaniel et d'Aurélie remporte la victoire, il fallait que Nathaniel batte Jeremy et fracasse le temps record de sept minutes quarante-trois secondes de Zarya.

Pour l'heure, Zarya et Jeremy allèrent se reposer dans une salle réservée à cet effet. C'était une petite pièce comportant des fauteuils et une table basse sur laquelle avaient été déposés une carafe d'eau et des petits gâteaux. Zarya s'assit, un verre d'eau à la main. Quant à Jeremy, il sauta sur les petits gâteaux qui avaient l'air délicieux.

— Je suis très fier de toi, Zarya, dit-il avec sincérité.

— Merci ! Mais tu m'as bien guidée, répondit la jeune fille en prenant une bonne gorgée d'eau froide.

— J'espère te faire honneur tout à l'heure.

— Je ne suis pas inquiète pour toi. Tu as un talent inné pour le combat, affirma Zarya en posant son verre sur la table. N'oublie pas que mon grand-père a prédit que tu serais un bon Maître Drakar.

Pendant ce temps, l'équipe B affrontait l'équipe D. Zarya et Jeremy entendaient la foule crier d'excitation.

— Est-ce que tu crois que c'est l'équipe de Cylia Ekin qui va remporter la victoire ? demanda Zarya.

— Je n'en sais rien, fit Jeremy qui tendit l'oreille pour essayer de deviner où en étaient les deux équipes.

— Font-ils le même trajet que nous ?

— Oui, je crois. Mais le trajet va sûrement changer pour moi.

Zarya regarda sa manche qui était encore recouverte de givre et la secoua pour s'en défaire.

— Je dois t'avouer que cet uniforme de Maître Drakar te va super bien, dit Jeremy.

— Merci ! Tu ne manques pas de charme, toi non plus.

BOOOING ! Le gong résonna.

— Neuf minutes et vingt et une secondes, annonça Jeremy en consultant sa montre. Je ne sais pas qui a gagné, mais ils ne nous ont pas battus.

— Je crois que ça va être à notre tour maintenant, répondit Zarya en se levant.

Après un difficile trajet de neuf minutes vingt et une secondes, comme l'avait souligné Jeremy, Cylia Ekin remporta cette partie du tournoi. Elle était passée au travers du mur de feu en l'aspergeant avec une bruine, créant ainsi une faille, comme Zarya l'avait déjà fait. Cependant, elle avait omis de se refroidir. En effet, malgré la chaleur torride, Cylia avait tout de même franchi le mur. À cause de ce geste suicidaire, elle s'était brûlé le bras et une partie de son veston y était passée. Heureusement pour elle, un médecin, toujours présent en cas d'accident durant les tournois, la soulagea avec une pierre magique conçue pour soigner les brûlures.

La porte de la salle où se trouvaient Jeremy et Zarya s'ouvrit et un Maître Drakar leur demanda de le suivre pour leur prochaine épreuve. Les deux adolescents lui emboîtèrent le pas jusqu'au terrain de donar-ball.

La première épreuve était une petite compétition de ce jeu de précision. Jeremy se débrouillait fort bien à ce jeu, mais son adversaire, Nathaniel, ne se laissa pas intimider pour autant.

Après la compétition de donar-ball, le score était *ex æquo*. Ensuite, tout au long de cette partie du tournoi opposant Jeremy et Nathaniel, il resta très serré, les deux garçons ayant beaucoup de talent. Le public appréciait grandement leur compétition. Mais tout se jouerait à la dernière épreuve. Les deux adversaires devraient s'affronter dans un combat extrêmement dur, sûrement le combat le plus difficile que Jeremy aurait mené jusque-là : un combat hypnotique ! Le règlement du jeu était fort simple. Le premier qui amenait l'autre à poser un genou sur le sol, grâce à l'hypnose, gagnait. Et par la suite, le gagnant devrait ramasser la citrine et aller allumer le flambeau de la victoire pour mettre fin au jeu.

Jeremy était en face de Nathaniel et ils se regardaient dans le blanc des yeux. Depuis le début du jeu, il s'était écoulé cinq minutes cinquante-quatre secondes. Si Nathaniel voulait remporter le jeu, il devait battre Jeremy au combat d'hypnose, mais s'il voulait gagner la demi-finale, il devait le faire avant les sept minutes quarante-trois secondes de Zarya. Après un combat impitoyable qui dura deux minutes onze secondes, Nathaniel posa le genou au sol et Jeremy prit la pierre pour mettre fin au jeu sous les acclamations du public qui avait adoré le combat final. Nathaniel se leva le sourire aux lèvres, même s'il avait perdu. Aurélie et Zarya s'approchèrent des deux garçons et tous se félicitèrent de leur belle performance. Puis Aurélie et Nathaniel quittèrent l'arène pour aller rejoindre leurs amis dans les tribunes tout en saluant le public, qui les félicitait pour leur combat loyal. Zarya et Jeremy retournèrent dans la salle de repos. C'était maintenant au tour des garçons de l'équipe B et D de s'affronter.

Quelques instants plus tard, après le deuxième son du gong, un Maître Drakar vint demander à Zarya et à Jeremy de l'accompagner sur le terrain. Ceux-ci le suivirent et, en revenant dans la salle de sport, Zarya constata que les gagnants qu'ils devraient affronter pour la finale n'étaient autres que Cylia Ekin et son partenaire, Clyde Thomson, qui lui sembla aussi antipathique que Cylia. En s'approchant d'elle, Zarya remarqua que Cyla la regardait avec animosité, mais elle n'en fit pas de cas. Gabriel s'avança vers les deux équipes.

— Félicitations à vous ! Vous avez livré un beau combat loyal, et j'en suis fier. Ce fut remarquable, dit-il en faisant un clin d'œil à sa petite-fille, sous le regard amusé de Jeremy.

Gabriel se tourna ensuite vers le public et, à l'aide du micro qu'il tenait dans sa main, déclara :

— Chers élèves et chers dignitaires aujourd'hui présents… j'aimerais remercier nos deux équipes gagnantes de la demi-finale de nous avoir donné un spectacle où l'action, le courage et la détermination étaient dignes de Maîtres Drakar. Ils devront s'affronter dans un match final pour déterminer les grands gagnants de cette année. Mais, pour l'instant, vous êtes tous invités à une pause d'une heure afin que nous puissions effectuer des changements majeurs sur le terrain. Vous pouvez donc vous diriger vers le réfectoire pour y savourer un buffet tout spécialement préparé pour vous.

Sur ces mots, les spectateurs quittèrent la salle. Tout le long du couloir qui menait au réfectoire, on pouvait entendre leurs conversations surexcitées, leurs rires et leurs prédictions pour le combat final.

Béhémoth

Abbie, Olivier, Karine et Élodie discutaient de l'affrontement à venir. Zarya et Jeremy vinrent les rejoindre, à leur grande surprise.

— Tiens, tiens... on a l'air de bien s'amuser ici, dit Jeremy en s'asseyant à côté de Karine à qui il donna un baiser.

— Waouh ! félicitations à vous deux ! s'exclama Élodie en posant sa main sur l'épaule de Zarya.

— Vous avez bien travaillé, renchérit Abbie, qui était très fière d'eux.

— J'ai bien aimé la technique d'« autogivrage » de Zarya, lança Karine, qui n'avait pas songé à cette solution.

— Oui, c'était bien pensé, fit Abbie. On a vu le résultat inverse avec Cylia Ekin.

— Avez-vous pensé à une stratégie pour le combat final ? demanda Olivier, curieux.

— Oui... gagner ! répondit Jeremy d'une voix forte pour que tout le monde l'entende.

Autour de lui, les élèves se mirent à hurler en guise d'encouragements. En effet, ils faisaient partie du groupe C, celui de Jeremy et de Zarya.

— La finale devrait être plus intense encore, pensa tout haut Élodie.

— Oui, on devrait bien s'amuser, approuva Jeremy.

— Il n'y a rien qui t'énerve ? l'interrogea Karine qui semblait nerveuse pour deux.

— Oui, il y a une chose qui pourrait m'énerver…, répondit le garçon, c'est de perdre !

Zarya profita de leur petite discussion pour demander discrètement à Abbie :

— Où est Jonathan ?

— Il est resté dans la salle de sport avec d'autres Maîtres Drakar afin de faire les changements nécessaires pour les prochaines épreuves.

— L'as-tu observé durant le tournoi ?

— Oui, je me suis retournée une fois et je peux te dire que, vu de l'extérieur, il semblait d'un calme olympien, mais j'ai observé ses jambes et…

— Et quoi ? s'impatienta Zarya.

— Ses jambes tremblaient, répondit Abbie. S'il avait participé à un concours de claquettes, il aurait remporté le premier prix.

Zarya afficha un grand sourire satisfait, car, manifestement, cette attitude démontrait qu'elle ne laissait pas Jonathan indifférent.

Après le repas, tout le monde retourna à la salle de sport. En chemin, Abbie demanda à son amie :

— Ça va, Zarya ? En forme pour affronter cette Cylia Ekin ?

— Oui, ça va.

Même si elle commençait à avoir le trac, Zarya avait confiance en ses nouvelles facultés. Elle se remémorait tout ce qu'elle avait appris en deux jours. Elle se souvenait de tous les sortilèges, de la télékinésie, de la télékatapelte et des maléfices. Par-dessus tout, elle avait confiance en Jeremy qui, lui, ne semblait pas nerveux, seulement excité à l'idée d'affronter l'équipe de Cylia Ekin.

Les quatre participants firent leur entrée sur le terrain, où Gabriel les attendait. Zarya remarqua d'énormes changements. Mais l'un d'entre eux attira particulièrement son attention ; c'était un énorme enclos circulaire entouré de remparts en métal de deux mètres de haut.

Les tribunes commençaient à se remplir. On entendait des acclamations euphoriques et des cris de joie qui résonnaient dans toute la salle. On pouvait voir les six adjoints du directeur assis dans la loge et, sur le terrain, Gabriel Adams, calme et serein. Il affichait un sourire radieux, tant il était heureux d'avoir sa petite-fille à ses côtés pour une finale qu'elle n'oublierait jamais. Il était très fier de lui faire vivre ces beaux moments. Le micro à la main, il s'avança vers les tribunes et s'adressa à la foule :

— Mesdames, mesdemoiselles et messieurs, comme chaque année, il va y avoir une finale incroyable entre deux équipes de jeunes talents exceptionnels possédant de grandes facultés. Permettez-moi de vous présenter de nouveau les quatre participants. Pour l'équipe C, Zarya Adams et Jeremy Vernet. Et pour l'équipe D, Cylia Ekin et Clyde Thomson...

Des cris d'encouragement fusèrent.

Zarya aperçut Abbie et ses amis au milieu des tribunes, le visage rayonnant, qui applaudissaient à tout rompre et scandaient son nom et celui de Jeremy.

— J'aimerais vous rappeler, dit Gabriel en regardant les participants, que ce tournoi comporte certains risques et je veux que vous gardiez en tête que le danger est toujours présent. N'oubliez pas que votre participation est totalement volontaire et que vous pouvez quitter le tournoi quand bon vous semble, sans aucune honte.

Les participants approuvèrent d'un signe de tête.

— Alors, reprit le vieil homme avec un sourire satisfait, je déclare la grande finale ouverte... Bonne chance à tous !

Des applaudissements se firent de nouveau entendre. Gabriel quitta le terrain pour aller s'asseoir dans sa loge. Cylia se dirigea vers sa plate-forme surélevée, tout en fixant Zarya avec des yeux mauvais. Pour la finale, les garçons devaient commencer les premiers.

Depuis que Gabriel était devenu directeur du Temple des Maîtres Drakar, c'était la première fois qu'il ressentait autant d'émotions durant un tournoi. Il voyait sa petite-fille debout et immobile sur sa plate-forme surélevée, essayant de guider Jeremy par télépathie à travers un labyrinthe, du mieux qu'elle le pouvait. Et selon lui, elle réussissait très bien. De l'endroit où il se trouvait, Gabriel voyait Jeremy qui se démenait comme un champion et il se rappela la conversation qu'il avait eue avec lui à la Récré-A-Thèque. Il lui avait prédit un bel avenir dans le monde des Maîtres Drakar et le spectacle qui se déroulait sous ses yeux confirmait ses prédictions.

Il y avait une autre personne dans les tribunes qui était très nerveuse en voyant Jeremy se battre ; c'était Karine, sa petite amie. Assise parmi la foule, elle se couvrait le visage des deux mains et assistait, impuissante, au combat, en regardant entre ses doigts. Elle voyait Jeremy qui, coiffé d'un casque de combat, était caché derrière un muret de pierre et essayait, tant bien que mal, d'esquiver et de bloquer, par télékinésie, les balles de caoutchouc que son adversaire, sans scrupules, lui lançait grâce à la technique de télékatapelte. La foule criait et hurlait d'excitation devant un tel spectacle.

Les deux adversaires tentaient de sortir de ce labyrinthe qui possédait une seule issue. L'atteindre n'était pas chose aisée, puisque les balles de caoutchouc pleuvaient de toutes parts. Jeremy savait que si l'une d'entre elles le frappait, elle pourrait le mettre en échec juste assez longtemps pour permettre à Clyde de sortir du labyrinthe. « Mais c'est hors de question ! » pensa-t-il, déterminé.

Quelques instants plus tard, le gong se fit entendre. La foule était en délire. Karine était soulagée de voir son amoureux sain et sauf après un rude combat qui avait duré dix-huit minutes trente-quatre secondes. Jeremy était parvenu à allumer le flambeau : il avait réussi à battre Clyde, de justesse, aux quatre épreuves. Zarya était ravie de le voir sortir du terrain victorieux, mais, en même temps, elle commençait à être très nerveuse : elle était la prochaine !

Les deux partenaires entrèrent une dernière fois dans la petite salle pour faire une pause, le temps que les garçons récupèrent leurs forces. Jeremy était surexcité parce qu'ils avaient remporté la première partie de la finale. En même temps, il encourageait Zarya à faire de son mieux et il ne cessait de lui répéter qu'elle était beaucoup plus forte que cette Ekin.

Toujours assise dans son fauteuil, la jeune fille entendit quelqu'un frapper à la porte. Cette dernière s'entrouvrit doucement.

— C'est l'heure, annonça un Maître Drakar en passant sa tête dans l'embrasure.

— Très bien, dit-elle avec un sourire forcé.

Elle se leva avec la sensation que ses jambes étaient soudain de plomb. Elle sortit et suivit le Maître Drakar. Le public était debout et applaudissait les deux équipes qui faisaient leur entrée sur le terrain. Zarya réalisa brutalement que, dans son énervement, elle avait omis de demander à Jeremy en quoi consistait son épreuve à elle. Elle regarda son coéquipier qui était à présent sur sa plate-forme surélevée et lui demanda par télépathie :

— *Quelle est ma première épreuve ?*

— *Un combat de boule télékinésique.*

— *Un combat de quoi ?*

— *Tu t'en souviens, comme au cours de psychiforce...*

— *Mais je n'ai pas assisté au cours de psychiforce !* s'écria Zarya, prise de panique.

— *Tu as raison !* fit Jeremy, les yeux écarquillés, en la regardant prendre place sur son petit podium.

En effet, Zarya avait eu, en compagnie d'Abbie, un cours privilège sur le protectum avec le professeur Razny, pendant que le reste du groupe avait suivi le cours de psychiforce. Elle était à présent debout sur un petit podium de trente centimètres de haut, ne sachant trop à quoi s'attendre. Le terrain avait à peu près les mêmes dimensions que celui de psychiforce, soit quinze mètres de long sur deux mètres de large. Le sol était recouvert d'une poussière de roche orangée et, au centre, il y avait un pentacle bleu royal. Cylia se tenait de l'autre côté du terrain, également sur un podium, et lui faisait face avec un sourire mauvais. La joute allait commencer dans quinze secondes et Zarya ne savait toujours pas en quoi consistait ce jeu ni ce qu'elle devait faire. Le but, elle s'en doutait bien, était de faire tomber son adversaire en bas du podium, mais elle ignorait totalement comment s'y prendre.

— *S'il te plaît, aide-moi !* demanda Zarya.

— *Tu dois envoyer une vague télékinésique normale,* répondit Jeremy, *mais la différence...*

Il n'eut pas le temps de finir sa phrase ; Cylia envoya sa première attaque. Zarya eut tout juste le réflexe de la bloquer avec un mur télékinésique. À la grande surprise du public, elle ne riposta pas ! En voyant la réaction de son amie, Abbie comprit ce qui se passait ; elle-même ignorait ce qu'il fallait faire pour lancer une telle attaque. Gabriel comprit aussi immédiatement le problème étant donné que c'était sur ses ordres que sa petite-fille n'avait pu assister au cours de psychiforce.

— *Que dois-je faire?* demanda Zarya en bloquant une nouvelle attaque de Cylia.

Celle-ci voyait que son adversaire éprouvait des problèmes et elle s'en donnait à cœur joie!

— *Tu dois envoyer une vague télékinésique normale,* reprit Jeremy, *mais tu dois retenir ta poussée avec ta main gauche pendant deux secondes, puis relâcher le tout.*

— *OK! Je crois que j'ai compris le principe,* dit Zarya en bloquant une autre attaque, mais reculant dangereusement sous l'impact de la boule télékinésique.

Même si elle était concentrée pour sa première offensive, elle entendait des cris provenant des tribunes: « Vas-y, Zarya! » C'est ce qu'elle fit... Entre deux attaques de Cylia, Zarya concentra sa force télékinésique dans sa main gauche et relâcha le tout avec une puissance incroyable sur Cylia qui para le coup en créant un mur invisible. Sous le formidable impact, cette dernière glissa dangereusement sur le bord du podium. Gabriel était surpris et en même temps soulagé de voir que Zarya avait pu maîtriser la technique aussi rapidement.

— *Tu dois porter un coup quand Cylia se concentre pour former une boule télékinésique,* lui conseilla Jeremy.

— *D'accord, je crois avoir compris. Elle ne peut pas lancer une attaque et former un bouclier pour se protéger en même temps!*

— *C'est ça!*

Zarya patienta et lorsqu'elle vit Cylia se préparer et se concentrer pour attaquer de nouveau, elle fit la même chose, mais plus rapidement... et bang! Cylia reçut le coup sans avoir eu le temps de se défendre, son adversaire ayant été trop rapide avec cette attaque-surprise. Cylia tomba en bas du podium. Zarya avait remporté la première épreuve, sous les acclamations du public. Abbie sautait de joie, même si le jeu ne faisait que commencer. Zarya, avec un certain soulagement et plus de confiance, se préparait pour sa deuxième épreuve.

Soulagée, elle aussi, que la première épreuve soit enfin terminée, Abbie se mit à penser au jour où elle devrait rentrer chez elle, au Canada, dans un monde sans magie. Elle s'imaginait mal en train de raconter ses vacances à ses amis canadiens. Elle laissa glisser son regard sur les gens assis à côté d'elle, sur le terrain rempli d'obstacles et sur son amie de toujours, Zarya, qui se débrouillait si bien devant une redoutable adversaire. Toutes ces choses étaient devenues normales pour elle à présent. Elle regarda Gabriel, assis dans sa loge, qui contemplait sa petite-fille, les yeux brillants de bonheur. Abbie aurait bien aimé connaître son grand-père et ses parents à l'époque où ils vivaient ici, à Attilia. Mais elle n'aurait jamais cette chance. Malgré tout, elle se sentait folle de bonheur à l'idée d'avoir Olivier assis auprès d'elle et tous ces nouveaux amis, et de pouvoir envisager un avenir dans un monde magnifique, le monde magique d'Attilia.

Zarya et Cylia étaient arrivées à la quatrième et dernière étape. Zarya avait un point d'avance sur Cylia Ekin. En effet, pour les deuxième et troisième épreuves, les deux jeunes filles étaient arrivées à égalité dans des jeux d'adresse. Mais la quatrième épreuve devait être la plus difficile selon Zarya, qui regarda les hauts remparts formant un cercle devant elle. Soudain, la porte de l'enclos géant s'ouvrit. Les adolescentes entrèrent en même temps, tout en scrutant les lieux, se demandant : « Quelle peut bien être cette dernière épreuve ? » Zarya remarqua, au fond de l'enclos, une immense porte. C'est alors que Jeremy lui dit :

— *Je ne sais pas ce qui va en sortir, mais tu dois utiliser des sortilèges pour le neutraliser.*

— *D'accord,* répondit-elle, tendue.

Cylia avait reçu les mêmes instructions de la part de Clyde. Dans la salle régnait un silence de mort. Comme ses amis, Abbie fixait la porte, au fond de l'enclos. Elle se tourna vers Jonathan et vit des signes de nervosité sur son visage. Depuis le début du tournoi, c'était la première fois qu'il affichait ouvertement son inquiétude et, selon Abbie, ce n'était pas bon signe ! « Que peut-il y avoir derrière cette porte pour rendre un Maître Drakar de la trempe de Jonathan nerveux à ce point ? » s'interrogea la jeune fille.

Soudain, on entendit un grincement... La porte s'ouvrait ! Zarya était prête à toute éventualité. Elle remarqua, avec une nervosité grandissante, deux points rouges qui brillaient dans l'obscurité, au fond de la cage. Elle comprit qu'il y avait là une bête féroce. D'un pas lourd, qui fit vibrer le sol, la bête s'avança lentement et sortit de la pénombre. On entendit des cris de frayeur et d'excitation parmi la foule. Zarya regardait avec effroi la bête gigantesque qui s'avançait vers Cylia et elle, les faisant reculer. Elle n'avait jamais vu quelque chose de semblable de toute sa vie. Même les balnareks faisaient figure de petits caniches, comparés à cette bête encore plus massive qu'un rhinocéros.

— *C'est un béhémoth,* l'informa Jeremy avec frayeur.

— *Que dois-je faire avec cette chose ?*

— *Tu dois lui jeter un sort.*

Jeremy n'avait rien à ajouter. Zarya faisait face à une bête féroce, aux poils courts, gris anthracite, qui possédait deux cornes pointues en forme de vrille très longue qui poussaient vers l'avant. L'adolescente trouvait que la tête du béhémoth ressemblait à celle d'un loup-garou. L'animal possédait de longs crocs et une crinière en dents de scie qui dardait vers le ciel.

— Avez-vous vu ce monstre ? lança Abbie, terrifiée, retenant son souffle.

Le béhémoth s'avança vers Zarya en balançant sa longue queue qui, hérissée de pics, lui permettait de se défendre contre ses prédateurs ; si prédateur il y avait ! Cylia en profita pour prendre ses distances. Elle remarqua que la citrine se trouvait à l'entrée de la cage et elle décida de s'avancer afin d'en prendre possession. Mais le béhémoth s'immobilisa subitement et il se tourna vers elle pour l'observer. Il aimait jouer avec ses proies, faire durer le plaisir. Cylia s'arrêta et comprit qu'elle devait occuper la bête pour pouvoir s'emparer de la pierre et enfin allumer le flambeau de la victoire. Elle s'approcha de nouveau de son adversaire et la regarda dans les yeux d'un air malfaisant, et... Zarya sentit ses jambes faiblir. Elle s'effondra, les deux jambes paralysées. Zarya n'aurait jamais pensé que Cylia pouvait agir de façon aussi sournoise. Elle n'avait eu aucune chance de contrer ce sort de paralysie.

— Tricheuse ! hurlèrent les amis de Zarya qui avaient tous été témoins du geste gratuit de Cylia Ekin.

Zarya comprit avec effroi que Cylia voulait détourner l'attention de la bête en faisant d'elle une proie facile. Mais il y avait une chose que Cylia ignorait, c'était que, par-dessus tout, le béhémoth était un chasseur impitoyable qui aimait traquer ses proies. Par conséquent, il ne s'intéressait pas aux proies blessées et sans défense. Tout à coup, le béhémoth fonça sur Cylia, arquant son dos pour se donner plus d'élan, sous les cris d'excitation du public et à la grande satisfaction d'Abbie. Cylia, les yeux écarquillés et n'y comprenant plus rien, créa un mur télékinésique et la bête, qui était dotée d'une force extraordinaire, buta contre le mur sans trop de dommages ; Cylia tomba par terre sous l'impact. Les spectateurs étaient estomaqués. C'est alors que la bête chargea Cylia de nouveau. Celle-ci se releva avec difficulté, reforma un mur télékinésique, mais en vain. Elle fut encore projetée au sol, tout près de Zarya. Le béhémoth tourna sur lui-même et observa sa victime. Il reprit son élan et, cette fois, fondit sur sa proie qui n'avait plus aucune chance devant ce mastodonte ignorant la pitié. Zarya, allongée tout près de Cylia, rampa pour s'approcher de cette dernière, la prit dans ses bras et cria :

— Protectum !

Et soudain les deux adolescentes furent recouvertes d'une lueur vert émeraude ; Zarya avait créé un protectum qui les enveloppait totalement. La bête heurta le bouclier et s'effondra, ébranlée. Zarya réussit enfin à contrer le sort de paralysie que Cylia lui avait jeté et se releva. La bête en fit autant et revint à la charge, plus vorace que jamais. Cylia, toujours à genoux sur le sol, observait son adversaire se concentrer et vit une chose incroyable : ses cheveux se mirent à flotter dans l'air. Pour la première fois depuis le début du tournoi, Zarya utilisait le Fortitudo. Le béhémoth se mit à flotter à un mètre au-dessus du sol, ses pattes s'agitant dans le vide, sous les yeux ébahis du public. Zarya, toujours concentrée, fixant la bête dans les yeux, la reposa par terre. Subitement, celle-ci tomba endormie, ce qui suscita l'ovation du public qui comprit que Zarya lui avait jeté un sort de sommeil... Cylia se leva et se précipita vers la cage pour s'emparer de la citrine. Elle alluma le flambeau de la victoire.

BOOOING ! Le gong retentit pour annoncer la fin du tournoi.

La révélation

Le public était furieux de voir que Cylia Ekin avait profité de la bonté de Zarya pour s'emparer de la citrine et allumer le flambeau de la victoire. Elle ne semblait éprouver aucun remords d'avoir volé la victoire à celle qui lui avait sauvé la vie quelques instants plus tôt. Abbie était pour sa part ulcérée de constater que le conseil n'avait rien fait pour remédier à cette iniquité. Jeremy descendit de son perchoir et se dirigea d'un pas rapide vers Zarya. Cette dernière resta sereine et encouragea son partenaire à en faire autant. Gabriel quitta sa loge avec un calme qui surprit une partie du public et il s'approcha des participants, au centre du terrain.

— J'aimerais féliciter nos quatre finalistes de cette année pour le beau spectacle qu'ils nous ont offert. Maintenant, pour remettre le trophée à l'équipe gagnante, j'inviterai la professeure Katyn Masanari à venir nous rejoindre.

Cylia lança un coup d'œil menaçant à Zarya et lui décocha un sourire infect, mais celle-ci n'en fit pas de cas. Elle savait au fond d'elle-même qu'elle avait fait de son mieux, qu'elle avait agi selon sa conscience...

— Bonjour à tous ! J'aimerais féliciter, à mon tour, les quatre équipes de nous avoir donné une prestation de grande qualité. À ma connaissance, c'est le meilleur tournoi auquel j'aie assisté depuis de nombreuses années.

Cette fois, de timides applaudissements se firent entendre.

— Je tiens à vous informer que les professeurs ont été les seuls juges tout au long de ce tournoi, reprit la professeure Masanari en regardant les participants. Par conséquent, le directeur Gabriel Adams et ses six adjoints ne sont pour rien dans le résultat final.

Un lourd silence régnait dans la salle.

— La dernière épreuve était inattendue, lança madame Masanari. Au début, il devait y avoir deux béhémoths, une bête pour chacune des participantes, dans des enclos séparés. Au cours de notre dernière réunion, les autres professeurs et moi-même avons décidé de modifier le duel et de le remplacer par celui que vous avez eu la chance de regarder plus tôt. Nous voulions évaluer vos champions d'une façon différente. Non pas pour la synchronisation et la vitesse d'exécution, mais plutôt pour leur fraternité et leur grandeur d'âme, qualités essentielles que l'on recherche chez les aspirants Maîtres Drakar. Il y a quelques instants a eu lieu une réunion spéciale du jury afin d'évaluer la dernière épreuve en fonction du comportement inattendu de l'une des participantes...

Cette fois, le public manifesta son approbation par des applaudissements nourris.

— Un Maître Drakar doit penser à l'autre avant de penser à lui. Cette dernière épreuve comportait un grand danger, et l'une des participantes a préféré venir en aide à son adversaire et lui sauver la vie plutôt que de s'emparer de la citrine.

En entendant ces paroles, Cylia perdit son sourire malicieux. Jeremy regarda Zarya avec une lueur d'espoir dans le regard, sous les acclamations du public.

— Alors, j'aimerais remettre le trophée à l'équipe gagnante de cette année, dit la professeure Masanari en s'approchant des participants tout souriants : Zarya Adams et Jeremy Vernet !

Les applaudissements retentirent avec tant de force que la salle en trembla. Gabriel, qui était debout à côté des vainqueurs, applaudissait Jeremy et sa petite-fille, à qu'il fit un discret clin d'œil.

Le public avait été invité à aller se désaltérer après toutes ces émotions ainsi qu'à prendre une collation au réfectoire. Gabriel, pour sa part, avait été appelé d'urgence à son bureau. La dame qui était venue l'avertir avait insisté sur le fait que c'était d'une importance capitale ! Il reprit donc le long couloir qui menait à son bureau et vit, avec stupéfaction, le ministre Sarek, accompagné de trois gardes du corps ainsi que de deux agents reconnaissables à leur uniforme bleu et rouge.

— Bonjour, mon cher ministre, dit Gabriel d'un ton impersonnel. Que puis-je pour vous ?

— Nous aimerions vous parler dans votre bureau, ministre Adams, répondit sèchement Sarek.

— Vous tombez très mal, répliqua Gabriel en le regardant droit dans les yeux. Je dois être là pour la fermeture du camp d'été des étudiants et...

— Ce sont des banalités... ces histoires de camp d'été.

— Mais si ma mémoire est bonne, c'est de cette façon que vous vous êtes fait recruter, mon cher ministre Sarek.

— Cessez vos balivernes ! Et entrons dans votre bureau afin de discuter de choses plus importantes que ce camp d'été...

— Mais nous sommes très bien ici.

— Très bien, comme vous voudrez !

— Et que puis-je pour vous, messieurs ? reprit Gabriel en regardant les deux agents qui n'avaient encore rien dit.

— Bonjour, ministre Adams, dit l'un d'eux. Je suis l'agent Dellmann et voici l'agent Dhuin. Nous sommes de l'A.C.A.M., l'Agence contre l'abus de la magie. Nous aimerions vous interroger au sujet de votre petite-fille…

— Mais je n'ai rien à dire sur ma petite-fille, affirma le vieil homme avec méfiance.

— Nous avons eu une plainte au sujet des pouvoirs de votre petite-fille, rétorqua l'agent Dhuin, et de la manière dont vous l'avez probablement fait évoluer en utilisant les pierres de Prana.

— Si vous voulez mon avis, messieurs, ce sont des absurdités et une chose totalement impossible…

— Vous savez très bien, intervint le ministre Sarek en élevant le ton, que ce qui est impossible pour une jeune fille de son âge, c'est de posséder des pouvoirs aussi puissants sans avoir eu recours aux pierres de Prana !

— Comme je l'ai préalablement expliqué au ministre Sarek, continua Gabriel sans quitter des yeux les deux agents, si j'avais utilisé les pierres de Prana, Zarya serait morte sur-le-champ. Une fille de seize ans ne peut survivre à leur puissance.

— Mais vous comprendrez que, pour des raisons administratives, déclara l'agent Dellmann, vous devez nous suivre afin de subir un interrogatoire sous hypnose… et nous avons le mandat pour cela.

— D'accord, fit Gabriel en conservant son calme, mais je dois tout d'abord m'entretenir avec ma petite-fille pour la sécuriser et lui faire part de mon absence temporaire. Ce sont là des raisons familiales, elle est ici sous ma responsabilité.

— C'est votre droit, acquiesça l'agent Dellmann.

Gabriel recula de quelques pas et se concentra.

— *Jonathan,* dit-il par télépathie, *va chercher ma petite-fille et conduis-la à mon bureau.*

— *D'accord,* répondit Jonathan. *Y a-t-il un problème, Maître ?*

— *Oui, mes mauvais pressentiments sont en train de se concrétiser, j'en ai bien peur…*

— *D'accord, Maître, j'arrive tout de suite !*

À l'autre bout du Temple, Zarya était en train de parler du tournoi avec ses amis tout en buvant un verre de sammael. Ils étaient assis autour du magnifique trophée doré que Jeremy et elle avaient gagné fièrement. Celui-ci ne tenait plus en place après sa victoire sur l'équipe de Cylia. Il était le garçon le plus heureux du Temple. Dans la même semaine, il avait réussi à battre les deux personnes qui l'avaient persécuté tout au long de son enfance et de son adolescence, c'est-à-dire Devon et Cylia Ekin.

— Maintenant que tu as suivi ton camp d'entraînement des Maîtres Drakar, lui demanda Olivier, ton père va-t-il t'inscrire au cours des Maîtres Drakar ?

— Je n'en sais rien, je l'espère de tout mon cœur. Peut-être l'an prochain, répondit Jeremy d'un ton incertain.

— Pourquoi attendre ? insista Olivier. Tu es prêt à faire le grand saut, tes exploits d'aujourd'hui l'ont démontré.

— Oui, je sais, dit Jeremy dont le sourire avait un peu pâli, mais mon père veut d'abord que je termine mon cours d'agriculture.

— Il y a des cours d'agriculture ici ? s'étonna Abbie.

— Oui, bien sûr, fit Jeremy, l'agrobiologie est très importante dans notre monde.

— Chez nous aussi, c'est très important, se reprit Abbie, mais je croyais que l'enseignement de l'agriculture se transmettait de père en fils !

— Tu as raison pour ce qui est de ton monde, déclara Olivier qui connaissait bien les deux dimensions, mais notre agronomie, ici, est une science très poussée. Malheureusement, dans votre monde, une grosse partie des moyens financiers de votre peuple passe dans l'armement et autres sottises de ce genre. Au pays de Dagmar, nous donnons la priorité à la nourriture, à la santé et au bien-être du peuple, c'est ça le plus important.

— C'est merveilleux ! s'exclama Zarya, les yeux brillants.

La discussion allait bon train lorsque Abbie, qui était assise en face de Zarya, vit un jeune homme s'approcher d'eux.

— Zarya... Zarya ! chuchota-t-elle, les yeux écarquillés, en regardant par-dessus l'épaule de son amie.

Cette dernière se retourna...

— Bonjour à tous ! lança Jonathan avec courtoisie, excusez-moi de vous déranger, mais j'aimerais m'entretenir avec mademoiselle Adams.

Zarya leva la main nerveusement en disant :

— Oui, c'est moi !

— Je sais, fit Jonathan en lui adressant un sourire timide. J'aimerais que tu m'accompagnes quelques instants.

Abbie donna à son amie un coup de pied discret en dessous de la table pour la faire réagir.

— Oui, bien sûr, répondit Zarya après un court laps de temps.

Elle se leva, sous le regard étonné de ses amis, et suivit Jonathan en direction du grand couloir. Elle n'était pas curieuse de savoir où ils se rendaient ; de toute façon, elle l'aurait suivi n'importe où.

— J'aimerais te féliciter pour ta belle performance sur le terrain durant le tournoi, déclara Jonathan d'un air timide.

— Merci.

— Le sang de ton grand-père coule dans tes veines, ça ne fait aucun doute, affirma le jeune homme en marchant à côté de Zarya sans la regarder. Il est le meilleur dans tous les domaines... Je peux t'avouer qu'il a toujours été mon idole.

Zarya fixait le sol devant elle sans trop savoir quoi répondre. Lorsqu'ils arrivèrent près du bureau de Gabriel, elle remarqua les six hommes qui étaient assis devant la porte et la dévisageaient. Sans se préoccuper d'eux, Jonathan frappa et entra.

— Bonjour, ma chérie, dit Gabriel en s'approchant de sa petite-fille.

— Bonjour, grand-père.

Zarya observa le vieil homme et devina une certaine nervosité dans son regard. Pourquoi l'avait-il fait venir dans son bureau et qu'attendaient ces gens, à l'extérieur ?

— Je voudrais avant tout te féliciter pour ton incroyable prestation, lui déclara Gabriel avec sincérité. Tu fais honneur à la famille Adams.

Zarya lui répondit par un sourire timide en jetant un coup d'œil à Jonathan qui s'était posté en face de la porte.

— J'aimerais que tu t'assoies, ma chère Zarya, lança Gabriel en se dirigeant vers la fenêtre.

Il se tourna de nouveau vers sa petite-fille.

— J'ai des choses à te dire… et nous devons faire vite, il y a des gens qui m'attendent, ajouta-t-il avec un sourire forcé.

— Ce sont les hommes à l'extérieur ? Ils n'ont pas l'air très sympathiques.

— Tu as parfaitement raison, dit-il avec un franc sourire, cette fois. Je vais aller droit au but. Ces gens sont ici pour m'emmener… au poste de police, si je peux m'exprimer ainsi.

— Au poste ! Mais pourquoi, grand-père ?

— Ils croient que je suis responsable de tes pouvoirs extraordinaires, de ton pouvoir de Fortitudo.

— Mais c'est faux ! s'exclama la jeune fille sans toutefois connaître l'origine de ses pouvoirs qui dépassaient la normale.

— Tu as raison, je n'y suis pour rien. Je veux dire : presque pour rien.

Zarya se figea en entendant ces dernières paroles et fixa son grand-père.

— Ils croient que j'ai utilisé les pierres de Prana pour amplifier tes pouvoirs, mais c'est une chose impensable et également très dangereuse. Mais…, chuchota Gabriel en pesant ses mots, j'ai le pressentiment que ces gens veulent m'éloigner de toi pour te faire du mal…

— Mais qu'est-ce qu'ils me veulent ? demanda Zarya, perplexe.

— Qu'est-ce qu'« il » te veut serait plus juste !

— Qui « il » ?

Il y eut un instant de silence…

— Malphas.

Zarya resta muette d'étonnement en entendant son grand-père prononcer ce nom qui incarnait le mal absolu.

— Je crois que le ministre Sarek travaille pour Malphas.

— Mais tu m'as dit que Malphas était mort ou quelque chose comme ça !

— Oui, je le croyais aussi, mais je me suis trompé.

— Et qu'est-ce qu'il me veut ?

— Pour l'instant, dit Gabriel en regardant Jonathan, je n'en sais rien.

— Il veut sûrement s'approprier mes pouvoirs…

— Si cela avait été le cas, il l'aurait fait bien avant aujourd'hui. Par contre, une chose a changé ces derniers temps, ce qui pourrait corroborer ce que tu viens de dire… Tu possèdes quelque chose de précieux à ses yeux, un vrai trésor… le Fortitudo.

— Je ne comprends pas, grand-père, pourquoi dis-tu qu'il l'aurait fait bien avant aujourd'hui ?

Gabriel regarda Jonathan, puis sa petite-fille dans les yeux et lui déclara, la voix tremblante :

— Malphas est ton père.

Jonathan s'immobilisa en entendant ces paroles, car il ignorait ce fait. Zarya, toujours assise, baissa la tête. Gabriel ne voyait plus son visage, entièrement dissimulé par sa longue chevelure. Au même moment, toute la pièce se mit à trembler et les bibelots, les statuettes et les livres sur les étagères tombèrent sur le sol dallé.

À l'extérieur, le ministre Sarek ordonna à ses gardes du corps d'entrer dans le bureau de Gabriel d'où provenait la secousse. Mais les gardes du corps ne purent obéir, car dès l'instant où les tremblements avaient commencé, Jonathan avait créé un mur télékinésique pour empêcher toute intrusion. Une fois l'effet de surprise passé, Gabriel s'approcha doucement de sa petite-fille, qui avait toujours la tête baissée, et posa tendrement ses deux mains sur ses épaules. Aussi subitement que les tremblements avaient commencé, tout s'arrêta. Zarya leva ses yeux embués de larmes, regarda son grand-père et lui dit d'une voix blanche :

— Mon père est Malphas, il a donc fait tout ce mal ?

— Comme je te l'ai déjà mentionné, expliqua Gabriel avec douceur, ton père est à moitié coupable de ses actes. Malphas a pris possession du corps de ton père et il le domine complètement ; il fait ce qu'il veut de lui.

— Mais tu m'avais dit que tu avais pratiqué un exorcisme sur lui et que tu l'avais débarrassé de ce démon !

— Oui, c'est vrai, mais après l'exorcisme, ton père est devenu alcoolique et cela a rouvert la porte de son âme. Par la suite, Malphas a pu y pénétrer sans trop de difficulté, sans que ton père ne puisse rien faire pour l'en empêcher.

— Mais je pourrais essayer de lui parler, suggéra innocemment Zarya.

— Malheureusement, c'est Malphas qui te recevrait, et non ton père.

Zarya jeta un regard triste à Jonathan qui maintenait toujours la porte fermée grâce à ses pouvoirs.

— Lorsque j'ai exorcisé ton père de ce Malphas, dit Gabriel, je n'ai pas renvoyé ce démon aux enfers. Malphas a patiemment attendu que ton père entrouvre son âme pour y pénétrer de nouveau. Cependant, je dois t'avouer une chose, c'est que je n'avais pas le pouvoir nécessaire pour le renvoyer aux enfers. Mais je connais une personne qui a la capacité de le faire, qui détient le pouvoir de renvoyer les démons aussi puissants que ce Malphas dans leur demeure.

— Un Maître Drakar ne peut pas le faire ?

— Avec un démon normal, oui, mais pas avec un démon aussi puissant que Malphas.

— Et où se trouve cette personne ?

— À la Montagne sacrée de Mocktar !

Zarya essuya ses larmes en regardant les objets qui étaient tombés sur le sol autour d'elle.

— Olivier m'a parlé de cette montagne au cours de notre excursion. Il m'a dit qu'une sorcière très puissante y vivait.

— Olivier a raison, confirma son grand-père.

— Et elle va venir nous aider à débarrasser mon père de Malphas ?

— Non, je ne crois pas. Elle refuserait de faire cette chose pour moi. Cependant, elle a accepté de transmettre son pouvoir à une autre personne, mais à une seule condition : que ce soit toi !

— Pourquoi moi ? demanda Zarya, étonnée.

— Pour deux raisons, fit Gabriel. La première, c'est que tu es la seule personne qui puisse survivre à cet échange chakramatique. La deuxième, c'est qu'il faut que ce soit un membre de la famille, il faut partager le même sang... Cette sorcière est ta grand-mère !

Zarya allait de surprise en surprise.

— C'est pour cette raison que, tout à l'heure, j'ai dit que je n'y étais « presque » pour rien. Tu as des pouvoirs extraordinaires en raison du sang qui coule dans tes veines… Celui de ton père qui était un mage très puissant lors de ta conception et celui de ta grand-mère qui est une sorcière hors du commun. Tu as hérité de très grands pouvoirs et c'est pour cette raison que tu es la seule qui puisse survivre à cet échange avec ta grand-mère…

Devant cette révélation, Zarya resta bouche bée.

— Il faut que tu ailles voir ta grand-mère le plus vite possible et tu dois y aller avec la seule personne en qui j'ai vraiment confiance. Cette personne te guidera à travers les forêts truffées de dangers, j'en ai bien peur, et tu devras franchir la vallée de Balaam, là où vivent les balnareks et autres bêtes dangereuses… Tu partiras avec Jonathan, annonça Gabriel en regardant ce dernier qui accepta ce grand honneur. Vous devez quitter Attilia aujourd'hui même… Ta grand-mère t'attend !

Les souvenirs de Zarya défilaient dans sa tête à vive allure. Elle se remémorait toutes les choses que son père avait fait subir à sa mère depuis des années à cause de ce Malphas ; tout ce que sa mère lui avait raconté lorsqu'elles attendaient son père à l'aéroport : « Écoute-moi bien, ma chérie, ton père, au début de notre mariage, ne buvait pas et c'était le meilleur mari que j'aurais pu imaginer. Quand tu es arrivée dans ce monde, c'était un père modèle. Il t'adorait et il passait tout son temps à jouer avec toi. » Et la jeune fille se dit : « Si je détruis ce Malphas, je retrouverai mon vrai père et, par le fait même, ma mère sera la femme la plus heureuse du monde, puisqu'elle retrouvera l'homme qui était autrefois tendre et gentil avec elle. » Zarya regarda alors Jonathan timidement, se tourna vers son grand-père et lui dit d'un ton décidé :

— D'accord, je vais aller voir ma grand-mère…

La vallée de Balaam

Gabriel sortit de son bureau le premier et accepta de suivre les deux agents de l'A.C.A.M. Le ministre Sarek était satisfait de cette arrestation, trouvant que cette petite vengeance avait un goût fort agréable.

Jonathan et Zarya sortirent à leur tour du bureau.

— La demeure de ma grand-mère est-elle loin d'ici ?

— À une quinzaine d'heures de marche, répondit Jonathan.

— On ne peut pas prendre un transmoléculaire pour y aller ?

— Là où on va, il n'y en a pas. C'est trop perdu dans la forêt. D'abord, nous devons nous rendre aux abords du ravin d'Hadès, à la suite de quoi nous entreprendrons notre périple.

— Dois-je emporter quelque chose avec moi pour ce long voyage ?

— Tu peux aller chercher quelques effets personnels, répondit-il en marchant dans le couloir qui menait au dortoir des jeunes filles. Moi, je vais prendre de la nourriture en sachet et des pierres de combat.

— Et où se rejoint-on ?

— Reste dans ta chambre et n'en sors pas avant que je sois revenu. Je serai de retour dans quarante-cinq minutes, attends-moi, d'accord, Zarya ? dit-il avec un sourire craquant.

— D'accord... Jonathan, répondit-elle en rosissant.

Aussitôt dans sa chambre, Zarya enleva son uniforme de Maître Drakar et enfila une tunique gothique à manches longues qui descendait en bas des hanches, sur un pantalon noir orné d'une croix. Elle chaussa également des bottillons sport noirs qui lui couvraient les chevilles et conviendraient parfaitement pour une longue marche dans la forêt. Ensuite, elle rassembla quelques effets personnels, comme Jonathan le lui avait demandé. Elle éprouvait toutes sortes d'émotions à présent. Elle était triste et en colère à la fois de savoir que son père était le légendaire et malfaisant Malphas, et que son grand-père avait été arrêté. Elle se sentait également fébrile et incertaine à l'idée d'accompagner Jonathan dans une forêt parsemée de dangers pour aller retrouver sa grand-mère qu'elle ne connaissait pas et qui était la fameuse sorcière de la Montagne sacrée de Mocktar. Avec tout ça, elle avait oublié Abbie ! Comment lui expliquer toute cette histoire et lui dire qu'elle partait avec Jonathan à la recherche de sa grand-mère ? Une chose était certaine : elle devait la prévenir. Mais comme elle avait promis à Jonathan qu'elle ne quitterait pas sa chambre, elle essaya de communiquer avec sa meilleure amie par télépathie.

— *Abbie, c'est moi, Zarya,* dit-elle.

— *Oui, je te reçois cinq sur cinq,* répondit immédiatement Abbie.

— *Viens me retrouver dans la chambre, s'il te plaît.*

— *D'accord.*

Zarya était toujours épatée de voir la façon dont communiquaient les mages.

Elle était en train de finir ses bagages lorsque la porte s'ouvrit.

— Qu'est-ce que tu fais ? demanda Abbie, surprise de voir son amie en train de préparer ses affaires.

— Je pars avec Jonathan, répondit spontanément cette dernière.

— Waouh ! tu vas vite en besogne !

— Ce n'est pas ce que tu crois, répliqua Zarya en riant malgré toutes les émotions fortes qu'elle avait eues depuis le début de la journée. Je vais rejoindre ma grand-mère, et Jonathan va m'accompagner.

— Mais... ta grand-mère est morte quand tu étais toute jeune, balbutia Abbie qui ne comprenait pas.

— Oui, c'est ça... comme, toi, tu es née aux États-Unis... Il y a beaucoup de choses qu'on nous a cachées depuis notre naissance, mais c'était pour notre bien.

Zarya raconta à son amie toute l'histoire de son père et de sa grand-mère, sans oublier l'arrestation de son grand-père. Maintenant, les deux jeunes filles comprenaient la raison de tous ces mystères depuis leur naissance.

Mais il y avait encore une chose qu'elles ne comprenaient toujours pas. Pourquoi Abbie était-elle mêlée à cette histoire ? Cela, elles l'ignoraient totalement.

Quelqu'un vint frapper à la porte. Zarya devina que c'était Jonathan qui revenait la chercher. La porte s'entrouvrit tranquillement.

— Je peux entrer ? demanda Jonathan, glissant sa tête dans l'embrasure.

— Oui, je suis prête, répondit timidement Zarya.

— Bonjour, mademoiselle.

— Bonjour ! fit Abbie.

— Je te présente ma meilleure amie, Abbie Steven, lança Zarya à Jonathan qui s'approcha pour serrer la main à Abbie.

— Bon, maintenant, on doit y aller, il ne faut pas tarder.

— D'accord, dit Zarya en prenant son sac à dos. Et toi, Abbie ?

— Ne t'en fais pas pour moi, Olivier va sûrement me raccompagner chez ton grand-père, où je retrouverai madame Phidias.

— D'accord, tu me rassures, je me sens mieux.

Après avoir embrassé son amie, Zarya suivit Jonathan. Lorsqu'ils arrivèrent devant le transmoléculaire le plus proche, ce dernier lui dit :

— À partir d'ici, Zarya, tu vas suivre mes instructions à la lettre et tout ira bien, je te le promets...

— D'accord, répondit la jeune fille qui lui faisait confiance les yeux fermés.

— Parfait. Puisque nous sommes prêts... partons !

Jonathan entra le premier dans le transmoléculaire, entraînant Zarya par la main. À son contact, elle sentit des milliers de papillons lui chatouiller l'estomac.

Quelques microsecondes plus tard, ils réapparurent aux abords du ravin d'Hadès. En sortant de la cabine, Zarya remarqua qu'il y avait autant de monde que la première fois qu'elle était venue avec ses amis. Le soleil était à son zénith, il était près de midi et c'était une magnifique journée sans nuages. Une petite brise chaude caressait délicatement sa chevelure. De l'extérieur, elle donnait l'impression d'être une jeune fille parfaitement épanouie, mais, au fond d'elle-même, elle était remplie d'anxiété à l'idée de rencontrer sa grand-mère. Sur le pont suspendu, Zarya remarqua que les gens qu'ils croisaient regardaient Jonathan avec grand respect, sûrement à cause de son uniforme de Maître Drakar ; le respect était de mise à Attilia. Elle jeta un dernier coup d'œil par-dessus son épaule et aperçut l'imposant ravin d'Hadès sans fond, avec ses parois verticales, lisses et gris anthracite, qui disparaissait tranquillement de son champ de vision.

Ils étaient à présent près du lac Stella Matutina, là où Zarya et ses amis avaient campé. Le lac était d'un calme irréel, lisse comme un miroir. L'adolescente essaya de voir Loïk, en vain ; il devait encore dormir. Elle se rappela ce que Jeremy avait dit à Abbie : les pyracmuns des eaux chassaient la nuit et dormaient toute la matinée. Les deux jeunes gens marchaient au bord de l'eau, et le clapotis que faisaient entendre de petits poissons argentés sautillant ici et là fit sursauter Zarya qui était perdue dans ses pensées. Ils longeaient toujours le lac, Zarya sur les talons de Jonathan, lorsqu'elle lui demanda :

— Tes parents vivent-ils à Attilia ?

— Oui, ils habitent tout près du Temple. Mon père, Frank, est également un Maître Drakar. Il occupe le poste de commandant en second des élites qui doivent protéger l'humanité d'une offensive extradimensionnelle. Ma mère, Diana, s'occupe de ma petite sœur.

— Tu as une sœur ? Quel âge a-t-elle ?

— Livia a treize ans.

— Livia, c'est un joli prénom.

— Oui, c'est vrai, approuva Jonathan, et je l'aime beaucoup… Tu l'adorerais.

— J'en suis certaine…

◊ ◊ ◊

Ils marchaient et marchaient sans relâche. Zarya croyait qu'ils allaient bientôt arriver près du mont Hécate, de l'autre côté du lac, mais celui-ci semblait s'éloigner au lieu de se rapprocher, étant plus imposant et plus éloigné qu'elle ne le croyait. La Montagne sacrée de Mocktar était située derrière le mont Hécate. Le lac était toujours aussi calme et on pouvait y voir le reflet de ce mont, ce qui créait une illusion d'optique vraiment impressionnante.

Il était près de six heures lorsque les deux voyageurs s'arrêtèrent pour se reposer pendant quelques minutes. Ils décidèrent de manger un peu, leur longue marche leur ayant ouvert l'appétit. Ils se trouvaient maintenant de l'autre côté du lac, à l'orée de la forêt. Zarya s'assit sur un rocher noirâtre, à l'ombre d'un sapin bleu, et regarda Jonathan sortir quelque chose de son sac à dos : un petit sachet qu'il ouvrit par une extrémité et d'où il sortit un tube qui ressemblait à un tube de dentifrice.

— Qu'y a-t-il à l'intérieur ? demanda-t-elle, intriguée.

— C'est notre repas.

— Notre repas !

Jonathan prit une cuillère au fond du sac, pressa le tube et une pâte verdâtre en sortit.

— Tiens, Zarya, dit-il en lui tendant la cuillère.

Zarya l'approcha de ses lèvres, eut un moment d'hésitation, prit une grande inspiration et la mit finalement dans sa bouche.

— Mmmm ! c'est délicieux, lança-t-elle, agréablement surprise. Ç'a un goût de menthe.

— Tu as raison, approuva Jonathan. Le goût s'apparente à celui de la menthe, mais le fruit qui constitue cette pâte provient de notre dimension, car, ici, la menthe n'existe pas.

— Et comment s'appelle ce fruit ?

— Le dumquak. Mais plusieurs ingrédients composent ce mélange pour lui donner une forte teneur protéinique et fournir toutes les vitamines et autres nutriments essentiels pour survivre sans nourriture.

Après avoir pris trois autres bouchées de pâte de dumquak, Zarya se sentit rassasiée. Jonathan remit le tube et la cuillère dans son sac et se leva.

— Il faut y aller, Zarya.

Elle acquiesça d'un signe de tête et se leva à son tour en prenant son sac. Elle aurait bien aimé un peu plus de repos, mais sa grand-mère l'attendait et son grand-père lui avait bien recommandé de ne pas tarder.

Ils s'enfoncèrent dans la forêt qui, à mesure qu'ils avançaient, devenait de plus en plus dense et avait un aspect étrangement sauvage. Les arbres centenaires semblaient se refermer sur eux comme une gigantesque tonnelle. Leur feuillage était touffu et le soleil jetait à peine quelques sequins d'or sur le sentier caillouteux, couvert de plantes herbacées. La forêt devenait obscure et silencieuse. Plus les minutes passaient, plus l'ouïe de Zarya s'affinait. Elle discernait plus facilement des craquements de brindilles et les sifflements aigus du vent frais qui s'était levé. La température avait passablement chuté et la jeune fille sentait l'humidité la transpercer. Elle regrettait son long manteau noir, tout en sachant fort bien qu'il n'aurait pas été pratique ici, avec toutes ces broussailles épineuses.

En proie à une inquiétude grandissante en présence de tous ces bruits insolites, Zarya se rapprocha de Jonathan qui semblait d'un calme étonnant.

— Je peux te poser une question ? dit-elle timidement en continuant de marcher.

— Oui, bien sûr.

— Tu n'as pas peur de marcher dans une forêt comme celle-ci ?

— Oui, je ressens une certaine crainte, répondit Jonathan avec sincérité, mais cette crainte est ma meilleure amie…

— Ta meilleure amie !

— Exactement, ma meilleure amie. Ma crainte rend mon esprit alerte. Je suis ainsi plus vigilant à l'égard de tout ce qui nous entoure. Comme ça, je peux prévenir les dangers et t'en protéger.

— Tu ne penses pas à toi ?

— Bien sûr que je pense à moi, dit Jonathan naturellement. Je dois rester en vie pour pouvoir te protéger, conclut-il avec un sourire.

La jeune fille lui rendit son sourire, pleine d'admiration, en le regardant droit dans les yeux. Même s'ils marchaient dans une forêt remplie de dangers et de mystères, Zarya, qui se sentait mieux maintenant qu'elle avait discuté avec Jonathan, avait une envie folle de se jeter dans ses bras ! Elle se savait en parfaite sécurité à ses côtés.

◊ ◊ ◊

Quelques kilomètres plus loin, alors que l'obscurité s'épaississait de plus en plus, Zarya, qui ne sentait plus ses jambes, demanda à Jonathan :

— Je suis épuisée, on va bientôt s'arrêter ?

— Oui, bien sûr, je suis également fatigué. On va installer le camp ici pour la nuit.

Soulagée, la jeune fille déposa son sac à dos sur le sol granitique et s'assit sur une souche. Jonathan, qui s'était également défait de son sac à dos, partit à la recherche de petit bois pour faire un feu et se réchauffer un peu. La nuit était devenue très fraîche. Après avoir apporté un amas de branches mortes, le Maître Drakar les empila en une structure pyramidale. Il alluma le feu en utilisant son troisième chakra. Puis il étendit une couverture sur le sol et indiqua à sa compagne que ce serait son lit pour la nuit.

— Tu ne dormiras pas ? demanda Zarya, remarquant qu'il n'y avait pas de deuxième couverture près d'elle.

— Je dois monter la garde.

— Mais tu vas être fatigué demain et il nous reste encore une bonne marche à faire... enfin, je crois !

— Effectivement, il nous reste environ cinq heures de marche. Mais ma mission est de te protéger et non de me reposer, déclara Jonathan, la gratifiant de son plus beau sourire. Je dormirai au village, près de la maison de ta grand-mère...

— Tu ne viens pas avec moi chez ma grand-mère ? s'étonna Zarya.

— Non, je suis désolé, c'est l'une des exigences de ta grand-mère : tu dois être seule.

— D'accord, dit l'adolescente en s'asseyant sur sa couverture.

Jonathan raconta, pendant une trentaine de minutes, ses missions antérieures pour détendre l'atmosphère. Zarya était très impressionnée par sa maturité. Indubitablement, cet homme de vingt et un ans parlait et agissait comme un homme plus vieux. Zarya connaissait quelques garçons de son âge mais, eux, ils ne pouvaient pas aligner deux mots sans dire des insanités.

— Bon, maintenant, tu dois te reposer.

— D'accord, dit-elle en s'enroulant dans la couverture.

— Je te souhaite une bonne nuit, lança Jonathan en s'éloignant un peu pour qu'elle puisse s'assoupir plus facilement.

— Bonne nuit !

Zarya, les yeux grands ouverts, observait les étoiles qui brillaient à travers le feuillage tout en pensant à la journée éprouvante qu'elle venait de vivre. Du tournoi des Maîtres Drakar aux révélations de son grand-père sur les douloureux mystères entourant son père, en passant par l'excursion avec Jonathan dans une forêt truffée de dangers, l'action n'avait pas cessé d'être au rendez-vous. Elle eut une dernière pensée pour Jonathan qui veillait sur elle, puis sombra dans un sommeil profond, bien mérité. Le jeune Maître Drakar, assis non loin de sa protégée sur un énorme rocher de granit, blanchi par l'éclat de la lune d'une totale pureté, l'observait de ses yeux pétillants. Il l'admirait non seulement pour sa performance phénoménale durant le tournoi qu'elle avait remporté avec brio, mais aussi pour le noble geste qu'elle avait fait : sauver la vie d'une fille qui lui voulait du mal.

Il était près de 3 h 30 du matin et Jonathan, qui était toujours éveillé et près de Zarya, se couvrit les épaules avec une couverture. Un vent du nord soufflait sans répit et faisait sérieusement chuter la température. Le jeune homme se leva et, voyant Zarya qui grelottait et s'était recroquevillée en position fœtale, il prit sa couverture et l'en recouvrit. En allant chercher du bois supplémentaire pour alimenter le feu, il entendit un sifflement dans le ciel. C'étaient des Rodz. Ces petits amis en forme de bâtons ailés venaient d'une autre dimension avertir le Maître Drakar d'un danger imminent. Jonathan laissa tomber les branches mortes sur le sol et courut en direction de sa protégée. Il sentit une présence derrière les buissons. Des grognements confirmèrent son inquiétude. Des animaux féroces se cachaient de l'autre côté de ces broussailles. Pourtant, Zarya et lui étaient à six kilomètres de la vallée de Balaam, là où vivaient les bêtes dangereuses ! Celles-ci avaient peut-être été attirées par l'odeur du feu...

Pour l'instant, une chose primait : la sécurité de Zarya. Jonathan s'approcha prudemment du buisson et... woahrrr ! deux immenses balnareks bondirent sur lui. Il créa un bouclier télékinésique de justesse, tomba à la renverse et se releva aussi vite. Il courut en direction de Zarya et se posta entre les monstres et elle. En entendant les rugissements des bêtes, Zarya s'était réveillée, la peur au ventre, et elle s'était levée, en proie à une angoisse grandissante. Elle voyait Jonathan qui faisait face aux deux balnareks et elle aurait bien voulu l'aider, mais il lui ordonna, avec insistance, de ne pas bouger et de rester sur ses gardes. Comble de malheur, quatre autres balnareks sortirent des sombres buissons. Il y en avait maintenant six en face de Jonathan qui n'avait rien perdu de son calme. Toujours en position de combat et très concentré, le jeune homme attendait le moment opportun pour pouvoir lancer sa première attaque. La patience était de mise lors d'une attaque contre plusieurs adversaires. Zarya restait immobile, les yeux écarquillés devant la meute de balnareks qui faisait face à Jonathan. Elle ne voyait pas comment il pourrait s'en sortir seul devant ces six bêtes noires assoiffées de sang. Mais elle avait promis de suivre ses ordres et de lui faire confiance, peu importe ce qui se passerait.

Les bêtes s'avancèrent tranquillement vers leurs proies, se réjouissant à l'avance du festin qui les attendait. Et brusquement, l'une d'entre elles courba l'échine pour se donner plus de force de propulsion et bondit sur Jonathan, la gueule grande ouverte. Mais celui-ci, ayant prévu l'attaque, fit léviter la bête en utilisant son pouvoir télékinésique et la propulsa avec une force inouïe contre une autre qui s'approchait dangereusement de Zarya. Le choc fut d'une telle violence que les deux bêtes moururent sur le coup ! Un balnarek, qui s'était juché sur un rocher, au-dessus de Jonathan, sauta de son perchoir, mais avec une rapidité hors du commun, Jonathan lui lança une bruine glacée qui transforma le monstre enragé en un bloc de glace. Sans crier gare, le Maître Drakar prit une citrine dans sa poche et érigea un gigantesque mur de feu qui fit fuir le reste de la meute, sous le regard abasourdi de Zarya. Il scruta ensuite les alentours de leur campement et sentit le danger s'éloigner. Encore tremblante, Zarya s'approcha de lui et lui demanda :

— Est-ce que tout va bien ?

— Oui, très bien, dit Jonathan en lui faisant un sourire. Et toi, Zarya ?

— Ça va mieux, répondit-elle, soulagée. Tu es d'une rapidité incroyable !

— Merci, fit le jeune homme, un peu gêné. Venant d'une championne comme toi, c'est un beau compliment. Et je te remercie d'avoir suivi mes instructions et de m'avoir fait confiance.

L'éloge fit rougir Zarya... Mais grâce à l'obscurité de la nuit, Jonathan ne vit pas le trouble qui l'avait envahie.

— Il faut quitter les lieux, poursuivit-il en regardant la bête gelée au sol. Ils vont sûrement revenir avec du renfort.

— De toute façon, déclara Zarya en ramassant sa couverture, je ne serai plus capable de fermer l'œil de la nuit.

Après avoir tout ramassé, les jeunes gens quittèrent les lieux sans regret. Il était 4 h 50 ; les ténèbres dominaient encore. Zarya avait de la difficulté à s'orienter dans une forêt qui était devenue encore plus inquiétante et lugubre avec l'obscurité totale. Après quelques pas, Jonathan ne tarda pas à sortir une petite pierre de sa poche, un petit cristal transparent qu'il frotta avec sa main. Aussitôt, la pierre se mit à éclairer, sous les yeux ébahis de sa protégée, qui fut soulagée de voir cette lueur réconfortante.

Ils se trouvaient maintenant dans la vallée de Balaam depuis une trentaine de minutes et aucune présence animale n'était décelable à l'horizon. Jonathan éteignit son petit cristal transparent qui avait éclairé leur chemin depuis qu'ils avaient quitté le campement. Dans la vallée, ils n'en avaient plus besoin parce que les nuages se dispersaient et qu'une lune presque pleine faisait son apparition. La vallée de Balaam était très différente de la forêt qu'ils venaient de traverser. Elle était pratiquement dépourvue de végétation : les arbres étaient dénués de feuilles et les plantes étaient aussi rachitiques que rares.

— Mais, pourquoi cette vallée est-elle dans cet état ? demanda Zarya en regardant les alentours, incrédule.

— Il y a de cela bien longtemps, c'était un paradis ici, répondit Jonathan en continuant de marcher. Selon la légende, le démon Balaam, démon de l'avarice et de la cupidité, a jeté un sortilège très puissant sur cette vallée débordante de fleurs et de plantes magnifiques.

— Des gens habitaient ici ? poursuivit Zarya en découvrant les ruines d'un vieux village.

— Oui, il y avait un peuple qui vivait dans cette région. Ils étaient comme nous, ils n'aimaient pas les démons... et avec raison.

— Que s'est-il passé ?

— Les guerriers du village, expliqua Jonathan en s'arrêtant près d'une pyramide tronquée de vingt mètres de haut, ont capturé une jeune femme innocente possédée par un démon, et le sorcier du village l'a sacrifiée sur le sommet de cette pyramide...

— Et le démon Balaam a jeté une malédiction sur la vallée parce que ce sorcier avait sacrifié la jeune femme ? dit Zarya qui avait de la difficulté à comprendre.

— Le démon Héla, qui avait pris possession du corps de la jeune femme, n'était nul autre que la fille du démon Balaam !

Zarya se figea. Elle pensa à son père qui était également possédé par un démon. « Mais pas question de sacrifier mon père », se dit-elle. Ils poursuivirent leur marche et Zarya pouvait entendre les cris de douleur de la jeune femme innocente, morte pour son peuple et pour que le démon Héla quitte son corps et soit renvoyé aux enfers.

Ils sortirent enfin du village en ruine, au grand soulagement de Zarya, qui pouvait sentir les spectres hantant encore les lieux maudits par le démon Balaam et sa fille, la princesse de l'enfer, Héla. Quatre kilomètres plus loin, l'adolescente remarqua que les arbres étaient de plus en plus feuillus et que les plantes devenaient plus nombreuses. Puis de lourds nuages sombres recouvrirent de nouveau le ciel étoilé et vinrent cacher la lune. Les marcheurs se retrouvèrent encore dans une obscurité oppressante. Zarya talonnait Jonathan qui, pour une seconde fois, avait allumé son cristal transparent pour les éclairer.

La foudre de Zeus

Jonathan s'arrêta brusquement, se tourna et courut à grandes enjambées en direction d'un gros rocher plat sur lequel il sauta avec une souplesse digne d'un athlète. Zarya fut étonnée par ce geste impulsif dont elle ne comprenait pas la raison... Soudain, elle ressentit une vibration sous ses pieds, comme un léger tremblement de terre. Malgré l'obscurité, elle aperçut, à quelques mètres de l'endroit où elle se trouvait, un troupeau d'animaux qui fonçait droit sur elle. Et lorsqu'elle tenta de former un mur télékinésique, une chose inattendue se produisit : ses pieds quittèrent le sol. Zarya flottait dans les airs à trois mètres au-dessus des bêtes, qui passèrent sous ses pieds à vive allure. Elle regarda Jonathan, debout sur le rocher, et comprit son geste de dernière minute : il avait voulu se placer dans une position confortable afin de pouvoir sauver la vie de sa protégée. Lorsque le troupeau se fut éloigné, Jonathan la reposa délicatement sur la terre ferme.

— Merci ! lui lança-t-elle alors qu'il sautait en bas du rocher.

— Ce fut un réel plaisir, fit-il en regardant les bêtes s'éloigner.

— Qu'est-ce que c'était, ces bêtes ?

— Elles ressemblent beaucoup à vos sangliers, mais en plus gros. On les appelle « grabtos de Burianise ».

Zarya observa Jonathan qui paraissait songeur et lui demanda :

— Y a-t-il quelque chose qui ne va pas ?

Il regarda du côté où avaient surgi les grabtos de Burianise et dit :

— Les bêtes... étaient en fuite !

— En fuite pourquoi ? l'interrogea Zarya, subitement étreinte par l'angoisse.

— Je n'en sais rien, répondit Jonathan en regardant partout, mais je suis certain d'une chose... il ne faut pas rester ici une minute de plus !

Ils quittèrent précipitamment les lieux sans se retourner et s'enfoncèrent dans une forêt de plus en plus lugubre. Tout à coup, Jonathan entendit un bruit qui venait du ciel : des battements d'ailes ! Quelque chose de gigantesque fendait l'air. Zarya, inquiète, se tourna vers Jonathan, et ce dernier lui ordonna de courir le plus vite qu'elle pouvait. Des créatures qui semblaient plus grosses et plus voraces que des grabtos de Burianise les pourchassaient. Zarya essayait de regarder par-dessus son épaule, en vain ; ces bestioles étaient trop rapides ! Elles se rapprochaient dangereusement des jeunes gens, qui couraient pourtant à vive allure. Le ciel commençait à se dégager de nouveau, et la lune, qui apparut derrière d'épais nuages, donnait juste assez de clarté pour que Zarya aperçoive ces créatures qui volaient au-dessus des arbres à une vitesse folle. Cela ressemblait à d'immenses chauves-souris. Jonathan courait derrière elle et l'encouragea à aller encore plus vite, ce qu'elle fit sans poser de question. Ils débouchèrent dans une large clairière qui n'offrait plus aucune protection. La forêt qu'ils venaient tout juste de quitter leur fournissait une sorte de refuge contre ces chauves-souris géantes. Mais, ainsi exposée, Zarya s'arrêta, saisie d'effroi.

— Ne t'arrête surtout pas, il faut absolument traverser cette clairière et se remettre sous le couvert des arbres, dit Jonathan, l'entraînant avec lui. Il est trop tard pour rebrousser chemin, nous devons trouver un abri de l'autre côté, ajouta-t-il en regardant le ciel pour repérer leurs ennemis.

— D'accord ! fit Zarya, haletante, en reprenant de la vitesse.

Cent cinquante mètres les séparaient de l'abri que leur procurerait la forêt. En poursuivant sa course, Zarya aperçut avec horreur cinq chauves-souris géantes qui volaient au-dessus d'eux. Il restait encore une trentaine de mètres à parcourir avant d'arriver dans la forêt pour se mettre à couvert lorsque la jeune fille s'arrêta brusquement. L'une des créatures volantes s'était posée devant elle et se tenait à l'entrée de la forêt de façon à leur en bloquer l'accès.

— Mais qu'est-ce que c'est ? s'écria Zarya.

— C'est ce qu'on appelle un « homme de Phalène », répondit Jonathan avec horreur.

Zarya regarda, les yeux écarquillés, cet être d'une taille impressionnante, aux grandes ailes et aux yeux rouges immenses, qui regardait ses proies avec un sourire malicieux. Jonathan, dont l'attention était concentrée sur l'homme de Phalène devant eux, fut surpris par un autre homme-papillon qui s'était sournoisement glissé derrière lui et l'agrippait par le dos. Ses longues griffes se plantèrent dans sa peau, au niveau des trapèzes, et il l'emporta dans le ciel sous les cris effrayés de Zarya. Pétrifiée par la scène d'horreur qui se déroulait sous ses yeux, elle n'eut pas le temps de réagir. L'homme de Phalène, aussi appelé « homme-papillon », ignorait un détail important : il venait d'agripper un Maître Drakar. Incontestablement, Jonathan n'avait pas dit son dernier mot. Il était à cinq mètres au-dessus de Zarya lorsqu'il vit l'homme de Phalène qui s'était posé s'approcher dangereusement d'elle. Il lança alors sa première attaque sur l'homme-papillon qui l'avait capturé pour s'en libérer. Une bruine de glace jaillit de ses mains, qu'il dirigea sur ses ailes, et la créature s'écrasa avec violence, tandis que Jonathan atterrissait sur ses deux pieds. Il se préparait à lancer une nouvelle attaque lorsqu'il se passa une chose étrange : l'homme de Phalène qui faisait face à Zarya s'immobilisa devant elle sans sembler être animé de mauvaises intentions. Jonathan resta tout de même sur ses gardes et regarda cet être noir qui, selon lui, devait être le chef. Les autres hommes-papillons atterrirent derrière Jonathan. Ce dernier était toujours sur le qui-vive, mais les hommes de Phalène paraissaient avoir reçu l'ordre de ne plus attaquer. Leur chef s'approcha davantage de Zarya, doucement, les mains ouvertes en signe de paix. Jonathan, une citrine à la main, était prêt à intervenir au moindre geste suspect. Zarya, qui n'osait plus bouger, fixait cet être qui ne montrait plus aucun signe d'agressivité. Le chef posa alors sa longue main sur l'épaule de la jeune fille et lui dit par télépathie :

— *Tu nous seras bénéfique un jour !*

Sur ces mots, ces êtres mystérieux prirent leur envol et disparurent dans la nébulosité des cieux.

Zarya se tourna vers Jonathan et dit :

— Il m'a dit que je leur serai bénéfique un jour !

— C'est vraiment bizarre, répondit Jonathan qui ne comprenait pas la signification de cette phrase.

Zarya l'observa avec attention et remarqua qu'il semblait avoir mal. En effet, il avait de la difficulté à dissimuler la douleur qui lui lacérait le dos. Elle aperçut sa veste qui était déchirée à la hauteur de ses épaules et comprit...

— Tu es blessé ! lança-t-elle, affolée.

Jonathan s'écroula ; il avait perdu beaucoup de sang. Jusque-là, Zarya n'avait pas remarqué son état préoccupant à cause de la pénombre. Elle se dépêcha de lui enlever sa veste, puis son chandail, et vit, avec horreur, huit profondes entailles qui lui traversaient les trapèzes. Sa poitrine était couverte de sang.

— Mon Dieu ! lança Zarya qui n'avait jamais vu autant de sang de toute sa vie. Que dois-je faire ?

— Va chercher mon sac à dos, dit faiblement le jeune homme, et ouvre-le...

Zarya se leva précipitamment, alla chercher le sac de Jonathan, qui était tombé sur le sol, et l'apporta près de lui.

— Et maintenant, qu'est-ce que je fais ?

— Prends le corail et pose-le sur l'une de mes plaies...

— OK ! Je crois savoir quoi faire, déclara Zarya, se souvenant du cours du professeur Razny.

Elle se concentra en maintenant le corail sur l'une des plaies de Jonathan. Soudain, une lumière rougeâtre en émana et pénétra dans la plaie profonde qui se referma sur-le-champ. Zarya répéta l'opération sur chacune des blessures.

Jonathan reprit des couleurs, au grand soulagement de sa compagne qui lui tenait la main.

— Je te remercie beaucoup, Zarya. Mais c'est moi qui dois te sauver la vie et non l'inverse, dit-il avec humour.

— Mais tu t'es blessé en voulant me sauver la vie.

Ils se reposèrent quelques minutes, assis sur le sol ; Jonathan devait reprendre des forces.

Les premières lueurs du soleil firent leur apparition ; l'aube commençait à blanchir l'horizon. Zarya et Jonathan se levèrent et repartirent en direction de la Montagne sacrée de Mocktar.

En chemin, Jonathan expliqua à Zarya tout ce qu'il savait sur les hommes de Phalène. Elle fut surprise d'apprendre que ces hommes voyageaient d'une dimension à l'autre. Sans conteste, c'étaient des êtres très étranges, d'une étrangeté lugubre et macabre. Ils semblaient apparaître durant les derniers instants précédant les catastrophes naturelles ou causées par des humains, comme les guerres et autres tragédies. Le triste jour du 11 septembre 2001, quand des milliers d'innocents avaient perdu la vie dans l'effondrement des tours jumelles à New York et que les États-Unis avaient connu l'horreur, des témoignages avaient rapporté la présence d'hommes de Phalène dans les environs.

Zarya était estomaquée de constater qu'il pouvait exister des êtres n'appartenant à aucun monde en particulier et dépourvus de toute conscience.

— Si les hommes de Phalène savent à l'avance qu'une catastrophe va se produire, pourquoi ne nous avertissent-ils pas ? demanda Zarya.

— Personne ne le sait, répondit Jonathan. Ce sont des êtres extrêmement mystérieux. Personne ne sait d'où ils viennent ni pourquoi ils se nourrissent des malheurs des autres.

— Je me demande pourquoi ils nous ont laissé la vie sauve, fit remarquer Zarya, et pourquoi il m'a dit que je leur serai bénéfique un jour.

— Je n'en sais rien, mais, pour l'instant, ç'a été bénéfique pour nous !

Selon les estimations de Jonathan, il ne restait plus que quatre kilomètres avant d'arriver chez la grand-mère de Zarya. Ils pouvaient apercevoir l'immense montagne bleue absorbant la couleur du ciel, qui se dressait devant eux.

— Il y a un village au loin, remarqua Zarya en pointant l'horizon du doigt. C'est là que vit ma grand-mère ?

— Pas tout à fait, elle vit en retrait. En fait, elle habite dans la montagne. Beaucoup de brigands vivent au village de Mirgotha et il faudra donc être très prudents.

— D'accord…

◊ ◊ ◊

Après avoir mangé à l'auberge du village un repas plus substantiel que cette pâte verdâtre à base de dumquak, Zarya mit son sac à dos sur ses épaules et prit la direction de la montagne. Jonathan, quant à lui, resta au village, comme l'avait recommandé la grand-mère de Zarya ; il en profiterait pour se reposer un peu.

La jeune fille avait parcouru à peine quelques mètres que, mue par la curiosité, elle se retourna. Elle vit Jonathan, toujours debout près de la porte de l'auberge, qui l'observait. Il lui fit un beau et grand sourire ainsi qu'un signe de la main en guise de salutation, et Zarya lui rendit son geste ; des milliers de papillons lui chatouillèrent l'estomac.

Tout en gravissant la pente caillouteuse d'un pas décidé, Zarya repensa à tout ce que Jonathan lui avait dit à propos de sa grand-mère. Bien qu'il ne l'eût jamais vue, il connaissait son histoire par cœur. Elle lui avait demandé : « Pourquoi ma grand-mère ne vit-elle pas à Attilia ? » Il lui avait expliqué : « Elle a fait preuve de cruauté par le passé. Alors, elle ne pouvait donc plus habiter Attilia, sinon les autorités l'auraient immédiatement arrêtée. » Surprise de cette réponse, Zarya avait voulu en savoir davantage : « Mais qu'a-t-elle fait de si atroce ? » Et il lui avait répondu d'un air embarrassé que sa grand-mère avait utilisé ses puissants pouvoirs pour asservir une ville près d'Attilia longtemps avant leur naissance ! « Trois Maîtres Drakar ont voulu l'arrêter, mais elle… » Jonathan avait hésité à continuer, baissant les yeux, puis il avait lâché : « Elle les a tués ! »

La jeune fille regarda la direction à suivre sur la carte dessinée par Gabriel et prit le chemin de gauche pour longer la falaise de Bellone. Après une trentaine de minutes de marche, elle arriva enfin à la maison de la fameuse sorcière de la Montagne sacrée de Mocktar.

Zarya était impressionnée de voir la maison d'une vraie sorcière. Elle le fut encore davantage à la vue des pilotis à quarante-cinq degrés fixés à la paroi de la falaise et qui soutenaient la maison de sa grand-mère, surplombant un ravin perpendiculaire, d'une profondeur abyssale. Les pilotis étaient à peine de la grosseur d'un bâton de baseball et ils étaient tout fendillés sur la longueur. « De simples pieux ne peuvent supporter une maison ; c'est une chose impossible, cela tient de la magie », pensa Zarya. La maison était faite en bois rond terni par les intempéries. Elle était plus haute que large, avec de petites fenêtres à embrasures profondes de couleur jaune soufre. Elle était bordée par un étrange jardin rempli de fleurs tubulées aux feuilles épineuses et de plantes herbacées carnivores à longues dents qui, selon Zarya, constituaient une bonne protection contre les animaux sauvages ou même les humains. L'adolescente ne pouvait se rendre à la porte d'entrée, puisque les plantes couvraient entièrement l'allée étroite qui y menait. Curieuse, elle avança vers les plantes pour mieux les observer et, brusquement, celles-ci s'écartèrent pour libérer le chemin. Stupéfaite, Zarya avança prudemment jusqu'à la porte pourvue d'une petite fenêtre à carreaux. Elle essaya de voir à l'intérieur, mais sa tentative s'avéra infructueuse, puisqu'un rideau opaque masquait la quasi-totalité de la fenêtre, procurant ainsi une certaine intimité à la propriétaire des lieux. La jeune fille frappa à la porte et… comble de surprise, la porte s'ouvrit toute seule !

— Puis-je entrer ? demanda timidement Zarya en passant sa tête dans l'encadrement.

Mais aucune réponse ne lui parvint ; les lieux semblaient déserts. Zarya décida de pénétrer à pas feutrés dans la maison, qui paraissait accueillante malgré tout. Elle scruta la petite pièce qui faisait office de hall d'entrée et vit, sur une table murale, un cadre avec la photo d'un homme dans la vingtaine… Elle le reconnut : c'était son père, John Adams.

— Y a-t-il quelqu'un ? lança-t-elle d'une voix douce.

Aucune réponse. Zarya entra timidement dans la pièce voisine. C'était un salon. À peine y eut-elle mis les pieds qu'elle entendit la porte d'entrée se refermer. Elle fit un saut et se retourna…

— Vous êtes Zarya, je suppose ! lança sèchement une vieille dame aux cheveux noirs.

Zarya vit alors une belle sexagénaire, vêtue comme une paysanne, portant un chapeau de paille et tenant à la main un panier en osier empli de plantes vénéneuses, de champignons noirs à deux têtes et de fines herbes narcotiques.

— Bonjour, madame, dit-elle, hésitante.

Elle regarda la vieille femme passer devant elle sans dire mot et déposer son panier sur la table de la cuisine. Celle-ci se tourna alors et déclara :

— Vous ressemblez beaucoup à votre père.

Zarya approuva d'un sourire incertain.

— Vous pouvez vous asseoir, ne restez pas plantée là, vous allez prendre racine ! poursuivit la dame. Ça ne devrait pas être long et, après cela, vous pourrez vous en aller !

Zarya s'assit, médusée. Une grand-mère qui n'avait jamais vu sa petite-fille aurait dû, en principe, lui poser une multitude de questions sur sa vie ! L'adolescente décida d'amorcer la conversation.

— Excusez mon ignorance, mais je ne connais pas votre nom.

La vieille dame, qui était en train de ranger ses plantes vénéneuses dans un récipient conçu à cet effet, lui répondit sans se retourner :

— Martha… appelez-moi Martha !

Zarya essayait de trouver une autre question quand Martha se tourna soudain vers elle.

— Je suis surprise que mes plantes vous aient laissée entrer.

— Vos plantes carnivores, à l'extérieur ?

— Oui, celles-là ! Normalement, elles auraient fait une bouchée d'une jeune personne comme vous.

Zarya resta interloquée, ne sachant quoi répondre.

— Mais je crois, reprit Martha en s'approchant d'elle, qu'elles ont senti le lien de sang qu'il y a entre vous et moi… Étonnantes, ces plantes !

— Vous avez l'air d'en savoir beaucoup sur les plantes.

— Oui, beaucoup, en effet. J'étais professeure de botanique dans un lointain passé.

— Pourquoi avez-vous cessé d'enseigner ?

— Pour des raisons personnelles ! répliqua la vieille dame d'un ton péremptoire.

Zarya crut comprendre que c'était un sujet épineux et elle prit la sage décision de ne pas insister. Cependant, une autre question l'obsédait depuis son départ d'Attilia, mais elle hésitait à la lui poser. Elle se lança malgré ses réticences :

— Comment avez-vous connu mon grand-père ?

Martha s'approcha, prit une chaise, regarda Zarya droit dans les yeux, puis, adoptant soudain un tutoiement qui semblait plus naturel entre une grand-mère et sa petite-fille, elle lui demanda :

— Il ne t'a rien dit de notre relation ?

— À vrai dire, jusqu'à tout récemment, j'ignorais jusqu'à ton existence, répondit l'adolescente, décidant de la tutoyer aussi, et, après, il n'a pas eu le temps…

— Il n'a jamais pris le temps pour ce genre de choses, dit Martha d'un air contrarié. Il n'a donc pas changé !

Zarya observa sa grand-mère et devina qu'elle nourrissait une certaine rancune envers son grand-père. Dans ses yeux, elle pouvait lire du ressentiment mêlé de tristesse.

— À vrai dire, fit Zarya en cachant difficilement son chagrin, mon grand-père n'a pas eu le temps de me parler davantage de toi parce qu'il s'est fait arrêter.

L'absence de réaction de sa grand-mère à l'annonce de l'arrestation de Gabriel étonna Zarya. Cela dut paraître, car Martha enchaîna :

— Je crois que tu as le droit de savoir quelle relation ton grand-père et moi avons eue, déclara-t-elle d'un ton calme en se levant.

Elle marcha jusqu'à la petite fenêtre pour rassembler ses idées et mieux se concentrer. Toujours assise, Zarya écouta avec attention.

— J'avais vingt et un ans à ce moment-là, j'étais en vacances chez mon oncle et ma tante Emilia. Ils vivaient dans un village tout près d'ici, à environ une trentaine de kilomètres au sud. Mon oncle était un mage comme toi et ma tante était une sorcière comme moi ; je les adorais. Un soir, je me promenais dans la forêt avec Blondy... la chienne de ma tante, dit-elle en se tournant vers Zarya. Et là, près d'une petite rivière, j'ai entendu des gémissements. Je me suis approchée prudemment... et je l'ai vu là, étendu sur le sol, couvert de sang. Gabriel était sur le point de rendre l'âme. Il était en mission pour capturer un groupe de cyclopes géants qui terrorisait la région depuis un certain temps. Il était gravement blessé. Il avait le bras droit et trois côtes fracturés, ainsi que de nombreuses plaies profondes sur tout le corps. Il s'était fait violemment attaquer par quelques-uns de ces géants sans scrupules. Le combat avait été d'une violence inouïe. Quatre de ces monstres étaient étendus sur le sol... morts. Malgré tout, Gabriel avait réussi à accomplir sa mission, dit-elle avec un petit sourire. On n'a plus jamais entendu parler de cyclopes dans la région.

— Et mon grand-père, demanda Zarya, curieuse, que s'est-il passé par la suite ?

— Mon oncle et ma tante étaient partis chez un couple d'amis pour la soirée, continua Martha. J'ai donc transporté Gabriel dans la grange derrière la maison, et je l'ai soigné du mieux que j'ai pu. J'ai utilisé toutes les connaissances que je possédais. Mais ce n'était pas assez ! Une heure plus tard, il s'est réveillé en me demandant : « Suis-je au paradis ? » Ces simples mots ont suffi pour je tombe instantanément amoureuse de lui. Malgré ses nombreuses marques au visage, il était beau comme un prince... Par la suite, il a pris ses pierres magiques et s'est soigné à l'aide de techniques qui m'étaient alors inconnues. En moins de deux heures, il se sentait déjà mieux.

— Était-il amoureux de toi ?

— Oui, beaucoup, confia Martha.

— Et que s'est-il passé ?

— Plusieurs mois ont passé. Gabriel est parti quelques jours pour une mission importante et, moi, j'en ai profité pour aller rendre visite à ma grand-mère... C'était une puissante sorcière. C'est elle qui m'a parlé de la puissante et dangereuse force du Torden, la force ultime, « la foudre de Zeus », qu'elle disait. Et elle m'a transmis cet incroyable pouvoir.

— Pourquoi était-ce dangereux ? demanda Zarya, soudain inquiète.

— Dangereux, mais pas pour moi, expliqua Martha. Ce pouvoir est un trésor en soi, mais, comme tu le sais sûrement, les trésors attisent toujours les convoitises. J'ai malencontreusement fait une démonstration de mon pouvoir devant Gabriel et son partenaire... Je me souviens encore de son nom, c'était Hamas Sarek...

— Le ministre Sarek ! s'écria Zarya. Jonathan m'a parlé de ce Sarek... C'est lui qui a fait arrêter mon grand-père !

— Alors, sois prudente ! conseilla Martha qui commençait à comprendre pourquoi Gabriel avait été arrêté.

— Prudente ? fit Zarya qui ne comprenait pas.

— Je vais t'expliquer. Lorsqu'il a su que je possédais ce puissant pouvoir, il m'a tendu un piège avec trois de ses partenaires... des mages noirs, à mon avis. Il voulait s'approprier mon pouvoir et, par la suite, m'assassiner pour faire disparaître les preuves. En me défendant contre mes agresseurs, j'ai utilisé mon pouvoir de Torden contre eux et trois sont morts sur le coup. Hamas Sarek, voyant qu'il avait perdu le contrôle, s'est échappé. Quant à moi, j'ai dû fuir Attilia, je venais d'assassiner trois hommes...

— Mais... c'était de la légitime défense ! balbutia Zarya.

— Oui, je sais, mais ce Sarek a raconté une version différente au conseil des Maîtres Drakar. Selon lui, j'avais assassiné trois Maîtres Drakar dans le seul but de montrer mon pouvoir et ainsi de régner là où je le désirais. C'était un crime très grave... Il est écrit, à juste titre, qu'on ne peut tuer une personne qui donne sa vie pour protéger autrui. C'est comme tuer un ange gardien.

— Et grand-père ?

— On lui a confié la mission de me capturer...

— Mais tu lui as dit la vérité ? dit Zarya qui trouvait cette histoire triste et injuste,.

— Je ne l'ai jamais revu, répondit la vieille femme. Je crois que s'il avait voulu me capturer, il l'aurait fait.

— Il t'a laissée partir ?

— Oui !

— Mais mon père, là-dedans ?

— Quand je me suis enfuie, j'ai mis le plus de distance possible entre Attilia et moi, dit Martha, mais je portais déjà ton père en mon sein.

Zarya regarda sa grand-mère avec de grands yeux. Elle commençait à éprouver de la sympathie pour elle.

— Et j'ai fait une chose que je regrette beaucoup encore aujourd'hui, confia Martha à sa petite-fille, j'ai abandonné ton père... J'ai déposé mon petit bébé devant le Temple des Maîtres Drakar avec un mot qui était destiné à ton grand-père... un mot lui expliquant qu'il était le père légitime de cet enfant. Plusieurs années se sont écoulées, ton grand-père m'a oubliée et il a épousé une autre femme.

— Mamie Estella ! précisa Zarya. Elle est décédée. Ça fait maintenant douze ans. Je croyais que c'était ma grand-mère.

Martha se leva soudainement et, sans sembler prêter attention aux paroles que Zarya venait de prononcer, elle déclara :

— Bon, maintenant que tu sais tout, si on commençait le transfert chakramatique !

Zarya appréhendait cet instant, mais elle avait fait tout ce chemin dans ce but et elle n'allait pas reculer maintenant. Elle devait se procurer le pouvoir de Torden pour une bonne raison : libérer son père de l'emprise de Malphas ; pas question de l'abandonner !

— D'accord, je suis prête ! lança-t-elle, déterminée.

Sa grand-mère effectua avec soin les préparatifs nécessaires pour une cérémonie compliquée et dangereuse. Elle commença par fermer les rideaux pour obtenir l'obscurité totale. Après quoi, elle alluma des neuvaines noires et de l'encens pour ouvrir les chakras au maximum.

— Maintenant, Zarya, dit Martha en montrant la table de la cuisine, allonge-toi.

L'adolescente obéit.

— Tu dois rester calme, lui conseilla la vieille sorcière.

Zarya observa sa grand-mère prendre un pot vernissé empli d'une poudre rouge feu et l'étendre autour de la table en formant un cercle parfait tout en chuchotant des paroles dans une langue inconnue. Et soudain, il se passa quelque chose de curieux : Zarya vit un tourbillon se former au-dessus de la table et des silhouettes spectrales en sortir. Sa grand-mère, sentant sa petite-fille devenir anxieuse devant ces phénomènes sortant de l'ordinaire, posa sa main sur le front de cette dernière pour l'apaiser ; elle commençait tranquillement à éprouver de doux sentiments pour elle. Zarya admira les trois silhouettes fantomatiques qui la regardaient du haut du plafond. Elle n'osait pas poser de questions à sa grand-mère qui, à présent, avait les yeux fermés et était en état de transe. Les silhouettes ressemblaient à des femmes vêtues de robes blanches translucides. C'est alors que Zarya remarqua que l'aura de sa grand-mère devenait d'une blancheur immaculée. À l'instant même, un éclair bleu s'en échappa et alla frapper de plein fouet les trois femmes translucides qui flottaient au plafond. Après quoi, l'éclair bleu s'amplifia et toucha Zarya au niveau du nombril, centre des énergies, point d'intersection de tous les méridiens, « carrefour » du Ki. La jeune fille éprouva une douleur intense et insupportable à la hauteur de l'abdomen. On pouvait l'entendre crier à des kilomètres à la ronde. Un feu ardent parcourut tout l'intérieur de son corps. Elle était paralysée par la douleur ; elle ne pouvait plus bouger. Son corps était arqué sur la table, comme si elle touchait un fil à haute tension. Zarya s'agrippait au rebord du meuble de toutes ses forces pour tenter d'étouffer la douleur. Pour essayer de la surmonter, elle devait penser à son père prisonnier d'un être infâme, un être sans scrupules à l'égard de l'humanité. Elle devait passer au travers de cette terrible épreuve pour son père. Après quelques secondes, son corps s'engourdit, elle ne sentit plus rien… Elle perdit conscience.

Le mystérieux inconnu du parc

Quelques minutes passèrent...

— Zarya... Zarya... réveille-toi ! dit Martha d'une voix douce en la secouant délicatement.

La jeune fille cligna plusieurs fois des yeux avant de reconnaître sa grand-mère. Toujours allongée sur la table, elle regarda machinalement le plafond...

— Où sont les dames blanches ? demanda-t-elle d'une voix faible.

— Elles sont parties.

— Ces dames... qui étaient-elles ? fit Zarya en essayant de se relever.

— Ce sont tes ancêtres, répondit Martha en l'aidant.

— Mais elles paraissaient si jeunes !

— Un corps physique vieillit, pas une âme.

— Ça fait combien de temps que j'ai perdu conscience ?

— Vingt minutes environ.

Martha alla chercher un verre d'eau et le donna à sa petite-fille, maintenant assise sur la table.

Zarya essaya de marcher, mais sans succès. Elle était encore trop faible. En lui apportant des noix, sa grand-mère lui conseilla de rester assise encore quelques minutes, le temps de reprendre des forces. Elle profita de cette pause forcée pour lui expliquer comment utiliser sa nouvelle faculté, ou pouvoir de Torden. Zarya l'écouta attentivement tout en grignotant ses noix.

Elle s'entraîna à lancer sa nouvelle attaque pendant une bonne partie de la matinée. Puis sa grand-mère l'invita à partager son repas avant de repartir et elles en profitèrent pour mieux faire connaissance. Tout en discutant, Zarya lui posa une question qui l'intriguait :

— L'un de mes amis m'a dit que vous, les sorciers, utilisez des baguettes magiques, c'est vrai ?

— Oui, répondit sa grand-mère en sortant quelque chose de sa poche.

— C'est ça ! lança Zarya, ébahie, en voyant une petite baguette de la grosseur d'un cure-oreille.

Martha regarda sa petite-fille avec un grand sourire et dit :

— *Emplificatus !*

Soudain, sous le regard étonné de Zarya, la baguette magique de sa grand-mère, qui était au creux de sa main, prit de l'envergure. Elle était à présent un peu plus grosse qu'une aiguille à tricoter.

— Pourrais-tu me faire une petite démonstration ? demanda Zarya, émerveillée.

— Mais bien sûr !

Martha prit sa baguette de la main droite et frappa deux coups sur sa main gauche en disant :

— *Disssparitass !*

Zarya regarda le phénomène extraordinaire qui venait de se produire devant elle et elle n'en crut pas ses yeux : la main gauche de sa grand-mère avait disparu !

— Mais… mais où est-elle ? fit-elle, estomaquée.

De sa main maintenant invisible, Martha prit le verre d'eau et le leva au-dessus de la table, sous le regard attentif de sa petite-fille ; le verre semblait flotter dans l'air.

— Incroyable ! s'exclama Zarya qui n'en revenait pas.

— C'est ton grand-père qui m'a montré ce truc. Un truc de Maître Drakar…

— Les mages peuvent faire ça ? s'étonna l'adolescente.

— Seuls les Maîtres Drakar puissants, comme ton grand-père, peuvent le faire. C'est une technique de camouflage grandement appréciée pour pourchasser les méchants, dit la vieille dame en souriant.

— Mais comment fais-tu ?

— Il suffit de saisir la lumière ambiante et d'en recouvrir la partie de ton corps que tu veux rendre invisible, ou ton corps en entier si tu le préfères.

Sur ces mots, sa main réapparut…

— La durée de vie de ce charme est de trois minutes environ, après quoi, la lumière reprend sa place initiale, précisa sa grand-mère.

— Puis-je essayer ? demanda Zarya, avide de tout savoir sur la magie.

— On peut toujours essayer, répondit Martha en déposant sa baguette sur la table, mais, toi, tu n'auras pas besoin de baguette magique pour ce charme. Vos chakras sont plus évolués que les nôtres.

— J'ignorais ce détail !

— Eh oui ! c'est dur à admettre, déclara Martha en esquissant malgré tout un sourire, mais les mages sont arrivés avant les sorciers dans ce monde. Vous êtes nos ancêtres… Bon, tu dois utiliser une combinaison de deux chakras, celui du nombril et celui du cœur. Tu dois les unir pour en faire un seul. Par la suite, tu te concentres pour faire disparaître la main de ton choix en disant : « *Disssparitass !* » Cette formule peut t'aider à convaincre plus facilement ton subconscient, car, vois-tu, c'est ton subconscient qui fait une bonne partie du travail.

— D'accord, je crois que j'ai compris. Mais j'ai l'impression que ça ne sera pas facile.

Sa grand-mère acquiesça en entendant ces sages paroles. Zarya se plaça en face de la table, les deux mains appuyées dessus, et se concentra, les yeux fermés. Quelques secondes plus tard, elle s'écria :

— *Disssparitass !*

Une chose étrange se produisit alors. La main gauche de Zarya, celle qu'elle voulait faire disparaître, se transforma en une passoire. En effet, sa main était à présent couverte de petits trous comme si elle avait été criblée de plombs.

— Bravo ! la félicita Martha.

— Mais... qu'arrive-t-il à ma main ? demanda Zarya qui ne comprenait pas le phénomène.

— Ce n'est rien, c'est seulement que tu as pris une portion de la lumière ambiante et tu en as recouvert ta main en partie. Mais je suis très impressionnée par ta rapidité d'apprentissage. Avec un peu d'entraînement, tu vas y arriver, il faut que tu sois persévérante.

— Bon, il est temps que je parte à présent, lança Zarya qui aurait cependant aimé rester un peu plus avec sa grand-mère. Je suis attendue au village.

— Ah bon ! fit la vieille femme, déçue de voir sa petite-fille repartir déjà. Et qui t'attend au village ?

— Un... ami, hésita Zarya, réticente à se confier.

— Je vois, répondit Martha qui, voyant ses yeux briller, devina que c'était probablement plus qu'un ami.

Zarya se leva, replaça une mèche rebelle qui tombait devant ses yeux et demanda timidement :

— On va se revoir ?

Martha se leva à son tour, se dirigea vers son bahut, prit quelque chose dans le tiroir et vint le déposer dans la main de sa petite-fille.

— Qu'est-ce que c'est ? l'interrogea cette dernière en examinant le disque de céramique de quatre centimètres et demi, fait dans une pâte argileuse, tendre, poreuse et de couleur brune, avec des rehauts noirs représentant la tête du dieu Bès, qui se trouvait dans sa main.

— C'est une amulette égyptienne.

— Elle est magnifique, dit Zarya en la regardant de tous les côtés pour mieux en apprécier la beauté.

— Elle est plus que magnifique, reprit Martha, elle est magique !

Zarya porta un nouveau regard sur l'amulette égyptienne et demanda :

— Et quelle est sa propriété ?

— Lorsque tu désireras me voir, quelle qu'en soit la raison, expliqua sa grand-mère, tu n'auras qu'à prendre l'amulette dans tes mains et à le souhaiter de tout ton cœur.

— Et tu viendras ?

— Oui, répondit Martha en souriant.

— Mais j'habite loin d'ici et tu ne sais même pas où c'est…

— L'amulette saura me guider, dit sa grand-mère, et, pour ce qui est de la distance, il ne faut pas oublier que je suis une sorcière.

Zarya lui sourit en pressant l'amulette sur son cœur et lui dit :

— D'accord, je la garderai précieusement.

Sur ces mots, Zarya rangea l'amulette dans son sac à dos, puis regarda sa grand-mère en formulant un souhait qui lui était très cher :

— J'aimerais beaucoup que tu parles avec grand-père et que tu lui expliques tout ce que tu m'as raconté.

Zarya espérait que Gabriel connaîtrait un jour la vérité au sujet des trois mages noirs et de leur chef, Hamas Sarek. Par le fait même, peut-être réussirait-il à rétablir la réputation de sa grand-mère...

— Sait-on jamais ? dit Martha en prenant sa petite-fille dans ses bras.

— Maintenant, je dois m'en aller, dit Zarya, les yeux humides de tristesse.

— On va bientôt se revoir... je te le promets ! lui dit sa grand-mère en la serrant une dernière fois contre elle.

Zarya lui fit un dernier sourire plein de reconnaissance et, avant de passer la porte, son sac à dos sur les épaules, elle lui dit :

— Je suis contente d'être venue, grand-mère... pas uniquement pour le pouvoir de Torden, pour avoir aussi la chance de te connaître.

Sa grand-mère lui fit un sourire plein de bonté et la salua en la regardant s'éloigner de la maison.

Zarya se dirigea vers le village pour rejoindre Jonathan. En marchant sur l'étroit chemin qui longeait la falaise de Bellone, elle pensait à sa grand-mère Martha et aux mauvaises actions dont on l'avait injustement accusée. Mais ce qui était important pour l'heure, c'était qu'elle, Zarya Adams, connaissait la vérité. Au moment opportun, elle réussirait bien à la dévoiler à tous.

Elle arriva enfin au village et vit Jonathan qui était assis dans la loggia, sur le côté de l'auberge. Celui-ci l'aperçut à son tour, se leva et sortit pour aller à sa rencontre.

Ils se hâtèrent de quitter le village et reprirent la direction de la forêt. Sur le chemin du retour, Zarya aurait tout le temps nécessaire pour lui raconter en détail sa rencontre avec sa grand-mère.

◊ ◊ ◊

Lorsqu'ils arrivèrent devant le transmoléculaire qui se trouvait aux abords du ravin d'Hadès, Zarya s'adressa une dernière fois à Jonathan en le regardant droit dans les yeux :

— Je te remercie beaucoup de m'avoir accompagnée chez ma grand-mère et de m'avoir sauvé la vie plus d'une fois.

— Tout le plaisir a été pour moi, je t'assure ! répondit-il avec sincérité.

— Maintenant, je vais aller prendre une bonne douche et me changer.

— Et moi, je vais me rendre au Temple pour savoir où en est ton grand-père, fit Jonathan. Je te dirai s'il y a du nouveau.

— Ce serait gentil de ta part, dit-elle avec reconnaissance.

Sur ces mots, Zarya entra dans le transmoléculaire en jetant un dernier regard derrière elle avec un petit sourire apaisé, puis elle disparut dans le rideau cristallisé. Jonathan, le sourire aux lèvres, fit de même.

Zarya sortit du transmoléculaire, se dirigea le cœur léger vers la demeure de son grand-père et y pénétra. La maison semblait déserte. L'adolescente trouva étrange que ni madame Phidias ni Abbie ne soient présentes. Elle n'en fit cependant pas de cas. « Elles doivent être parties faire des commissions », pensa-t-elle.

Après une bonne douche, Zarya alla dans sa chambre se choisir des vêtements. En principe, elle devait revoir Jonathan qui lui donnerait des nouvelles de son grand-père, en espérant qu'elles soient bonnes ! La jeune fille souhaitait mettre toutes les chances de son côté ; elle voulait être jolie pour Jonathan. Elle arrêta son choix sur une robe longue en rayonne noire à manches longues et amples et sur des bottillons de la même couleur qui lui couvraient les mollets. Elle était en train de coiffer sa chevelure noire comme l'ébène devant le miroir, perdue dans ses pensées, lorsqu'elle entendit la porte d'entrée s'ouvrir, puis se refermer. Elle déposa sa brosse à cheveux sur la coiffeuse et décida d'aller surprendre tout le monde par son retour. Arrivée dans la cuisine, elle aperçut madame Phidias sur le point d'utiliser le télépat.

— Zarya, ma chérie ! Te voilà enfin, dit cette dernière d'une voix angoissée.

— Que se passe-t-il ? l'interrogea Zarya, remarquant tout de suite que quelque chose la tourmentait.

— Est-ce que ça va, ma chérie ? fit Mitiva à son tour en tentant de reprendre son souffle.

— Oui, moi, ça va bien... mais vous... est-ce que ça va ? insista Zarya.

Mitiva, le teint virant au vert, s'approcha d'elle, posa ses deux mains sur ses épaules et s'écria :

— Abbie a disparu !

Sous le choc, l'adolescente fit deux pas en arrière tout en fixant Mitiva. Elle resta pétrifiée par cette nouvelle qui venait de lui transpercer le cœur.

— En fait, elle a disparu depuis hier soir. Tout le monde est à sa recherche...

— La dernière fois qu'on l'a vue, où est-ce qu'elle était ? demanda Zarya qui avait de la difficulté à y croire.

— Elle était avec Olivier. Ils étaient allés rendre visite à Loïk, au lac et, selon Olivier, à leur retour, quand ils sont revenus au transmoléculaire du ravin d'Hadès, Abbie est entrée dans la cabine la première et... on ne l'a plus jamais revue, raconta Mitiva qui fondit en larmes.

— Et grand-père... est-il au courant ?

— On ne peut pas lui parler, dit Mitiva, maintenant en colère. Le ministre Sarek refuse qu'on entre en contact avec lui... Il a même avancé qu'Abbie avait sûrement fait une fugue, que c'était une chose normale pour une adolescente venue de l'autre monde.

— On peut communiquer avec lui par télépathie, suggéra Zarya.

— Impossible. Là où il est retenu, il y a un bouclier antitélépathique.

— Alors, je pars à la recherche d'Abbie ! décréta la jeune fille.

— Sois prudente ! la supplia Mitiva, qui se dirigea vers le télépat pour poursuivre ses recherches.

Zarya sortit de la maison et courut jusqu'au transmoléculaire pour aller rencontrer Jonathan au Temple ; il accepterait sûrement de l'aider dans ses recherches. Elle savait qu'elle aurait plus de chances de retrouver Abbie avec ce dernier à ses côtés en raison de son expérience sur le terrain.

Juste avant d'entrer dans la cabine argentée, Zarya s'arrêta brusquement ; elle subodorait une présence aux alentours. Elle jeta un coup d'œil autour d'elle, mais ne vit rien. Elle avança un pied et éprouva une sensation étrange, comme si quelqu'un était entré dans sa tête. Elle n'en fit pas de cas et pénétra complètement dans le transmoléculaire pour se rendre au Temple des Maîtres Drakar.

L'adolescente sortit du transmoléculaire et s'arrêta net. Elle regarda autour d'elle et fut surprise de constater qu'elle s'était trompée d'adresse. En effet, elle était sortie dans un immense parc, tout près d'une forêt, mais elle ne reconnaissait pas du tout l'endroit. Quelqu'un était assis sur un banc, tout près de la cabine. Zarya trouva étrange que cette personne porte un manteau noir de style monacal, avec de larges manches et un capuchon remonté sur la tête, ce qui lui conférait un aspect douteux. Elle tourna les talons et reprit la direction de la cabine quand, subitement, l'homme au capuchon l'interpella :

— Mademoiselle Adams !

Surprise, Zarya s'arrêta.

Le mystérieux personnage se leva et marcha d'un pas lent vers elle, tout en s'assurant que son visage était toujours bien dissimulé sous son capuchon. Il lui donna un pendentif en forme de tête de loup. À la vue de ce pendentif, Zarya fut foudroyée : c'était le bijou fétiche d'Abbie.

— Je vais aller droit au but, mademoiselle Adams, déclara le mystérieux inconnu d'une voix autoritaire. Si vous voulez revoir votre amie Abbie Steven…

Les yeux écarquillés de stupeur, Zarya l'interrompit avec colère :

— Où est-elle ? Et qu'avez-vous…

— Ne vous en faites pas, la coupa l'homme à son tour, pour l'instant, elle va bien.

— Pour l'instant ?

— Exactement, pour l'instant, dit l'homme sans scrupules. Si vous coopérez, tout se passera bien pour elle, sinon…

— Sinon quoi ? demanda Zarya, maintenant angoissée.

— Sinon… tout dépendra de l'humeur de mon patron, répondit le sinistre individu en ricanant, sarcastique.

— Malphas…, comprit la jeune fille, effarée. Ton patron est Malphas !

— Exactement !

— Ça tombe bien, fit Zarya qui reprit courage, je voulais justement lui parler !

Le mystérieux inconnu resta bouche bée quelques secondes…

— Si vous voulez lui parler, lança-t-il en revenant à la charge, je peux arranger ça… mais il faut d'abord que vous fassiez quelque chose pour lui.

— Et que dois-je faire ?

— Lui apporter les sept pierres sacrées de Prana.

— Mais c'est une chose impossible ! Elles sont trop bien protégées.

— J'ai confiance… vous allez trouver une solution, je vous ai déjà observée, je vous ai vue à l'œuvre.

— Et si je réussis, reprit Zarya, comment dois-je contacter votre patron ?

— C'est fort simple, affirma l'homme avec un sourire satisfait, vous devez vous rendre au manoir de votre grand-père ce soir, à minuit, et toute seule… sinon… vous pourrez toujours récupérer le pauvre corps de votre chère amie Abbie.

L'homme, un mage noir, prit la direction du transmoléculaire, se tourna vers Zarya et lui dit :

— N'oubliez pas, venez seule…

Et il disparut.

Zarya, toujours pétrifiée, la bouche entrouverte, ne savait pas par quoi commencer. Elle se dit que si elle avertissait les autorités attiliennes, Abbie serait condamnée, mais que, si elle se rendait seule au rendez-vous, ces gens la tueraient sûrement une fois les pierres de Prana en leur possession. Elle décida de se tourner vers la seule personne de confiance qui lui restait : Jonathan. Elle devait absolument lui parler ; il saurait sûrement quoi faire. Elle reprit donc le transmoléculaire avec empressement.

L'adolescente réapparut, cette fois, au bon endroit. Elle marcha d'un pas rapide sur l'étroit chemin pavé, bordé d'une haie très haute. Lorsqu'elle arriva tout au bout, elle vit, sur sa droite, le Temple des Maîtres Drakar. Elle essaya de communiquer avec Jonathan par télépathie pour gagner du temps. Elle se concentra et lui dit :

— *Jonathan, viens me rejoindre à l'extérieur, sur le pont, c'est urgent…*

— *D'accord, ne bouge pas, j'arrive,* répondit-il.

Zarya s'arrêta sur le pont qui enjambait la rivière Argolide. Elle ne pouvait aller plus loin, car il y avait de nombreux gardiens de faction devant le Temple et il lui fallait rester discrète. Elle voulait discuter en toute confidentialité avec Jonathan. La jeune fille regardait le paysage féerique et le magnifique Temple des Maîtres Drakar qui se dressait devant elle, mais tout était devenu maussade depuis l'enlèvement de sa meilleure amie.

Elle regarda le pendentif en forme de tête de loup que le mage noir lui avait remis et le serra contre son cœur. Elle était triste à l'idée de savoir Abbie séquestrée par le dangereux Malphas. Elle espérait de tout son cœur qu'il ne lui ferait aucun mal. « Pauvre Abbie », se dit Zarya, tandis qu'une larme coulait sur sa joue. Entendant des pas, Zarya releva la tête et vit Jonathan courir dans sa direction.

— Mais que se passe-t-il ? s'empressa-t-il de lui demander en voyant ses yeux pleins de tristesse.

— Abbie s'est fait enlever par Malphas ! lui révéla-t-elle en serrant le parapet de colère.

Jonathan se figea, mais il s'était bien douté que Malphas passerait à l'action tôt ou tard. C'était malheureusement tombé sur Abbie.

— On va trouver une solution, affirma-t-il en posant sa main sur l'épaule de Zarya en signe de compassion.

Celle-ci se tourna vers lui et, ne pouvant en supporter davantage, se blottit dans ses bras et fondit en larmes...

— Tout ça est ma faute, sanglota-t-elle, si je n'avais pas cette force en moi, rien de cela ne serait arrivé... et Abbie serait toujours avec moi.

Jonathan, ne sachant par quel bout commencer, se contenta de la réconforter en la serrant dans ses bras. Constatant que Zarya reprenait lentement ses esprits, il lui suggéra :

— On va aller au Temple et tu vas m'expliquer tout ce que tu sais.

— Très bien, fit-elle en séchant ses larmes avec sa manche.

Main dans la main, les jeunes gens se précipitèrent vers le Temple.

Le loft de Jonathan était constitué d'espaces entièrement ouverts et bien éclairés. Zarya remarqua que l'un des murs était couvert d'étagères sur lesquelles étaient alignés une multitude de pierres et de cristaux magiques ; sûrement des pierres de combat, pensa-t-elle. Jonathan l'invita à s'asseoir en approchant une chaise.

— Maintenant, tu vas m'expliquer tout ce que tu sais, dit Jonathan en s'asseyant à ses côtés.

Zarya regarda autour d'elle pour s'assurer qu'ils étaient seuls et que personne ne les épiait…

— Ne t'en fais pas, la rassura Jonathan, il y a un bouclier antitélépathique autour de mon loft, tu peux parler en toute liberté.

— Bon, d'accord. Quand je suis arrivée à la maison, il n'y avait personne et j'en ai profité pour faire ma toilette. Et puis, madame Phidias est arrivée et elle m'a annoncé la mauvaise nouvelle, raconta Zarya d'une voix pleine d'émotion. Après, j'ai pris le transmoléculaire pour me rendre ici, mais je me suis trompée d'adresse, je ne suis pas sortie au bon endroit. Pourtant, je suis sûre d'avoir dit le bon numéro ! Je me suis donc retrouvée dans un parc. Et c'est là que j'ai rencontré un mage noir…

— Un mage noir ?

— Oui. Je ne sais pas si c'était une coïncidence…

— Non, ce n'était pas une coïncidence, affirma Jonathan. Juste avant d'entrer dans le transmoléculaire, quelqu'un t'a sûrement ordonné, sous hypnose à distance, de prendre cette direction sans que tu le veuilles.

— Tu as raison. En y pensant bien, avant d'entrer dans la cabine, je me suis sentie envahie de l'intérieur. J'aurais dû le savoir, ajouta Zarya d'un air de reproche. J'aurais dû contrer ce maléfice !

— Et que te voulait-il ?

— En échange d'Abbie, Malphas veut les sept pierres sacrées de Prana.

— Bien sûr, les sept pierres sacrées de Prana…, répéta Jonathan. Seulement ça !

— Que faut-il faire ? demanda Zarya, accablée.

Jonathan se leva pour mieux réfléchir à une solution logique à toute cette histoire.

— Il est bien évident, déclara-t-il en la regardant de nouveau, qu'on ne peut lui donner ces pierres… C'est absolument hors de question !

Zarya se doutait bien que Jonathan allait dire cela… Remettre les pierres sacrées de Prana à Malphas serait un acte criminel pour le monde entier. Une force aussi puissante entre de mauvaises mains, ce serait le commencement d'un cauchemar sans fin. Malphas et tous les démons de l'enfer régneraient sur toutes les dimensions connues. Malheureusement, la vie d'Abbie ne valait pas tous ces sacrifices, pensa Zarya.

— Il doit bien y avoir une solution pour sauver Abbie, dit la jeune fille qui commençait à être découragée.

— Pour chaque problème, il y a une solution ! répondit Jonathan, se rappelant ces paroles que Gabriel répétait souvent. Tu dois apporter les pierres où et quand ?

— Au manoir de mon grand-père et il faut que je sois là à minuit ce soir… et seule !

— Tu seras là avec des pierres, affirma Jonathan qui avait déjà élaboré un plan.

Zarya fut étonnée par ces paroles, mais elle lui faisait confiance.

— Une chose est certaine, ajouta-t-il, nous ne devons faire confiance à personne. Nous devons agir seuls… si tu le désires, naturellement…

— Mais bien sûr que je le veux ! s'écria Zarya sans hésiter.

Le reste de la journée, elle le passa avec Jonathan, dans son loft, à attendre l'obscurité pour agir, car il était évident que des mages noirs surveilleraient ses moindres déplacements. Elle devrait donc agir normalement. Et elle devait se rendre au manoir pour minuit, sans faute.

Le retour de Malphas

Il était 22 h 30. Comme toujours, dans ces régions équatoriales, la nuit était tombée très vite. Son sombre manteau recouvrait la ville d'Attilia et, grâce à la lumière vacillante des réverbères, on pouvait voir deux jeunes filles marcher côte à côte. Zarya les observa en poussant un léger soupir de tristesse. Lestée du sac à dos de Jonathan, elle entra dans le transmoléculaire et disparut.

Elle réapparut en face de la pyramide d'Hélios. Elle marcha discrètement vers l'entrée principale en faisant bien attention de ne pas se faire remarquer par les quelques touristes encore présents ; elle se devait de se faire toute petite pour réussir sa mission. Aussitôt arrivée, elle pénétra dans le hall en passant entre les deux statues colossales personnifiant un homme et une femme. Lorsqu'elle eut traversé la première pièce, elle arriva devant la salle principale de forme pentagonale, au centre de la pyramide. Elle regarda autour d'elle et essaya de déterminer, parmi les touristes qui observaient l'immense cristal, lesquels pouvaient être des mages noirs. En vain, car les personnes présentes étaient, selon toute vraisemblance, de véritables touristes. Cependant, comme Jonathan le lui avait rappelé en insistant plus tôt, n'importe qui pouvait être un mage noir et elle ne devait se fier à personne. Elle contourna le cristal géant pour se diriger vers la porte de la salle qui abritait les sept pierres sacrées de Prana. Zarya entra dans la petite pièce qui, à sa grande satisfaction, était déserte. Elle se retourna vers la porte, déposa sur le sol une pierre noire comme du charbon et pourvue de petits pics argentés. Cette pierre, appelée plus précisément « pierre de Birasgovique », avait la propriété de créer son propre mur télékinésique. Par conséquent, elle empêcherait les touristes d'entrer dans la pièce, ce qui permettrait à Zarya d'agir en toute discrétion.

Il était maintenant 22 h 57 et la pyramide d'Hélios allait fermer ses portes dans trois minutes. Il s'était écoulé quatorze minutes depuis que Zarya était entrée dans la pièce. C'est alors qu'elle en sortit, se retourna vers la porte, examina les alentours et vit le peu de personnes encore présentes quitter les lieux. Sachant qu'elle ne serait pas dérangée, la jeune fille fouilla dans sa poche, prit la citrine qui s'y trouvait et fit fondre la poignée de la porte pour en bloquer l'accès. Dès lors, elle savait que le temps pressait et qu'elle ne pouvait pas rester une minute de plus. De toute évidence, les personnes qui s'occupaient du ménage et de l'entretien découvriraient tôt ou tard que la pièce était bloquée et appelleraient aussitôt les autorités attiliennes.

Zarya marcha vers le transmoléculaire d'un pas rapide et entendit l'alarme se déclencher. On pouvait l'entendre à des kilomètres à la ronde. Le personnel de la pyramide s'était déjà rendu compte que la porte de la salle des pierres sacrées de Prana avait été forcée. Avec un petit sourire de satisfaction, Zarya pénétra dans la cabine et disparut.

Elle sortit du premier transmoléculaire qu'Abbie et elle avaient utilisé lors de leur arrivée à Attilia. Même si plusieurs kilomètres la séparaient maintenant de la pyramide, elle entendait toujours l'alarme sonner. Elle jeta un coup d'œil autour d'elle et se dirigea vers le quai, là où étaient amarrées les chaloupes. Arrivée près des dix embarcations disponibles, elle les scruta attentivement une à une. À première vue, elles étaient toutes identiques. Zarya embarqua dans la chaloupe qui se trouvait le plus à droite ; deux particularités la distinguaient des autres : les rames étaient posées en croix et... un Maître Drakar était agrippé en dessous. Effectivement, Jonathan, vêtu d'une combinaison de plongée sous-marine antibulle, était accroché sous la coque. Il devait absolument accompagner Zarya pour franchir la faille dimensionnelle sans éveiller les soupçons de leurs ennemis ; il devait se rendre au manoir lui aussi. Puisque la porte interdimensionnelle était à la surface de l'eau, et non en dessous, ainsi accroché sous la chaloupe, Jonathan pouvait passer d'une dimension à l'autre sans aucun problème. Zarya ne pouvait communiquer par télépathie avec lui, car si un mage noir s'était tenu à proximité, il aurait pu canaliser leur conversation. Après avoir mis son gilet de sauvetage, elle se mit à ramer vers le milieu du lac, là où se trouvait la porte interdimensionnelle.

La jeune fille ramait en regardant la magnifique ville d'Attilia s'éloigner. Elle espérait de tout son cœur y revenir accompagnée d'Abbie, sa meilleure amie. Elle sentit bientôt une drôle de sensation dans son estomac. La nausée s'empara d'elle. « C'est bon signe », pensa-t-elle. Le son de l'alarme devint de plus en plus faible pour faire place à un silence inquiétant. La température avait chuté de plusieurs degrés de ce côté. Quelques secondes passèrent encore et Zarya émergea enfin du brouillard. Elle arrêta de ramer pour faire démarrer le moteur. La pleine lune, partiellement dissimulée par des nuages, fournissait juste assez de clarté pour lui permettre de se diriger vers la silhouette du manoir qui se profilait au loin. Mais, avant, elle devait s'approcher tout doucement de la rive afin que Jonathan puisse se détacher de la chaloupe. Il devait atteindre le rivage en nageant, sans se faire remarquer par les trois mages noirs qui montaient la garde sur le quai, tout près du manoir. Ensuite, Zarya effectua ses manœuvres d'approche et lança le câble pour que l'un des mages noirs, sur le quai, puisse arrimer la chaloupe sans trop de difficulté, malgré les vagues qui s'abattaient sur le débarcadère. Elle sauta prestement sur le quai et enleva son gilet de sauvetage.

— Je vois que vous avez rempli votre mission avec succès, dit l'un des mages noirs avec satisfaction.

Zarya reconnut immédiatement cette voix. De plus, il était vêtu pratiquement comme la première fois ; c'était l'homme mystérieux du parc.

— Oui, répondit-elle froidement en récupérant son sac à dos.

— Je peux vous débarrasser de ceci ? proposa l'homme en s'approchant.

— Non, répondit Zarya d'un ton ferme en reculant d'un pas. Je veux voir Abbie avant.

— Mais bien sûr !

Bang ! bang !... Des coups de feu retentirent dans la nuit.

◊ ◊ ◊

Quelques minutes plus tôt...

Assis au volant de sa voiture, le lieutenant Christophe Costa, suivi de trois autres voitures de police tous gyrophares éteints, s'approcha discrètement du manoir de Gabriel Adams. Avec beaucoup de persévérance et de patience, il avait obtenu d'importantes informations au sujet du Gourou et de l'endroit où aurait lieu sa prochaine cérémonie. Il n'avait pas eu trop de difficulté à trouver un suspect avec toutes les empreintes que ses investigateurs avaient relevées au cours de sa précédente enquête dans le lugubre manoir où avait eu lieu la dernière cérémonie.

Debout devant l'immense grille d'entrée, le lieutenant Costa examinait la majestueuse bâtisse. Il se tourna en direction des neuf gendarmes qui s'étaient placés stratégiquement devant l'entrée. L'un d'eux attendait ses ordres pour forcer la serrure du portail. Arme au poing, Christophe donna l'ordre d'intervenir. Les gendarmes se faufilèrent discrètement par la grille entrouverte et se déployèrent en éventail pour mieux encercler le manoir où l'on ne voyait aucune lumière, ce qui était parfait pour une embuscade, pensa Christophe. Il prit la direction de la porte, côté nord, avec son nouveau partenaire, Grégoire Calvé. Arrivé à destination, il prit son passe-partout et ouvrit la porte sans trop de difficulté. D'un pas feutré, les deux hommes entrèrent dans la première pièce, l'arme à la main. Ils entendirent des voix venant de partout. Il semblait y avoir beaucoup de monde dans le manoir ; ils devraient être très prudents. Ils s'avancèrent tout doucement dans un long couloir obscur et inquiétant, et aperçurent deux individus à l'allure suspecte, vêtus de noir, qui marchaient dans leur direction. Christophe remarqua avec satisfaction qu'ils ne semblaient pas armés. « C'est trop facile », songea-t-il. Grégoire et lui se glissèrent dans une pièce pour mettre en place une embuscade. Aussitôt que les deux mages arrivèrent à leur hauteur, les policiers se coulèrent derrière eux, comme des fantômes. Les mages noirs sentirent les canons des revolvers dans leur dos avant d'avoir pu détecter leur présence. L'un d'eux tourna la tête et vit Christophe qui, le doigt sur les lèvres, lui ordonnait de rester silencieux. Contre toute attente, le mage noir lui fit un sourire moqueur. Soudain, le lieutenant éprouva une drôle de sensation, une sensation d'envahissement. Malgré toute sa volonté, le canon qu'il pointait dans le dos du mage changea de direction et se tourna vers Calvé, sous les yeux ébahis de ce dernier.

Et tout à coup, bang ! bang ! des coups de feu retentirent au dehors.

Le mage noir relâcha son emprise sur Christophe. Celui-ci en profita pour assener un violent coup de poing au visage du sordide individu qui, sous le choc, tomba sur le sol, inconscient. Grégoire prit exemple sur son supérieur et en fit autant. Après quoi, il menotta les deux mages noirs.

— Mais... mais pourquoi pointer ton arme sur moi ? demanda-t-il, perplexe quand il eut terminé.

— Je n'en sais rien, dit Christophe, désorienté. C'était plus fort que moi !

— Et d'où provenaient ces coups de feu ?

— De l'extérieur. Allons-y, nous ne devons plus tarder, il faut trouver leur chef.

◊ ◊ ◊

Au son des coups de feu, le mystérieux inconnu du parc bondit sur Zarya pour s'emparer de son sac à dos, croyant que c'était elle qui avait organisé cette embuscade. Mais la jeune fille lui envoya un rude coup à l'aide de son sac rempli des pierres. Sous l'impact, le mage noir s'écroula. Les deux autres mages accoururent à sa rescousse, mais, sans crier gare, Jonathan les frappa par-derrière avec des boules télékinésiques.

Soudain, remarquant que la douce clarté de la pleine lune faiblissait, Jonathan et Zarya levèrent les yeux vers le ciel : des silhouettes noires aux contours mal définis les survolaient...

— Des Erliks !... Ils vont sûrement avertir Malphas. Les plans ont changé, dit précipitamment Jonathan qui ne comprenait pas d'où provenaient les coups de feu.

— On doit absolument aller chercher Abbie, on ne peut pas l'abandonner ! répondit Zarya, craignant la réaction que pourrait avoir Malphas en entendant les détonations.

— Tu as raison, il faut faire vite !

À cet instant, ils virent quatre mages noirs courir vers eux.

— Vas-y ! Je vais les retenir, fit Jonathan en lançant sa première attaque.

L'adolescente saisit le sac à dos et courut le plus vite qu'elle put en direction du manoir de son grand-père. Elle prit le temps de regarder derrière elle pour apercevoir Jonathan qui combattait les quatre mages noirs. Le combat était d'une violence incroyable…

Zarya, qui se rapprochait du manoir, pouvait à la fois entendre des coups de feu et apercevoir des faisceaux lumineux qui jaillissaient partout autour d'elle. Les technologies des deux mondes s'affrontaient.

Christophe et Grégoire étaient à la recherche du Gourou. Ils inspectaient le manoir qui leur semblait maintenant désert…

— J'ai cru entendre du bruit dans cette direction, chef, chuchota le jeune agent en pointant du doigt le fond du couloir.

Christophe lui fit signe d'aller dans cette direction, il le couvrait ; il voulait prendre le Gourou avant qu'il ne s'enfuît. Ils s'approchèrent silencieusement de la porte, d'où venait le bruit que Grégoire avait entendu, et l'ouvrirent doucement. Jetant un coup d'œil à l'intérieur de la pièce, Christophe vit une scène qui le pétrifia : une jeune fille était ligotée sur une chaise de métal, faisant face à un homme vêtu de noir, un capuchon relevé sur la tête. Il portait également un masque qui dissimulait le haut de son visage. Les coups de feu ne semblaient pas l'avoir dérangé, puisqu'il discutait tranquillement avec sa prisonnière. Mais ce qui stupéfia plus encore le lieutenant, ce furent les deux grosses bêtes noires assises de chaque côté de l'homme qui, selon toute vraisemblance, était le fameux Gourou. Soudain, les deux balnareks se tournèrent en direction de la porte, leur odorat développé leur ayant révélé une présence humaine. Aussitôt, ils foncèrent sur leurs proies avec férocité. N'écoutant que son courage, Christophe ouvrit grand la porte, tira à bout portant sur l'une des bêtes et l'atteignit entre les deux yeux. Le balnarek s'effondra instantanément sur le sol et mourut dans un dernier soubresaut. L'agent Calvé, plus nerveux que son chef, loupa de peu l'autre bête qui, inopinément, s'arrêta sous les ordres de Malphas. Christophe pointa alors son revolver sur la grosse bête noire qui restait. Il était sur le point d'appuyer sur la détente lorsqu'une chose extraordinaire se produisit : son arme ainsi que celle de Grégoire quittèrent leur main pour léviter tout en haut du plafond cathédrale. Malphas regarda de nouveau les deux policiers et leva la main. Leurs pieds quittèrent le sol de quelques centimètres et ils glissèrent, ainsi suspendus dans les airs, vers le Gourou. Ce dernier les posa à quelques mètres de lui.

— Mais qui êtes-vous, pour l'amour de Dieu ? lança Christophe dont seule la tête pouvait encore bouger.

— C'est Zarya Adams qui vous envoie ? demanda Malphas d'une voix calme en ignorant sa question.

— Non, c'est la loi, fit le lieutenant à qui le nom de Zarya rappelait quelque chose.

— Je ne fais pas partie de vos lois. D'ailleurs, je ne fais partie d'aucune loi.

— Et vous, mademoiselle, dit Christophe en regardant la jeune fille sur la chaise, est-ce que ça va ?

— Oui..., répondit Abbie, qui n'avait pas l'air très rassurée.

— Laissez partir la jeune fille, ordonna le policier.

— Vous n'êtes pas en mesure de me donner des ordres, humain ! aboya Malphas d'une voix de stentor.

Christophe aurait voulu lui sauter dessus, mais il ne pouvait pas le faire, il était cloué au sol par une force invisible.

— Maintenant, vous allez vous mettre à genoux devant votre futur souverain, dit Malphas qui aimait bien s'amuser avec ses victimes avant de les tuer.

— Va au diable !

— J'en viens justement, affirma Malphas avec un rire mauvais.

Christophe remarqua que le Gourou jetait de fréquents coups d'œil en direction du plafond. Étrangement, il semblait communiquer avec quelqu'un ou quelque chose qui s'y trouvait, bien que le lieutenant ne vît rien ni personne. Dans un même temps, une forte odeur de soufre se fit sentir... Malphas reporta son regard sur les deux policiers et baissa la main. Ces derniers tombèrent alors à genoux, incapables de faire un seul mouvement. Le balnarek s'approcha lentement de Christophe et celui-ci, pétrifié, le regardait avec une angoissante impuissance.

— Mon animal de compagnie n'a pas mangé ce matin, dit Malphas. Vous êtes cordialement invité à son repas.

Le balnarek, qui salivait en regardant sa proie, n'était plus qu'à quelques centimètres du visage de Christophe. Le lieutenant pouvait sentir l'haleine putride que le monstre soufflait sur son visage, où perlait la sueur. Il voyait avec horreur sa fin arriver. Sous les yeux effrayés de Grégoire et d'Abbie, tous deux impuissants, ne pouvant intervenir pour empêcher le balnarek de le dévorer, Christophe regarda la bête ouvrir grand la gueule et... brusquement, le balnarek fut projeté à une vitesse inouïe contre le mur de pierre. Sauvé in extrémis, le lieutenant tourna la tête et vit une silhouette noire dans la pénombre de la porte. Elle s'approcha d'un pas lent. Abbie la reconnut tout de suite...

— Zarya ! s'écria-t-elle.

Zarya constata avec soulagement que sa meilleure amie était toujours en vie.

— Sauve-toi, Zarya ! hurla Abbie.

Mais Zarya s'avança dans la pièce malgré les avertissements de son amie. Les deux policiers ne la quittaient pas des yeux, étonnés de la voir s'avancer avec détermination et courage, bravant le danger. Malphas regarda la jeune fille s'approcher avec un sourire narquois jusqu'à ce qu'elle s'arrête à cinq mètres de lui.

— Très chère Zarya, commença-t-il alors sur un ton imperturbable, mes amis les Erliks viennent de m'annoncer ton arrivée... J'espère que tu n'as pas oublié de m'apporter les pierres ?

Sur ces mots, Zarya lança son sac à dos aux pieds de Malphas.

— Les voici ! dit-elle sur un ton péremptoire. Maintenant, libérez Abbie comme promis...

Malphas regarda le sac à ses pieds et, grâce à la télékinésie, il en sortit les pierres une à une. Il y avait maintenant sept pierres qui flottaient devant lui. Fou de rage, le démon les catapulta à l'autre bout de la salle...

— Tu m'as dupé !

Sur ces mots, Malphas se tourna vers la pauvre Abbie, tendit sa main gauche vers elle et ppssshh ! une flamme orangée en sortit sous les yeux horrifiés des deux policiers ainsi que de Zarya qui ne s'était pas attendue à une telle violence de la part du démon. Mais Abbie avait pressenti le danger en voyant la réaction de Malphas et, à la seconde où les flammes sortirent de sa main, on entendit :

— Protectum !

Abbie avait créé un bouclier de protection pour se soustraire aux flammes que Malphas lui lançait. Sachant que son amie ne pourrait pas maintenir le bouclier éternellement, Zarya décida de lui donner un coup de main. Elle concentra sa force télékinésique dans sa main gauche et lâcha une boule télékinésique avec une force incroyable sur Malphas. Mais ce dernier créa un mur translucide de sa main inoccupée et bloqua l'attaque avec une facilité déconcertante. Abbie, qui était toujours la cible de ses flammes, commençait à faiblir. Christophe et Grégoire assistaient, éberlués, au combat inusité qui se déroulait devant eux. Loin de se décourager, Zarya prit les pierres étalées sur le sol et les projeta sur Malphas. Celui-ci, avec un sourire diabolique, les contra tout en continuant à darder ses flammes sur Abbie qui, selon lui, ne pourrait pas maintenir le bouclier de protection encore bien longtemps. En voyant que sa meilleure amie était en détresse et que le protectum était sur le point de disparaître, Zarya se concentra pour atteindre le Fortitudo. En position de combat, les deux mains refermées sur elle-même, elle concentra toute l'extraordinaire force qu'elle possédait en elle. Christophe fut alors témoin d'un incroyable phénomène : une jeune fille toute vêtue de noir, avec sa chevelure flottant dans les airs, forma une boule d'énergie entre ses mains, puis l'expédia sur le démon qui se trouvait devant elle avec une force ahurissante. Sous le choc, Malphas fut propulsé à l'autre bout de la salle, si bien que plus aucune flamme ne parvint jusqu'à Abbie, tremblante, épuisée d'avoir maintenu le protectum aussi longtemps. Malphas avait de la difficulté à se relever. Zarya préparait déjà une autre attaque lorsque son regard s'arrêta sur un objet qui avait la capacité de mettre un terme au règne de Malphas. Cet objet trônait sur un piédestal, c'était le Crâne maudit. Le professeur Razny lui avait expliqué que ce crâne pouvait retirer les pouvoirs d'un mage et les retransmettre à celui qui le tenait entre ses mains. L'adolescente s'approcha du Crâne maudit et posa ses deux mains dessus, comme le professeur le lui avait montré.

Cependant, à cet instant précis, ces mots lui revinrent à l'esprit : « Zarya, tu cours un grand danger… Il y aura un jour de pleine lune meurtrier et sanglant… Une pierre te sauvera… Sois juste dans ton choix… Sinon tu périras… »

Au cours d'une séance de divination, Abbie lui avait en effet prédit qu'elle aurait à faire le bon choix… Mais quel était-il ?

Zarya saisit le crâne de ses deux mains et le lança violemment sur le plancher. Elle sortit ensuite de sa poche une pierre que Jonathan lui avait donnée. C'était une malachite, un puissant dépuratif de l'âme et du corps. Malphas se releva enfin et s'avança vers Zarya ; elle devait faire vite ! Lorsqu'il vit le Crâne maudit sur le plancher, fou de rage, il lança une vague translucide sur Zarya. Celle-ci forma aussitôt un bouclier pour contrer sa violente attaque. Le choc fut d'une telle intensité que les deux policiers basculèrent sous l'impact. Zarya recula sous l'incroyable force du démon sans pitié et elle se concentra pour atteindre de nouveau le Fortitudo avant d'être écrasée contre le mur de pierre qui n'était plus qu'à quelques centimètres derrière elle. En vain ! Toujours ligotée sur sa chaise, Abbie ne pouvait rien faire pour aider sa meilleure amie et la regardait se faire écraser contre le mur. Zarya, à présent collée au mur par une force émanant du mal en personne, lâcha un cri de désespoir, un cri du fond du cœur :

— Papa !

Malphas, qui poussait avec toute sa haine, se sentit envahi par quelque chose qu'il ne connaissait pas : l'amour d'un père pour sa fille. Même si John Adams était possédé par le démon de l'enfer, il lui restait assez de volonté et de force pour le ralentir quelques instants…

Voyant que Malphas avait momentanément relâché son emprise, Zarya brandit la pierre dépurative devant elle et la pointa dans sa direction. Aussitôt, une lumière verte jaillit, créant un faisceau lumineux intense qui frappa le démon en plein visage. Ce dernier tomba à genoux, les deux mains sur le sol, et réalisa qu'il avait perdu tous ses pouvoirs.

Au même moment, Jonathan entra dans la pièce et se précipita vers Zarya. Christophe le reconnut : c'était son partenaire du Vermont qui lui avait dit qu'il devait retourner dans son pays. Les deux policiers purent enfin se relever, puisque Malphas avait perdu l'emprise qu'il avait sur eux.

— Jonathan, mais… que fais-tu ici ? demanda Christophe, surpris.

— Je vais t'expliquer… après ceci !

Il se passa alors quelque chose de curieux. Malphas, toujours à genoux, sembla se dédoubler. Sans perdre un instant, Jonathan alla libérer Abbie de ses liens.

— Jonathan ! cria Zarya en regardant le démon Malphas quitter le corps de son père.

— C'est à toi de jouer, l'encouragea le jeune Maître Drakar. Abbie et moi, on va le retenir dans cette pièce…

— D'accord !

Même s'ils n'étaient pas des mages, Christophe et Grégoire virent le démon translucide quitter le corps du fameux Gourou.

Jonathan alla se poster à l'opposé d'Abbie, au fond de la salle. Tous deux se concentrèrent et formèrent un mur télékinésique afin que Malphas ne puisse pas quitter les lieux, sous le regard abasourdi des deux policiers. Zarya vit, sortant du corps de son père, une immonde bête de l'enfer qui faisait deux mètres et était pourvue d'une longue queue dentelée. Un démon noir de pied en cap, avec des yeux globuleux blancs, regardait, avec une haine intense, la jeune fille qui avait fait avorter son plan diabolique. Le démon Malphas se mit alors à tourner à l'intérieur du cercle translucide, frôlant Abbie de peu. Il buta contre le mur télékinésique que les amis de Zarya avaient formé. C'était maintenant à son tour d'être pris au piège. Christophe, qui contemplait avec ahurissement cet être répugnant qui dégageait une forte odeur de soufre, se demandait comment ces jeunes gens réussiraient à se débarrasser de ce démon translucide venu tout droit des enfers.

Malphas s'arrêta en face de Zarya et lui transmit par télépathie ce message plein de ressentiment :

— *Je vais revenir… le jour où tu t'y attendras le moins…*

Zarya le regarda, puis ferma les yeux pour canaliser toute son attention sur son nouveau pouvoir, le Torden… Toujours concentrée pour maintenir le mur, Abbie vit Zarya refermer ses bras en croix sur sa poitrine et prendre une grande respiration… Soudain, elle ouvrit ses bras en direction de Malphas. Des éclairs bleus sortirent de ses dix doigts et, dans un bruit assourdissant, allèrent frapper le démon sur tout son corps. Instantanément, Malphas se heurta contre le mur translucide de gauche à droite en hurlant de tout son être. Zarya ne lâcha pas prise, sous les yeux épouvantés des deux policiers qui croyaient vivre un cauchemar.

Et, tout à coup, Malphas éclata en mille cristaux de lumière rouge feu et disparut dans un tourbillon, en haut du plafond…

Épilogue

Zarya leva les yeux et vit le tourbillon se refermer. Abbie courut vers elle et se jeta dans ses bras.

— Merci infiniment ! Tu m'as sauvé la vie, dit-elle, les yeux emplis de larmes de joie. Tu es venue me chercher…

— Arrête… tu vas me faire pleurer, répondit Zarya, heureuse de retrouver sa meilleure amie.

Christophe Costa s'approcha de John Adams et l'agrippa par le bras :

— Je ne sais pas ce qui s'est passé ici, mais une chose est sûre : vous allez passer un bon moment en prison…

— Tu as vu le démon qui s'est volatilisé au plafond ? intervint Jonathan en s'approchant du lieutenant.

— Oui, enfin, je crois…

— Eh bien, c'était lui, le vrai coupable, déclara Jonathan en posant la main sur l'épaule de son ancien partenaire.

John Adams abaissa son masque et se tourna vers Zarya. Elle s'approcha timidement de lui.

— Est-ce terminé, papa ?

— Oui, je te le promets, répondit-il de bonne foi en regardant sa fille bien-aimée. Cependant, j'ai commis des actes répréhensibles, ajouta-t-il en jetant un regard désolé à Abbie, et je dois maintenant en assumer les conséquences…

— Mais tu étais sous l'emprise de Malphas ! C'est lui, le vrai coupable !

— Oui, je le sais, ma chérie, mais par le passé c'est moi qui l'ai fait venir dans notre monde... et même si je le regrette amèrement aujourd'hui, le mal est fait. Je suis conscient de tout ce qu'il a fait, mais... je ne pouvais pas intervenir pour l'empêcher de perpétrer ces choses atroces, dit-il en fixant le plancher d'un air déconfit. J'essayais de toute ma force intérieure de te communiquer des avertissements par télépathie, mais j'avais beaucoup de difficulté à le faire...

— Par l'intermédiaire de mes rêves ? l'interrogea Zarya qui commençait à comprendre le sens de ses cauchemars.

— Oui, c'est ça !

Abbie s'approcha doucement de Zarya et de John, et demanda à son amie :

— Je suis curieuse de savoir pourquoi tu as jeté le Crâne maudit sur le sol. Tu aurais pu lui soutirer tous ses pouvoirs.

— Tu te souviens, à ta première séance de divination, dans la bibliothèque de mon grand-père, quand tu m'as préconisé d'être juste dans mon choix de pierres... « Sinon tu périras... », as-tu précisé...

— Oui, je m'en souviens... avec la boule de cristal, répondit Abbie.

— Et elle a fait le bon choix, affirma John qui remerciait le ciel du bon jugement de sa fille. Malphas avait inversé la polarité du crâne...

— Ainsi, au lieu de soutirer ses pouvoirs, en déduisit Jonathan, tu lui aurais donné les tiens. En fait, Malphas t'a fait venir ici non pas pour se procurer les sept pierres sacrées de Prana, mais pour prendre tes facultés. Avec tes pouvoirs combinés aux siens, il aurait eu assez de force pour franchir le mur interdimensionnel et s'emparer des pierres sacrées lui-même. C'était une mise en scène parfaitement orchestrée, mais il avait omis un détail important... la complicité entre deux jeunes filles plus logiques que lui, dit-il en regardant Abbie et Zarya avec fierté.

— Quelles pierres de Prana ?... Quels pouvoirs ? fit Christophe, complètement embrouillé par tous ces événements plus qu'étranges.

— Mon patron va lui-même te l'expliquer, déclara Jonathan.

Ils quittèrent tous la pièce et sortirent du manoir. Le jeune Maître Drakar avait reçu par télépathie des nouvelles de Gabriel Adams. Celui-ci allait arriver d'un instant à l'autre. Jonathan entraîna donc ses compagnons vers le terrain qui se trouvait en arrière du manoir.

Une fois là, ils constatèrent qu'il y avait plusieurs blessés du côté des agents de police et deux morts chez les mages noirs. Six mages noirs étaient emprisonnés dans des blocs de glace. N'en croyant pas ses yeux, Christophe interrogea Jonathan du regard. Ce dernier eut un léger haussement d'épaules accompagné d'un petit sourire malicieux.

Zarya regarda au loin, en direction du lac, et distingua une dizaine de chaloupes transportant des Maîtres Drakar qui se dirigeaient vers le manoir. À bord de la première chaloupe, elle vit un homme tout vêtu de blanc. Malgré l'obscurité, elle le reconnut immédiatement : c'était son grand-père. L'adolescente marcha d'un pas rapide vers le lac et, lorsque l'embarcation arriva près de la rive, elle s'écria :

— Grand-père, ils t'ont libéré ?

— Oui, ma chérie, répondit le vieil homme, heureux de revoir sa petite-fille saine et sauve.

À son grand soulagement, il vit Abbie s'approcher et lui fit un grand sourire, ravi de constater qu'elle était toujours en vie.

Zarya vit une équipe d'infirmiers se précipiter vers les gendarmes blessés. De leur côté, des Maîtres Drakar venaient libérer les mages noirs prisonniers de la glace. L'adolescente essaya de repérer, parmi eux, le mystérieux inconnu du parc, mais en vain. Il s'était volatilisé !

— Merci infiniment d'avoir accompagné ma petite-fille et de l'avoir aidée à libérer son amie Abbie, dit Gabriel en serrant la main de Jonathan.

— Je vous en prie, Maître… je n'ai fait que mon devoir et ça m'a fait plaisir d'aider la famille Adams ainsi qu'Abbie, affirma le jeune Maître Drakar avec un sourire réjoui.

Cependant, tourmenté par quelque chose qu'il ne comprenait pas, il demanda poliment :

— Maître… comment se fait-il qu'ils vous aient libéré aussi rapidement ?

— Cela va te surprendre, mon cher ami, fit Gabriel, mais c'est le ministre Sarek qui m'a laissé partir.

— Le ministre Sarek ! répéta Jonathan, très surpris.

— Disons que c'est plutôt un émissaire qui m'a libéré, sous les ordres du ministre Sarek, expliqua le ministre. La raison est bien simple. L'alarme s'est mise à sonner à la pyramide d'Hélios et comme je suis le principal responsable de la sécurité des pierres qui y sont conservées, ils n'avaient pas d'autre choix que de me relâcher. La sécurité des pierres primait. Mais je peux t'assurer qu'elles sont toujours là, ajouta-t-il en lui faisant un clin d'œil.

— Mais… qui t'a averti que nous étions ici ? l'interrogea Zarya.

— C'est Hubert, le jardinier du manoir, répondit Gabriel en tournant son regard vers sa petite-fille. Il a réussi à s'enfuir juste à temps et il a ensuite averti Mitiva. Elle est parvenue à communiquer avec moi…

— Et Adèle et Jules ? s'inquiéta Abbie.

— Ils sont en sécurité maintenant, l'assura Gabriel en les pointant du doigt, au loin.

En effet, les Maîtres Drakar avaient trouvé les domestiques de monsieur Adams ligotés dans une chambre. À présent, des infirmiers s'occupaient d'eux et soignaient leurs légères blessures.

— Mais que vont devenir les policiers ? fit Abbie, toujours aussi curieuse. Ils ont vu un peu trop de choses de notre monde magique...

— Ne t'en fais pas, ma chère Abbie, déclara Gabriel, l'air détendu, ce n'est pas la première fois que cela se produit et ce ne sera sûrement pas la dernière non plus...

N'y tenant plus, Christophe s'approcha de Jonathan et lui demanda :

— Pourrais-tu finalement m'expliquer tout ce bordel ?

— Maître, je vous présente le lieutenant Christophe Costa...

Gabriel lui serra la main et lui dit :

— Effectivement, je vous dois quelques explications. Et à en juger par votre belle aura, je sais que je peux vous faire confiance.

Sur ces mots, Gabriel leva la main gauche et enveloppa Christophe d'une bulle bleue translucide et éblouissante. De la main droite, il frappa le sol avec sa canne et lança d'une voix forte :

— *Commémorandas !*

Une lumière blanche éclatante jaillit de sa canne et alla former un dôme immense au-dessus des gens qui se trouvaient derrière le manoir, sous le regard abasourdi de Christophe qui restait silencieux dans sa bulle. Puis Gabriel releva sa canne et le dôme se changea en une fine pluie de cristaux qui tomba sur les personnes se trouvant là.

◊ ◊ ◊

Ils étaient tous revenus à Attilia et chacun avait repris ses occupations. Zarya et Abbie avaient retrouvé leurs amis. Gabriel et Jonathan rédigeaient des rapports qu'ils devaient remettre au Grand Conseil des ministres. Gabriel n'avait plus entendu parler du ministre Sarek depuis la nuit sanglante. Les membres du Grand Conseil reconnurent que Zarya Adams, petite-fille de Gabriel Adams, ministre des Relations interdimensionnelles et directeur du Temple des Maîtres Drakar, était pourvue d'un pouvoir extraordinaire et possédait un don naturel. Grâce à ce jugement, Gabriel était blanchi de toute accusation.

Les policiers étaient tous retournés à Paris, la mémoire modifiée et guéris de leurs blessures grâce aux interventions des infirmiers attiliens. Quant à Christophe, il était reparti avec des souvenirs impérissables après avoir fait la promesse solennelle de garder ce secret à tout jamais et de l'emporter avec lui dans la tombe. « De toute façon, avait-il déclaré à Gabriel, personne ne me croirait... » Le ministre lui avait donné le titre de « contact officiel » de l'autre monde et l'avait prévenu qu'il aurait sûrement besoin de ses services un jour ou l'autre. Puis il lui avait serré la main pour le remercier d'avoir aidé les Maîtres Drakar à mettre un terme au plan machiavélique de Malphas. Pour le récompenser, Gabriel lui avait donné une pierre précieuse en lui disant :

— Tenez et faites-en bon usage, mon ami !

Après leur avoir enlevé leurs pouvoirs, on enferma les mages noirs dans la prison à haute sécurité d'Attilia. Ils n'étaient pas près d'en sortir. Quant à John Adams, le peu de pouvoirs qui lui restait lui fut également retirés et il fut envoyé, à sa demande, dans une prison française où il serait suivi par des psychiatres pendant deux ans ; une psychothérapie et une cure de désintoxication s'imposaient. Il fut entendu que, après avoir purgé sa peine, il repartirait dans son pays d'origine, le Canada, afin de retrouver sa famille.

Le Crâne maudit fut transporté au Temple des Maîtres Drakar pour que le grand spécialiste des pierres et des cristaux, le professeur Trevor Razny, effectue des tests complets sur l'un des cristaux les plus mystérieux de tous les temps. Par la suite, le cristal damné fut placé dans l'un des endroits les mieux protégés du Temple, la Chambre des Objets Maléfiques.

◊ ◊ ◊

Les vacances de Zarya et d'Abbie touchaient à leur fin. Gabriel et ses gardes du corps les raccompagnèrent à l'aéroport Roissy-Charles-de-Gaulle. Les deux jeunes filles avaient quitté Attilia pour un monde matériel qui, selon elles, ne serait plus jamais pareil.

— Grand-père, dit Zarya, le regard nostalgique, je ne suis pas encore partie et je m'ennuie déjà.

Abbie, qui se tenait debout près de Zarya, avait de la difficulté à retenir ses larmes.

— Moi aussi, je suis attristé de vous voir partir, déclara Gabriel, mais nous allons nous revoir bientôt... Et pour rendre ce départ un peu moins douloureux, j'ai deux surprises pour chacune d'entre vous, ajouta-t-il en sortant quelque chose de sa poche. Tenez...

— Qu'est-ce que c'est ?

— Ce sont deux billets pour revenir à Noël, répondit-il avec un immense sourire.

Zarya et Abbie sautèrent de joie en s'écriant :

— C'est vrai ?!

Elles n'en croyaient pas leurs yeux.

— Merci du fond du cœur, fit Zarya en embrassant son grand-père, imitée sur-le-champ par Abbie.

— Hé, attendez ! Je vous ai parlé de *deux* surprises, dit Gabriel en faisant un signe à l'un de ses gardes qui s'avança aussitôt pour leur apporter deux boîtes.

Les jeunes filles les prirent et les ouvrirent en même temps.

— Mais… ce sont des boules du Savoir, balbutia Abbie en reconnaissant la sphère de cristal opaque, qui ressemblait à une boule de quille.

— C'est exact ! s'exclama Gabriel, touché par le sourire radieux qu'affichaient sa petite-fille et son amie. Vous pourrez ainsi trouver tout ce que vous voudrez savoir du monde qui est maintenant le vôtre. Et vous direz aux douaniers canadiens que vous êtes des expertes en quilles, ajouta-t-il avec humour.

— On ne sait pas quoi dire, fit Zarya, très heureuse.

— Alors, dites-moi « à bientôt » !

Après les embrassades, l'un des gardes du corps de Gabriel s'approcha de Zarya.

— J'espère qu'on va bientôt se revoir, dit Jonathan en serrant la main de la jeune fille, qui rougit de cette gentille attention.

— Oui, je l'espère de tout mon cœur, le rassura-t-elle en le regardant dans les yeux.

Jonathan se rapprocha tout doucement et déposa un petit baiser à la commissure de ses lèvres. Zarya crut défaillir, et elle ne retrouva ses esprits que lorsqu'il s'éloigna d'elle.

Alors qu'elles se dirigeaient vers la porte d'embarquement, Zarya demanda à Abbie :

— Est-ce que tu vas revoir Olivier ?

— Oh oui ! Nous allons nous écrire. J'ai hâte de lui dire que nous revenons à Noël, il va être fou de joie !

Une chose étrange attira le regard de Zarya : un oiseau inconnu de ce monde était perché sur un lampadaire, à l'extérieur. C'était un oiseau au plumage bleu royal, avec de grandes ailes repliées et une longue queue. L'adolescente le reconnut facilement ; c'était le premier animal qu'elle avait vu en arrivant à Attilia, un picquort. Le plus surprenant, c'est que l'oiseau lui fit un clin d'œil complice. Ébahie, Zarya lui rendit son clin d'œil avec un sourire…

Cependant, quelque chose la tracassait encore alors qu'elle s'engageait dans le couloir qui menait à l'avion…

Qui pouvait bien être le mystérieux inconnu du parc ?